i

为了人与书的相遇

周濂 著

打开

周濂的100堂
西方哲学课

[下卷]

上海三联书店

图书在版编目（CIP）数据

打开 : 周濂的 100 堂西方哲学课 / 周濂著 . –– 上海 :
上海三联书店 , 2019.4（2021.12 重印）

ISBN 978-7-5426-6609-3

Ⅰ . ①打… Ⅱ . ①周… Ⅲ . ①西方哲学 – 通俗读物
Ⅳ . ① B5–49

中国版本图书馆 CIP 数据核字 (2019) 第 021707 号

打开：周濂的100堂西方哲学课

周濂 著

责任编辑 / 徐建新
特约编辑 / 王家胜　黄　燕　闫柳君
装帧设计 / 里　巷
内文制作 / 李丹华
监　　制 / 姚　军
责任校对 / 张大伟
出版发行 / 上海三联书店
　　　　　（200030）上海市漕溪北路331号A座6楼
邮购电话 / 021–22895540
印　　刷 / 山东临沂新华印刷物流集团有限责任公司

版　　次 / 2019 年 4 月第 1 版
印　　次 / 2021 年 12 月第 4 次印刷
开　　本 / 965mm×635mm　1/16
字　　数 / 630千字
印　　张 / 49
书　　号 / ISBN 978-7-5426-6609-3/B · 627
定　　价 / 118.00元（上下册）

如发现印装质量问题，影响阅读，请与印刷厂联系：0539–2925659

目录

第二部

近现代哲学

《笛卡尔与瑞典女王克里斯蒂娜的争论》（局部），布面油画，瑞典画家尼尔斯·福斯贝里（Nils Forsberg，1842—1934）绘于 1884 年。

为了"有所不疑"必先"有所怀疑"：
笛卡尔的《谈谈方法》

从这一讲开始我们将进入近代哲学。如果说古代哲学追问的核心问题是本体论问题，那么近代哲学追问的则是认识论问题。什么是本体论问题？简单说，就是外部世界存在着什么。什么是认识论问题？简单说，就是我们如何知道，以及我们能够知道什么。从本体论发展到认识论，背后的逻辑其实一目了然：在知道外部世界到底存在着什么之前，我们首先要考察能够知道什么。

赖床的哲学家

在接下来的两讲里，我们将来探讨笛卡尔的哲学。笛卡尔（René Descartes）通常被认为是近代哲学之父，他 1596 年出生于法国的一个小村庄里，因为从小身体孱弱，在上学的时候可以免早操，也因此养成了在床上思考问题的习惯。以后如果有人再说你赖床，你可以名正言顺地告诉他：别打扰，我正在像笛卡尔一样思考。

　　跟许多著名的哲学家一样，笛卡尔也是一个老光棍，但这并不意味着他没有过爱情生活，事实上他在年轻的时候曾经卷入一桩爱情的决斗。他曾经有过一个非婚生女儿，可惜只活到了五岁。笛卡尔有两个著名的红颜知己：一位是波西米亚的伊丽莎白公主，另一位是瑞典女王克里斯蒂娜。后者给他带来的不只是欣赏、认可和友谊，还有死亡。1649 年，克里斯蒂娜邀请笛卡尔去瑞典讲学，甚至不惜动用战舰把他从荷兰专程接到瑞典的王宫，然而这个看似无比荣耀的旅程却成为死亡之旅。因为女王每天起得很早，习惯赖床的笛卡尔不得不在凌晨 5 点起床与她讨论哲学问题，在冰天雪地的瑞典，他不幸患上了肺病，于 1650 年 2 月 11 日去世。

　　今天人们说起笛卡尔，总是想当然地把他视为一名哲学家，我想告诉大家的是，他首先是一位数学家和自然哲学家，他是解析几何的奠基人，他研究物理学、气象学、天文学，甚至打算出版一本著作，提出地球是围绕太阳运转的一颗行星，但是在得知伽利略被教会审判的消息之后，他立即把这本书撤了回来。笛卡尔自称从来不读经院哲学的教科书，相比起理论知识，他更热爱做实验，有意思的是，他却被后人视为唯理论的代表人物，而不是经验论的代表人物。这个事实告诉我们，所谓唯理论和经验论的区分只是方便之举，我们切不可因此而陷入教条僵化的思维，认为二者之间存在着无法跨越的鸿沟。要知道，在哲学领域里，很多类似的鸿沟其实都是后来人以讹传讹的结果，当时的人们可不是这样非此即彼的。

　　在哲学领域，笛卡尔先后出版过《谈谈方法》、《第一哲学沉思集》、《哲学原理》等著作，这在当时给他带来了毁誉参半的名声，反对者指控他是一个无神论者和异教徒，而支持者则对他欣赏有加。地球人都知道，笛卡尔有一句名言叫作"我思故我在"，所有的哲学系在印制 T 恤的时候，最先想起的就是这句话。

形而上学：人类知识之树的基础

在正式讲解"我思故我在"之前，我想先来介绍一下笛卡尔的哲学动机。作为近代哲学之父，笛卡尔写作《第一哲学沉思集》的目的是为了摧毁亚里士多德的原则，与中世纪的经院哲学一刀两断，"促成全新的、普遍的自然科学"。

笛卡尔对旧哲学最大的不满在于，虽然千百年来无数最聪明的大脑在钻研那些问题，但依旧是众说纷纭、没有定论。他说："我眼见它虽然经过千百年来最杰出的才智之士的研讨，其中还是找不出一件事不在争辩之中，因而没有一件事不是可疑的。"这与数学、几何学的现状形成了鲜明的对比。正是出于这样的考虑，笛卡尔打算以数学和几何学作为哲学体系的原型，结合探究的方法与怀疑的方法，为人类的知识之树建立"稳固可靠、经久不衰的"基础。

这里需要解释两个问题。首先，笛卡尔把人类的知识比喻成一株大树，最上面的树叶和枝丫是自然科学，树干是物理学，而深扎在泥土中的树根则是形而上学，他所谓的"稳固可靠的、经久不衰的"基础指的就是形而上学。笛卡尔批评伽利略，认为他固然是一名出色的科学家，可惜缺乏哲学的眼光，在还没打地基的时候就开始盖楼了。

其次，笛卡尔认为要想建立这棵知识之树，首先要解决方法论的问题。前段时间我在网上看到一句话说，人生就是一个不断校正方向的过程，否则跑得越快，错得越远。其实，笛卡尔早就有过类似的说法："那些只是极慢前进的人，如果总是遵循着正确的道路，可以比那些奔跑着然而离开正确道路的人走在前面很多。"

谈谈方法

在接下来的时间里，我们将介绍他的方法论。推荐各位去读他写的《谈谈方法》，中译本是商务印书馆出版的，非常薄的一本小册子，一个下午就可以翻完。笛卡尔曾经很得意地说过：我的哲学书读起来就像小说。这话不算特别夸张，特别是比起康德的著作，笛卡尔的书的确流畅得像是网络小说。

笛卡尔主张"良知是人间分配得最均匀的东西"。这话什么意思？要知道，从古希腊的柏拉图一直到中世纪，主流的观点认为人分三六九等，只有极少数人，比方说哲学家和僧侣教士才有资格掌握知识。所以当笛卡尔说良知是世界上分配得最均匀的东西的时候，就意味着人同此心、心同此理，每一个人，无论是王公贵族还是贩夫走卒，都可以通过教育，通过寻找到正确的方法来获得真知。这当然是继承了文艺复兴和人文主义的传统，是对普遍人性的一种肯定。

笛卡尔认为，良知或者理性是"那种正确判断、辨别真假的能力"，既然良知是平均分配的东西，那就意味着，"我们的意见之所以分歧，并不是由于有些人的理性多些，有些人的理性少些，而只是由于我们运用思想的途径不同，所考察的对象不是一回事。因为单有聪明才智是不够的，主要在于正确地运用才智"。

也正因如此，方法论就显得格外重要。具体来说，笛卡尔提出了四条方法论的原则。这些原则初看起来卑之无甚高论，但是细细琢磨，就会发现它们不仅非常实用，而且要想在日常生活中一一落实，其实并不容易。

第一条方法论原则是："在我尚未清楚认识时，决不接受任何事实为真。"我们在网上读到大量的来路不明、鱼龙混杂的信息时，能做到这一点吗？我们是不是非常容易轻信、盲信那些捕风捉影的消息呢？我曾经在一个访谈里提到，在"后真相时代"，面对海量的信息，人们会出现消化不良的状态，真伪难辨，不知如何取舍，这其实是对每个读者提出了很高的要求：你必须要有反思和批判的能力，必须要有辨析、区分和解读信息的能力。与此同时，后真相时代凸显出共同学习的重要性。如果我们秉承着共同追寻事实真相、探求道理的初衷，这会是一个很好的共同学习的过程。但是如果我们不在乎真假、只在乎输赢，不在乎对错、只在乎立场，不在乎理解、只在乎面子，那么公共生活的生态就会变得异常糟糕。

回到笛卡尔的方法论原则，第二条是："将我检查的每一项难题尽可能分成许多小部分，以便可以尽可能用最好的方法加以检验。"这是再简单不过的分解法，非常实用，家里的家用电器坏了的时候，遵循这个方法一定能够找到问题所在。几年前我家的空气净化器坏了，我就是这样解决问题的：有个学理科的朋友得知此事非常惊讶——"你们文科生也能修理家用电器"，我跟他说，因为我学过笛卡尔的方法啊。

第三条："按照次序引导我的思想，以便从最简单、最容易认识的对象开始，一点一点逐步上升到对复杂对象的认识。"把这一条与第二条结合起来，就是先分解再综合的整个过程。

第四条："最后，把所有情形都尽可能一一列举出来，逐项检查，确保没有任何疏忽遗漏。"这就是我们在高中考数学的时候最经常干的事情。

我们现在要问的是，当笛卡尔把这套方法运用到哲学反思上的时候，会有什么样的结果呢？简单说，就是通过怀疑一切可以怀疑的东西，通过分解一切可以分解的东西，最终找到那个不可怀疑的确定之点，为人类的知识之树建立起"稳固可靠、经久不衰的"基础，然后再返身重建知识之树。

笛卡尔式的怀疑

要特别强调的是，笛卡尔式的怀疑是方法论上的怀疑，这意味着他不是为了怀疑而怀疑，恰恰相反，他的怀疑只是为了寻找那个确定无疑的东西。在中世纪晚期，古希腊的很多哲学流派重新开始流行，其中最受欢迎的就是怀疑主义。道理一望便知，因为怀疑主义可以作为一个工具去冲撞经院哲学的权威性。可是过犹不及，如果演变成为普遍的怀疑主义，那就会产生极大的破坏后果。很多哲学的初学者都会陷入这种我怀疑、我怀疑、我怀疑的状态中，最后就成了我破坏、我破坏、我破坏的思想红卫兵。而真正伟大的哲学家，他们虽然也怀疑，但是他们绝不是为了怀疑而怀疑，而是把怀疑作为通向确定性的一条道路。笛卡尔就是这样，所以我们才会把他的怀疑称为方法论上的怀疑。

　　笛卡尔说："我仅仅是在考虑最极端的一种怀疑形式，正如我反复强调的，这种怀疑是形而上层面的，是夸张的，绝不可以应用于现实生活。当我说任何事物只要引发丝毫怀疑，就有充分理由予以怀疑时，我指的正是这种怀疑。"

　　那么他到底是怎么怀疑的？通过怀疑，他能否找到那确定无疑的基础，并由此返身重建知识之树？关于这些问题，我们下一讲接着说。

053

我思故我在：笛卡尔的《第一哲学沉思集》

钵中之脑与《第一哲学沉思集》

请你设想这样一种可能：想象你没有四肢和躯干，只是一块脑组织，被浸泡在科学实验室的一个容器里，你的神经末梢与一台极为复杂的机器相连接。有一群邪恶的科学家通过输入各种信号来刺激这块大脑，由此产生童年的记忆，比如门前的老树、儿时的玩伴、池塘里的蛙鸣，还有爱情的甜蜜、信仰的虔诚、各种复杂的思维，以及你现在正在阅读这本书，所有这一切，全都是科学家不断刺激下产生的幻象。请问，你如何证明这个设想是错的？

这个思想实验的名字叫作"钵中之脑"，发明者是当代著名哲学家希拉里·普特南（Hilary W. Putnam），它的目的很明确，就是为了重申"外部世界是否存在"这个经典的怀疑论问题。

如果追本溯源，我们可以在笛卡尔的《第一哲学沉思集》中找到"钵中之脑"的原型。这本书是以日记的方式写成的，主人公是

一位沉思者，他一共进行了六天的沉思，然后逐一记录下来，写成
了六个沉思。需要特别强调的是，这是一个漫长的思想实验，里面
虽然有不少逻辑推论，但更多的却是类似于宗教静修般的冥思，所
以这本书对于读者提出了不同寻常的要求，它要求你不是作为旁观
者，而是作为沉思者，与主人公一起去进行这场思想的冒险之旅。

第一个沉思：感官的可错性

我在这里将重点介绍前三个沉思，第一个沉思的题目是"论可
以引起怀疑的事物"。我要再次强调的是，笛卡尔不是为了怀疑而怀
疑，而是通过怀疑去寻找确定无疑之物，这就好比是在盖新楼房之
前，摧毁原有的老楼房，彻底地清理地基，从根本上重新开始。

沉思者告诉我们，当我们怀疑的时候，不需要找到确凿的证据
才开始怀疑，相反，只要我们发现哪怕有一丁点儿的可疑之处，就
可以把这些对象统统抛弃掉，因为既然它们是可疑的，哪怕只有一
丁点儿可疑，那就不足以成为"坚实可靠、经久不变的东西"了。

也许会有人说，谁会在日常生活中这么胡乱怀疑呢，那不是成了
疑心病患者了吗？对于这个质疑，我们要牢牢记住笛卡尔的警告："这
种怀疑是形而上层面的，是夸张的，绝不可以应用于现实生活的。"

也许还会有人说，天底下有那么多的事情，我们哪有时间去
一一加以怀疑呢？对此笛卡尔告诉我们，我们的确没有必要逐一去
怀疑每一件事情，因为那会是一件没完没了的工作。所以，我们需
要做的就是"从我的全部旧见解所根据的那些基本原则下手"。

比方说："直至现在，凡是我当作最真实而接受过来的东西，都
是从感官或通过感官得来的。"拿这条原则开刀，意味着笛卡尔要破
除感官的神话，证明感官的可错性。为了做到这一点，他提出了著
名的"梦的论证"。我记得几年前在微博上曾经读到一个帖子，据说
是某高校的哲学考题："如果有人跟你说，你现在不是在教室里参加

考试，而是在睡梦中梦见自己正在考试，你可以从哪些方面证明他是错的？试论证。"这个考题就是笛卡尔"梦的论证"以及"钵中之脑"的变形。笛卡尔的沉思者断言："没有任何可靠的迹象，使人能够将清醒与睡梦加以区别。"

接下来的怀疑就更刺激了，不仅感官是可错的，连数学、几何学这些"最简单、最普遍的东西"也可能是错的，比方说 2+3=5，正方形有四条边，也完全可能是骗人的上帝偷偷塞到我们观念里的东西。说到这里，你是不是觉得这个"骗人的上帝"特别像钵中之脑的邪恶科学家？

进行到这一步，这个近似疯狂的怀疑之旅已经有点山穷水尽的意思了。当我们把一切可以怀疑的东西全都拆除之后，到底是两手空空、一无所获，还是能像溺水的人抓住最后一根稻草呢？

第二个沉思：我思故我在

在第二个沉思的一开篇处，沉思者提出了阿基米德点的设想。他说，阿基米德只要找到一个靠得住的固定支点，就可以撬动整个地球。我们目前正在做的事情同样如此，如果我们可以找到哪怕是一件确定无疑的事，那我们就可以怀抱远大的希望了。什么希望？当然是重建知识之树的希望。

这个阿基米德点不是别的，正是"我在思想"。比方说，当我在怀疑外部世界是否存在的时候，我是在怀疑；当我在怀疑有一个邪恶的上帝给我灌输数学观念的时候，我也在怀疑；甚至，我怀疑我正在怀疑这件事情的时候，我也仍旧在怀疑……如此不断地倒推下去，我怀疑我怀疑我正在怀疑，我也仍旧是在怀疑，所以最终你会发现，我在怀疑这件事情是不可怀疑的。

当然，笛卡尔的原话不是这样说的，他沉思的结论是：

如果他（妖怪）骗我，那么我毫无疑问我是存在的；而且他想怎么骗我就怎么骗我，只要我想到我是一个什么东西，他就总不会使我成为什么都不是。……即有我，我存在这个命题，每次当我说出它来，或者在我心里想到它的时候，这个命题必然是真的。

这个结论在笛卡尔的《谈谈方法》中被总结为"我思故我在"这个著名的命题。要注意的是，虽然笛卡尔在《第一哲学沉思集》中展现了最完整的思路，但是"我思故我在"这个精确的表述其实是出现在《谈谈方法》里的。而且，这个基本的构想在更早之前的奥古斯丁那里就已经有了比较完整的陈述。当然，让"我思故我在"成为哲学史上最著名的命题，这要归功于笛卡尔。

现在的问题是，我思故我在是一个逻辑论证吗？初看起来它符合三段论的推理形式：

大前提：凡思想的东西必存在；
小前提：我是一个在思想的东西；
结论：所以，我存在。

可是如果你仔细思考一下，就会发现，我们并不知道大前提，也即"凡思想的东西必存在"这个判断是否成立。所以笛卡尔认为，我们就是直接从"我在思想"推论出"我存在"，这是一个"心灵的单纯直观"，我们把它作为"自明的事情"，我们知道它，是因为我们体验到：我不存在便不可能思维。

我相信，对于很多读者来说，这里存在着理解的障碍。就像我在前面所说的那样，我们万万不可作为旁观者，而是要成为书中那个正在沉思的主人公，用心灵去感受这些语句，进入它给你设定的那个场域，唯当如此，你才能借助心灵的直观得出"我思故我在"这个结论。

你一定会问：这个"我"到底是什么呢？用笛卡尔的原话回答就是："……我只是一个在思维的东西，也就是说，一个精神，一个理智，或者一个理性……"总而言之，"思维是属于我的一个属性，只有它不能跟我分开。……假如我停止思维，也许很可能我就同时停止了存在"。

在准备这一讲的时候，很不幸地传来了英国物理学家霍金的死讯，我在朋友圈里向霍金致敬的时候，评论他为"'我思故我在'的完美案例"。自从霍金21岁患上肌肉萎缩性侧索硬化症，他的肉身就已失去意义，霍金是以一种纯粹的"我思"状态存在着的，或者用笛卡尔的话说，只要他还在思想，他就存在着。

再给大家举一个例子，约翰尼·德普在2014年出演过一部名叫《超验骇客》的科幻片，在肉身死亡之前，他把自己的意识储存到了电脑里，请问他还存在吗？如果笛卡尔来回答这个问题，肯定会说，当然存在，因为人本质上是一个在思维的东西。

在确立起"我思故我在"这个阿基米德点之后，按照笛卡尔的方法，就要返身重构整个世界，重构整个知识的体系和大厦了。否则的话，"我思"就仍旧被孤独地幽闭在一个黑暗的空间里。可是这一步是怎么迈出去的呢？这就带领我们来到了第三个沉思。

第三个沉思：论证上帝的存在

好，现在我想请各位读者暂时闭上眼睛，搜索一下脑海里都会出现哪些观念（ideas）。

是不是会冒出各种稀奇古怪的观念和想法？比如说，红花绿树、蓝天白云、蜘蛛侠、钢铁侠、哈尔的移动城堡、隔壁班的女生、讨厌的舍友、柏拉图的哲学、基督教的原罪说、上帝和天使……

沉思者指出，所有这些观念都可以根据不同的来源被分为三类：一类是天赋的（innate idea），也就是与生俱来的；一类是非天赋的，也就是外来的；还有一类是自身虚构的。这三类观念又可以合并为两类：思想自己制造的（虚构的），和由外部原因造成的（天赋的与外来的）。有人可能会问，天赋的不是与生俱来的吗？那它怎么可能是外来的？笛卡尔说，像上帝这种天赋观念就是由上帝放到我们的观念里的，所以虽然它是与生俱来的，但也是外来的。

你一定好奇，沉思者做这些区分到底是为了什么？归根结底，他是想借助上帝这个独特的观念来完成最关键的突破。现在沉思者做了一个非常重要的改变，他不再认为上帝是个骗子，而是把上帝观念解释成完满的观念。他从无限的、完满的上帝观念，得出上帝"没有任何缺陷"。由此推论，"它不可能是骗子，因为自然之光清楚地告诉我们，欺骗在于有某种缺陷"。

读到这里，也许意识到了，这个沉思者是在仿照安瑟尔谟的本体论证明，从上帝是一个完满的观念推论出上帝必然存在这个结论。我要再次强调的是，上帝的观念虽然是天赋的，但也是外来的，笛卡尔的理由是"我是一个有限的东西"，有限的东西自身无法创造出一个无限的实体观念，它一定是由那个真正无限的实体，也就是上帝把这个观念放在我心里的。

必须承认，笛卡尔的很多思路不容易被现代人所理解，而且他的上帝论证也充满了各种槽点，即使在当时也引发了很多的争议。但是我不打算过多地介绍这方面的情况。我想重点强调的是两个问题。

首先，表面上看，笛卡尔是在附会正统的神学，论证上帝的存在。但其实笛卡尔的上帝完全不同于《圣经》中的上帝，因为上帝在这里的功能非常单一——他是为了保证物质世界的存在而被引入的。借用英国学者索雷尔的观点："这是一位物理学家的上帝，或者准确地说，是一种反怀疑主义的物理哲学所要求的上帝，他将竭力保护物理学的基本定律不受怀疑的侵扰。"正是因为有了上帝作为中介和保证，笛卡尔才有可能突破我思，确保物质的存在，也就是外部世界的真实性。

其次，笛卡尔特别强调了感官的可错性，他这么做的目的是为了反对亚里士多德的体系，因为后者的哲学思考就是从感觉经验出发的，而笛卡尔通过强调感觉的可错性，提出了认识外界事物不可依靠感官，而必须凭借理性和精神，这显然是理性主义和唯理论的思路，与亚里士多德的经验主义思路是大相径庭的。

重新创建崭新的哲学体系

最后我想做一个小结，笛卡尔的《第一哲学沉思集》完美地体现出他的方法论原则，先从怀疑出发，得出"我思想（怀疑）"这个不可怀疑之物，然后从"我思"中的上帝观念推论出上帝存在，再由上帝作为担保，确保了物质的存在。这是一个先分解再综合的过程，一个先破再立的过程，其中的关键之处就是寻找到了"我思"这个阿基米德点。

笛卡尔的哲学有着深远的历史意义，在他的墓志铭上写着这样的字句："笛卡尔，欧洲文艺复兴以来，第一个为人类争取并保证理性权利的人。"我们还可以补充这样一句话：笛卡尔是在此之前一千年来第一个像古希腊哲人那样创建自己哲学体系的人。中世纪的哲人匍匐在《圣经》和信仰之下，文艺复兴的哲人满足于重新发现和解释古代智慧，只有笛卡尔在跨越了千年的沉寂之后，重新开始凭借自己的理性去创建崭新的哲学体系。在笛卡尔的激励下，洛克、休谟、康德纷纷提出了各自的体系，从此之后，"读我的著作、抛弃我的前辈"成为 17 和 18 世纪思想家的主旋律。

具体说来，笛卡尔哲学的影响体现在以下几点：

第一，它虽然号称研究的是"第一哲学"，也即"形而上学"，但其实却让知识论成为核心论题，导致了哲学史上所谓的"知识论的转向"。

　　第二，笛卡尔的"我思"也就是"主体"被认为是封闭的，此后的哲学家往往以此作为一无可争议的出发点。

　　第三，虽然有上帝作为中介和保障，心灵和物质之间仍然存在着无法跨越的鸿沟，由此，心物二元论被凸现出来。罗素评价说：笛卡尔哲学完成了由柏拉图开端的、经基督教哲学发展起来的精神、物质二元论，"精神界和物质界是两个平行而彼此独立的世界，研究其中之一能够不牵涉另一个。精神不推动肉体，这是个新颖想法"。

　　第四，笛卡尔主张知识起源于天赋的观念，从此开启唯理论也就是理性主义的先河，他与以洛克、休谟为代表的经验论者，也就是主张知识起源于经验的哲学家，一起构成了近代哲学的主流。

　　最后，为了纪念霍金，请允许我用霍金的一句话来结束这一讲，虽然它跟本讲似乎没有太大关联："若不是因为你所爱之人居住其中，这个宇宙没什么大不了的。"

054
上帝给了我眼睛看世界，我却用它来看自己：
洛克的《人类理解论》（上）

近代哲学的窘境

2018 年 3 月，霍金去世，在所有的纪念文章中，我最喜欢的是"好奇心日报"翻译的一篇海外报道，题目是《霍金去世，他的思想在宇宙中回荡》，文章的结尾处是这样写的：

> 将自己最好的时光花在探寻黑洞和宇宙毁灭，霍金并不惧怕黑暗。"它们被称为黑洞是因为人类对于毁灭和被吞噬的恐惧。"霍金对一位采访者说，"我不怕被吸进去。我理解它们。某种程度上说，我觉得我是它们的主人。"

我被这段话深深地打动了。它不仅让我想起了古希腊哲人阿那克萨哥拉的那句名言——"在万物混沌中，思想产生并创造了秩序"，也让我想起了生活在 17 世纪的法国哲人帕斯卡尔的那句名言："人是会思想的芦苇"。在面对浩瀚无垠的宇宙时，人类时时感受到自己的渺小，但是因为有了思想和理性，我们可以去理解和把握宇宙的奥秘，由此建立起挺立于宇宙之间的勇气和信心，就像霍金所说的那样："我理解它们。某种程度上说，我觉得我是它们的主人。"这应该是对人类理性最高的礼赞吧。

霍金不仅是科学家，也是哲学家，在 2011 年出版的《大设计》这本书中，霍金提出了一系列的哲学问题："我们怎么能理解我们处于其中的世界呢？宇宙如何运行？什么是实在的本性？所有这一切从何而来？宇宙需要一个造物主吗？"

但是，霍金话锋一转，认为"哲学已死"，他的理由是："按照传统，这些是哲学要回答的问题，但哲学已死。哲学跟不上科学，特别是物理学现代发展的步伐。在我们探索知识的旅程中，科学家已成为高擎火炬者"。

哲学真的已经死了吗？在一个意义上，哲学的确死了，因为现在一流的哲学家都不是一流的科学家；但是反过来说，宇宙的起源，实在的本质，宇宙是否需要一个造物主，所有这些问题，真的只能通过科学才可以给出完美的回答吗？我不认为是这样的。在我看来，这些问题恰恰是科学与哲学交叉的问题，除了借助科学，还要借助概念分析、心灵直观，才有可能得到真正的回答。事实上，当我们阅读《大设计》的时候，就会意识到，霍金的哲学素养并不如他自以为的那么高，比如他津津乐道的"依赖模型的实在论"，在哲学领域就是一个老生常谈的话题。我的意思是，霍金虽然是哲学家，但却不是一流的哲学家。

我们这个时代最大的问题恰恰在于，一流的哲学家不是一流的科学家，反之亦然，一流的科学家也不是一流的哲学家。这种状况在近代早期并不存在，笛卡尔是解析几何的奠基人，莱布尼茨创立了微积分，康德提出了太阳系起源的星云假说，他们都是一流的哲学家，同时也是一流的科学家。但是自从 19 世纪末 20 世纪初开始，随着专业分工越来越细，自然科学和社会科学纷纷离开哲学的母体，一去不返，这才导致了今天的窘境。因为哲学家缺乏足够的科学素养，科学家缺乏足够的哲学训练，所以无法对哲学和科学的交叉问题提供令人满意的回答。

谈了这么多霍金的话题，是想从霍金这里引出近代哲学家的问题意识，以及他们的工作特点。近代哲学有两个核心问题：一个是知识的确定性问题，以及与此相关的，知识的来源问题。这些问题既是哲学问题，也是科学问题。

我们的知识是从哪里来的？普通人的第一反应就是知识当然是从书本上来，这是典型的没有经过哲学训练的人才会给出的回答。对于近代哲学家来说，他们的争论在于，知识到底是源于经验并且基于经验的，还是源于理性并且基于理性的，前者是经验论的主张，后者是唯理论的主张。

培根有一个非常好的比喻，他说："经验主义者就像蚂蚁，他们收集食物并使用它们；但理性主义者像是蜘蛛，他们由自身吐丝结网。"如果追本溯源，我们可以将这个争论上溯到古希腊的柏拉图主义和亚里士多德主义之争，以及中世纪的实在论和唯名论之争。

唯理论的代表人物包括笛卡尔、斯宾诺莎和莱布尼茨，经验论的代表人物包括洛克、贝克莱和休谟。这一讲和下一讲的主角是英国哲学家约翰·洛克（John Locke，1632—1704）。

洛克与《人类理解论》

洛克是我非常喜欢的一个哲学家，他有着英国经验论者常见的温和与理性的品格。洛克的出身比较低微，但是他的父亲还是给他留下了一些家产，让他可以依靠租金度日，这意味着他可以不事生产，有充分的闲暇去思考哲学问题。

然而，洛克并非书斋里的哲学家，他曾经深深卷入英国的政治生活中，甚至参与了一场谋害英国国王查理二世的"黑麦屋事件"，东窗事发之后，洛克选择流亡荷兰，一直待到光荣革命成功才重返英国。在六年的流亡生涯里，他写出了《人类理解论》和《政府论》。其中《政府论》被视为光荣革命的辩护之作，并且成为一百年后美国独立战争最重要的思想资源之一。而《人类理解论》则被视为经验论的奠基之作。我时常感慨，那个时代的哲人都充满了传奇色彩，他们一方面可以卷入风起云涌的政治运动，一方面又能心如止水地思考哲学问题，写出藏之名山的著作，真是令人高山仰止。

根据洛克本人自述，创作《人类理解论》的初衷源自二十年前的一次私人聚会，有五六个朋友来他家里闲聊，谈起一个与人类理解相距很远的话题，结果很快就陷入僵局之中，于是大家停下来反思，问题到底出在哪里？在迷惑了许久之后，洛克提议，也许在讨论这些问题之前，应该首先考察人的理解能力，看看哪些对象是人类的理解力能够解决的，哪些对象是人类的理解力所不能解决的。洛克的提议得到了大家的响应。于是，他开始着手研究这个问题，最终，在二十年后写出了这本《人类理解论》。

在一次私人聚会的闲谈中，从一个毫不相干的问题出发，因为百思不得其解，所以决定刨根问底，转而探讨人类理解这样的根本问题，并且一探讨就是二十年，每当我读到这个段落时，都无比叹服于西方哲人的求知欲和好奇心。洛克的英国老乡罗素曾经说过一句名言："我的一生被三种简单却又无比强烈的激情所控制：对爱的渴望，对知识的探索和对人类苦难的难以抑制的怜悯。"除了对爱情的渴望，这句话同样可以用来形容洛克。

理解是最大的馈赠

那么《人类理解论》的研究主题到底是什么呢？简而言之，就是"探讨人类知识的起源，确定性和范围，以及信仰、意见和同意的各种根据与程度"。后人在评价康德的时候，经常用"为理性划界"这个说法来形容他的成就，在我看来，洛克的《人类理解论》同样是在为理性划界。

对于自己的工作性质，洛克打过一个很漂亮的比方，他说："理解如同眼睛，我们用它来观察并知觉别的一切事物，但是它却不注意自己。因此，它如果想得抽身旁观，把它做成它自己的研究对象，那是需要一些艺术和辛苦的。"

这个说法非常形象地解释了从本体论到认识论转变的核心理由：在研究外部世界存在着什么之前，首先应该研究我们能够知道什么。最近有句话非常流行："黑夜给了我黑色的眼睛，但我却用它来翻白眼。"我们可以模仿这句话来形容洛克的工作："上帝给了我眼睛看世界，我却用它来看自己。"

你或许会问，了解了自己的眼睛，知道它的功能与缺陷，会给我们带来什么后果呢？洛克说："如果我们能够发现，理解的视线能达到多远，它的能力在什么范围内可以达到确实性，并且在什么情形下它只能臆度，只能猜想——我们或者会安心于我们在现在境地内所能达到的事理。"

其实我们可以把这个道理推而广之，对于任何一个人来说，了解自己的能力的限度，知道自己能做什么，不能做什么，擅长什么，不擅长什么，都是至关重要的自我认识。年轻的时候，我们总觉得自己无所不能，但是慢慢地发现并不是这样的，起初我们心有不甘，但在无数次的碰壁之后，我们意识到这或许就是自己能力的边界。当你认识并且接受这一点的时候，就能安心地待在能力的边界之内，这样，你就不会再假装无所不知地提出各种问题，不会自寻烦恼，或者烦扰他人，去争辩那些理性能力之外的事物，由此，你就找到了心灵的宁静。

需要特别注意的是，洛克并不是在主张老庄式的绝圣弃智，他更像是在主张儒家的一个观点：知之为知之，不知为不知，是知也。

洛克说：

> 倘或我们只能得到概然性，而且概然性已经可以来支配我们的利益，则我们便不应当专横无度地来要求解证，来追寻确实性了。如果我们因为不能遍知一切事物，就不相信一切事物，则我们的做法，正同一个人无翼可飞，就不肯用足来走，只是坐以待毙一样，那真太聪明了。

强调概然性是英国经验论者最突出的特征之一。所谓概然性，是指有可能但又不是必然的性质。这与唯理论者形成了鲜明的对比。唯理论者更像是完美主义者，追求百分之百的确定性，百分之百的完美性，也正因如此，他们特别推崇数学和逻辑，因为只有在数学和逻辑这里才能找到百分百的确定性和完美性。经验论者不一样，他们的想法是，够用就好，哪怕它不是那么的好，但它已经足够好了。所以英国有句谚语说：东西没坏的时候就不要修它。我猜想唯理论者会反其道而行之，一旦发现有些瑕疵，他们就会弃之如敝屣，甚至于，哪怕它功能齐全，只要觉得这个东西不够好，也会找一个更好的来取而代之。

最后我想强调一个观点，那就是来自理解的快乐。洛克说：

> 人的理解可以说是心灵中最崇高的一种官能，因此，我们在运用它时，比在运用别的官能时，所得的快乐要较为大些，较为久些……理解之追寻真理，正如弋禽打猎一样，在这些动作中，只是"追求"这种动作，就能发生了大部分的快乐。

在本书序言中我曾经说过：理解本身就是最大的馈赠。这是哲学所能带给我们的最大快乐，也是人生在世最大的烦恼。我的女儿布谷刚过五岁生日，她现在最焦躁的事情莫过于："爸爸，我听不懂你在说什么，你给我解释一下，好不好？"每当我听到她说这句话的时候就特别开心，因为我在她身上看到了对于理解本身的追求，这是我们人生在世最重要也最持久的快乐。希望你们都能得到这种快乐。

055
人心是一张可以任意涂抹的白纸吗？
——洛克的《人类理解论》（下）

天赋观念

在笛卡尔那一讲里，我们根据观念的来源，区分出了天赋的观念、外来的观念，以及虚构的观念。所谓天赋的观念，就是与生俱来的观念，现在我想问你们的是，如果你认为存在天赋观念，那么它们都是哪些观念呢？

按照西方哲学史的传统，这个清单上一般会包括：

1．自然法（natural law）。从斯多亚学派一直到中世纪哲学，通常认为自然法是上帝写在人心中的基本准则。

2．逻辑和数学的真理。比方说同一律、矛盾律、排中律，这些都是与生俱来的天赋观念或者原则。还包括2+3=5，或者毕达哥拉斯定理。说到这里，我给大家讲一个小故事，在《美诺篇》中，苏格拉底与一个目不识丁的小奴隶对话，通过著名的反诘法，让小奴隶自己说出了毕达哥拉斯定理，柏拉图用这个案例说明了"知识即回忆"。如果这个故事是真的，那也证明了人是有先天知识也即天赋观念的。

天赋观念的清单上还可以包括上帝、灵魂这样的形而上学观念，以及不准杀人、必须遵守诺言这样的道德原则。

洛克的"白板说"

唯理论者主张人拥有天赋观念，它们是我们人类知识的来源和基础。现在洛克要反对这个看法。我们去读《人类理解论》，会发现洛克一开始就在反对笛卡尔的"天赋观念"，他列举出属于天赋观念的两个典型例子：第一个是"存在者存在"，还有一个是"一件事物不能同时存在又不存在"。

当时的人们普遍认为，这两个命题是必然为真的命题，而且也是天赋的观念。但洛克却反对这个看法，认为它们不是天赋观念。那么洛克的反驳理由到底是什么呢？

在陈述他的理由之前，我想请大家先来思考以下两个例句：

例1，这个命题是真的，所以我们对它表示同意。

例2，因为我们一致同意这个命题，所以它是真的。

这两个命题之间的差异显而易见，我们可以粗略地断定，前者所隐藏的哲学态度是真理的客观主义，后者是真理的主观主义。

事实上，在《政府论》中，洛克指出，只有建立在被统治者同意基础之上的政府才具有政治合法性，这是民主政治的基本原则。有意思的是，洛克把政治哲学中的同意原则也运用到了认识论当中，他在反驳笛卡尔的"天赋观念"时，就是借助于"同意"这个概念。

洛克认为，"一件事物不能同时存在又不存在"这个命题之所以不是天赋观念，理由正在于它不是人类所普遍同意的。这里存在着一个有趣的对比，上述命题显然是为真的，但它却不一定是人们普遍同意的。比方说，小孩和白痴都不会同意这个命题，因为他们听不懂。

　　我曾经拿布谷做过实验，我问她：你是不是同意"一件事物不能同时存在又不存在"？她当时的反应是："爸爸，你在说什么，我听不懂！"布谷之所以不理解这个命题，是因为她还没有发展出这种高度抽象的思考能力，所以她的脑海当中并不存在这个命题。可是如果我换一个说法，比如，我举着梨子跟她说："你看我手里的这个梨子，它在你的眼前，同时又不在你眼前，你能看见它，同时又看不见它。"那么，她一定听懂了我这句话，同时她肯定会说："爸爸，你在说什么呀？"此时，她不是在抱怨听不懂这句话的字面意思，而是在抱怨这句话存在着逻辑问题——因为她明明看见了梨子，这个梨子怎么又不存在呢？通过这个例子，我的意思是说，很多概念和原则比较抽象，小孩暂时无法领会其含义，但他们有能力去理解，只要通过不断地学习，他们迟早会掌握这些观念和原则。

　　现在的问题在于，这个想法对洛克构成了反驳吗？洛克说：只要是通过教育才拥有的观念，那就不是天赋的观念。所以，哪怕布谷拥有理解排中律的能力，哪怕小奴隶拥有推导出毕达哥拉斯定理的能力，只要它还不是清楚明白地印在脑子里的观念，只要它还需要通过后天的教育才能获得，那就不是天赋观念。

　　对于这一点，洛克说得很清楚，他指出："说有一个概念印在心灵上面，同时又说心灵并不知道它，并且从未注意到它，这就等于取消了这种印在心上的说法。凡是心灵从未知道过、从未意识到的命题，都不能说是存在于心灵中的。"

　　分析到这里，我想问大家两个问题：第一个问题是，只要是天赋观念都必须得到普遍的同意吗？第二个问题是，天赋观念和天赋能力的区别到底在哪里？第一个问题留给大家闲暇时去思考，第二个问题我们在本讲的最后会做出回复。

　　也许有读者会问，洛克为什么要反对天赋观念？这件事情听起来如此的哲学，如此的抽象，如此的不知所谓，他到底为什么要做这件事情？

首先，按照当时的流行观点，天赋观念主要是上帝放在人类心灵结构中的东西。因为是上帝的礼物，所以是不可置疑的，免于批评的，这样一来，也就为权威主义独断论提供了基础。

其次，洛克想要为牛顿、波义耳这些人的自然科学研究充当哲学的"清道夫"。也许有人会说，笛卡尔不也是想要为自然科学寻找确实可靠的基础吗？没错，洛克和笛卡尔都试图为自然科学奠定基础，但两个人的进路却非常不同，洛克认为笛卡尔的工作是没有前途的，因为笛卡尔想要为自然科学奠定一个先天的形而上学基础，而洛克认为这个工作只能从经验着手。

最后，洛克认为，天赋观念在实践上是有害的，因为它很容易被某些独裁者所利用，让人们放弃自己的理性和判断，对思想自由、学术自由造成威胁和伤害。

在反驳完天赋观念之后，洛克提出了他自己的理论设想，那就是著名的"白板说"。洛克说：

> 一切观念都是由感觉（sensation）或反省（reflection）来的——我们可以假定人心如白纸似的，没有一切标记，没有一切观念，那么它如何会又有了那些观念呢？……我可以一句话答复说，它们都是从"经验"来的，我们的一切知识都是建立在经验上的，而且最后是导源于经验的。

准备这一讲时北京下起了春雪，我特意在人大的校园里冒雪走了一圈，去迎接 2018 年这场迟到的大雪。当我仰起脸的时候，雪花飘落在我的脸上，我通过"感觉"感受了凉意，此时我们心里就留下了一个印象——"雪是凉的"，然后再通过"反省"得出结论——"雪 = 凉"，最后形成了一个"观念"（idea）："如果我伸手去接雪，它是凉的"。

根据洛克的观点，任何观念的形成，都要经过两个步骤，第一步是借助于感觉，第二步借助于反省，这就是著名的"双重经验论"。感官是观念的"外在来源"，通过外物的刺激产生包括颜色、冷热、软硬、苦甜以及一切可感物的观念，这是完全被动的过程。反省是观念的"内在来源"，它是"内部感官"。洛克认为心灵不但被动地接受外物的刺激，而且具有主动地对刺激进行加工的能力，由此形成知觉、思想、怀疑、信仰、推论、认识、意欲，等等。

莱布尼茨的反驳

说到这里，也许会有读者产生疑惑：洛克不是说一切知识都源自经验吗？怎么又出来一个内在来源和内部感官？这难道不是承认了，知识的来源之一是心灵自身固有的某种能力吗？进而言之，这难道不是意味着心灵并非一张白纸，心灵本身带有某种与生俱来的东西，即使它不是笛卡尔所说的清楚明白的天赋观念，但它的确是某种东西，而且与生俱来？

洛克哲学的这种不彻底性，给了德国哲学家莱布尼茨反驳的机会。关于莱布尼茨的生平以及其他哲学观点，我们下一讲会接着介绍，这里我们只探讨他对洛克"白板说"的反驳。莱布尼茨很敏锐地指出，既然洛克也承认知识除了"感觉"这个外部来源之外，还有"反省"这个心灵固有的来源，可见洛克并不否认心灵中存在某种天赋的东西，所以，他与洛克的分歧就不是有没有天赋的东西，而是这个天赋的东西到底是什么？具体来说，它到底是观念，还是能力？

莱布尼茨指出："观念与真理是作为倾向、禀赋、习性或自然的潜在能力而天赋地存在于我们心中，并不是作为现实作用而天赋地存在于我们心中，但这种潜在的能力永远伴随着与之相适应的、常常感觉不到的现实作用。"

按照这个想法，莱布尼茨提出心灵不是一块白板或者白纸，而是"有纹理的大理石"，每个人都有属于自己的纹路，就像每个人都有属于自己的倾向、禀赋和习性，这些东西不是作为现成的观念存在于我们的心灵之中，而是作为一种潜在的能力存在于我们的心中。

你或许还记得米开朗基罗与大卫像的故事，当米开朗基罗来到采石场，看到那块大理石的时候，说：我在这块石头上看到了大卫像。这句话的意思是说，这块大理石的纹路提示米开朗基罗，它具备成为大卫像的潜能。很显然，米开朗基罗并不是在每一块大理石身上都看出了大卫像。这就好比并不是所有人都有潜能成为霍金，哪怕给每个人提供一模一样的教育，我们也不可能都成为霍金。

这样看来，莱布尼茨的说法似乎更有道理一些。当代的自然科学告诉我们，一个人的天性（nature）和后天培养（nurture），对于他的成长起到的作用大约是一半对一半。大理石上的纹理很重要，我养过一条泰迪狗，据说这种狗的智力水平相当于人类小孩两岁的智力，但是无论我怎么教育它，都不可能说出"你好"或者"爸爸"这样的语言。反之，后天的经验与教育环境也很重要，上世纪20年代，在印度发现过一个狼孩名叫卡玛拉，她用了25个月才说出第一个词"ma"，四年后一共只学会了6个单词，七年后增加到45个单词，她17岁去世的时候，智力水平只有三到四岁的孩子水平。泰迪狗的例子告诉我们天性的决定性作用，而狼孩的例子告诉我们，后天教育和环境的作用同样不容忽视。结合泰迪狗与狼孩的例子，我们就不得不接受莱布尼茨的结论：感觉虽然对于知识具有基础作用，但感觉不是知识的唯一基础。

现在还剩下最后一个问题：我们应该如何评价感觉的作用呢？感觉究竟是知识的源泉，还是知识的机缘？"机缘"这个说法可能不太容易明白，我们仍旧以大卫像为例，如果米开朗基罗不是机缘巧合来到采石场，如果他不是机缘巧合发现了那块大理石，那块大理石就与千千万万的普通石头一样，被搁置在荒山野岭里无人问津，正是因为米开朗基罗看到了它，才让这块大理石具有了成为大卫像的机缘。显然，按照莱布尼茨的观点，感觉更像是知识的机缘，而不是源泉。

　　现在让我们来做一个小结。洛克反对笛卡尔的天赋观念，认为一切知识都起源于经验，他提出人的心灵是一块白板，可是由于洛克主张双重经验说，这就为莱布尼茨的反驳留下了破绽。莱布尼茨主张人的心灵是"有纹理的大理石"，这个说法比"白板说"更符合人之常情，以及现代科学的研究成果。但是我们不能因此夸大洛克和莱布尼茨之间的分歧，因为洛克并不反对人有自然的认知能力，他反对的是人与生俱来就拥有"清楚而明白"的天赋观念。如果把天赋观念解释成天赋的认识能力，我认为洛克并不会反对这个想法。

　　洛克的哲学常常给人以不够彻底的感觉，因此常常被人批评为自相矛盾或者思路不清。不过，关于这个现象，我倒是更认可洛克的英国同乡罗素的评论，他说："洛克追求可信，以牺牲首尾一贯而达到了可信。大部分的伟大哲学家一向做得和洛克正相反。不能自圆其说的哲学绝不会完全正确，但是自圆其说的哲学满可以全盘错误。"

　　我认为罗素的这句话是对英国经验论非常恰当的一个评价。

056
这个世界是所有可能世界里最好的吗？
——莱布尼茨哲学（上）

　　1918 年 11 月 7 日，梁济问儿子梁漱溟："这个世界会好吗？"当时已是北大哲学系教授的梁漱溟回答说："我相信世界是一天一天往好里去的。"梁济显然不满意这个答案，敷衍地说道："能好就好啊！"三天后，梁济投水自尽。假如德国哲学家莱布尼茨听说了这个问题，他一定会告诉梁济："这世界不会好了，因为这个世界已经是所有可能世界里最好的。"

　　我不晓得梁济听到这个回答会作何反应。反正伏尔泰对此非常的不感冒，他甚至专门写了一本哲理讽刺小说《老实人》，毫不留情地讥讽莱布尼茨的乐观主义。的确，莱布尼茨的这个说法似乎很傻很天真，作为人类有史以来最博学同时也最聪明的人物之一，他为什么会如此自信地断言这个灾难深重的世界是所有可能世界里最好的世界？除了迎合上意，安抚人心，还有什么深刻的哲学道理？在回答这些问题之前，让我们先来了解一下莱布尼茨其人其学。

调和论者莱布尼茨

莱布尼茨（Gottfried Wilhelm Leibniz）1646 年 7 月出生于德国的莱比锡市，1716 年 11 月死于汉诺威，享年 70 岁。莱布尼茨是柏林科学院的第一任院长，同时还是英国皇家学会、法国科学院、罗马科学与数学科学院的院士，他的研究领域几乎遍及所有学科，从哲学、数学到神学、法学、政治学以及历史学，可以说是无所不通，无所不晓。莱布尼茨发明了二进位制，制作出能计算乘除法和开平方运算的新型计算机，为 20 世纪的电子计算机奠定了基础；他是当时顶尖的数学家，众所周知，他与牛顿争夺微积分的发明权，虽然在当时以失败告终，但三百年后人们使用的却是莱布尼茨的体系；莱布尼茨还是一位卓越的历史学家，受邀为当时德国最显赫的布伦瑞克家族撰写家族史；当然，他还是一名伟大的哲学家，是大陆理性主义最重要的代表人物之一。莱布尼茨的天赋异禀可以说是举世闻名，腓特烈大帝称赞莱布尼茨一个人就是一所科学院，启蒙哲人狄德罗说每当想起要与莱布尼茨的天赋一较短长，就恨不能立刻把书丢掉，跑到一个谁都找不到的角落里安静地死掉算了。

有学者认为，莱布尼茨的精神气质与苏格拉底非常类似，因为他总是热衷于跟别人谈话，尽可能地同情不同的观点，但又随时准备变成一只哲学牛虻，去刺蜇那些自以为在任何问题上都握有全部真理的专家学者。可是问题在于，虽然莱布尼茨天赋超群，但他终究只是一个人，时间和精力总是有限的。所以，莱布尼茨给后人留下了 15000 份信件，以及无数的未刊稿，但却始终没有写出一部震古烁今的皇皇巨著。在哲学领域中，无论是在他生前出版的《神正论》，还是死后出版的《人类理解新论》，都无法与斯宾诺莎的《伦理学》或者康德的《纯粹理性批判》相媲美，这不能不说是一件令人遗憾的事情。

莱布尼茨生前曾经预言："那些只是通过我发表的作品来了解我

的人其实并不真正了解我。"这句话的隐含之义是，如果人们了解了他的未刊之作，一定会对他肃然起敬，高山仰止。事实也是如此，比方说罗素就认为莱布尼茨其实创建了两个哲学体系："他公开宣扬的一个体系讲乐观、守正统、玄虚离奇又浅薄；另一个体系……内容深奥，条理一贯，富于斯宾诺莎风格，并且有惊人的逻辑性。"这个评价非常尖刻，用今天流行的说法，莱布尼茨就是一个典型的"两面人"。

在我看来，"两面人"的指控显然是过于严厉了，更加公允的说法是，莱布尼茨和我们之前介绍过的伊拉斯谟一样，本质上都不是革命家而是调和论者，因为试图走中间道路，所以总是落得两面不是人的尴尬局面。

说到这里，就不得不提英国学者尼古拉斯·乔里的观点，在他看来，如果想要了解莱布尼茨的一生，最重要的事件莫过于打垮他的祖国的三十年战争。这场战争开始于 1618 年，结束于 1648 年，它在政治上让德国四分五裂，在宗教上让天主教与新教的矛盾达到了顶点，死于这场战争的总人数达到了 700 万之众，给整个欧洲留下了巨大的创伤和亟待解决的问题。虽然战争结束的时候莱布尼茨年仅两岁，但却对他产生了至为深远的影响，让他终身致力于全方位的"和平研究"：在政治上弥合纷争，在宗教上调解冲突，在哲学上实现综合。

我们曾经介绍过，以笛卡尔为代表的近代哲学重点攻击的一个目标，就是统治了中世纪哲学数百年之久的亚里士多德主义。但是莱布尼茨不同于笛卡尔、霍布斯这些人，他一向主张，即使是在糟粕之中也能扒拉出菁华。所以，他做哲学的初衷不是为了摧毁亚里士多德主义，而是为了调和近代哲学的机械论宇宙观和亚里士多德式的目的论宇宙观，甚至在中世纪的经院哲学当中，他也能找到"为我所用"的菁华。

莱布尼茨哲学的基本思维原则

莱布尼茨的哲学有很多脑洞大开的主张，比如下一讲将会重点介绍的"单子论"与"前定和谐说"，初看起来非常古怪，但是如果我们深入地了解它们的前因后果，就会发现，它们的界面虽然不够友善，但仍旧是可以理解的。

这一讲只是想带领各位读者做一些前期的热身活动，我将给大家介绍莱布尼茨哲学的三条基本思想原则，这些原则就像是建构莱布尼茨哲学大厦的脚手架，又像是帮助我们走出人类思维迷宫的阿里阿德涅线团。具体说来，这三大基本思维原则分别是：矛盾原则、充足理由原则和圆满性原则。你是不是看到这三个术语，就已经心生畏惧了？不要着急，我来给你们一一解释。

所谓矛盾律，就是在说"A 不能既是 A 又是非 A"。打个比方，李连杰不可能既是李连杰又不是李连杰。可是，你或许听说过，李连杰在 2001 年拍过一部片子 *The One*，中文译成《宇宙追缉令》，这个电影恰恰是对矛盾律的一个挑战。它讲的是在 124 个平行宇宙中，存在着 124 个李连杰扮演的主角基比。在地球上，基比就是基比，他不可能既是基比又不是基比，但是在平行宇宙里，这个矛盾律就被打破了，所以说矛盾律是关于本质和可能性的原则。说到这里，你也许能够体味出英文片名的妙处，"The One"的意思是唯一的那一个，显然它更加符合剧情，也更有哲学意味，而《宇宙追缉令》看起来就像是一个普通的科幻打斗片。

矛盾律是关于"本质"和可能性的原则，它可以解释在这个世界里，李连杰就是李连杰，而不可能既是李连杰又不是李连杰。或者换个说法，以你自己为例，矛盾律可以解释在这个世界里，你就是你，而不可能既是你又不是你。可是矛盾律却不能解释你为什么会存在这个问题。

看上去是不是像在说绕口令？其实，我的意思是说，虽然普通人在日常生活中随波逐流，过得浑浑噩噩，不知有汉，无论魏晋，但是我相信，每个人都曾经遭遇到这样一个时刻，开始思考这样一个问题：我为什么会存在？我来到这个世界，到底有什么原因或者目的？类似的问题还包括，山谷里那朵寂寞开放的野百合为什么会存在？太平洋上的那个转瞬即逝的泡沫，它的存在到底有何意义？面对这些问题，莱布尼茨的回答是：每一个平凡的个人，每一朵山谷里的野百合，都是有存在的理由的。借用海德格尔的话说，就是"没有什么东西无理由而存在"。此时，我们就已经引进了莱布尼茨的第二条基本原则——"充足理由律"，它的意思是"没有什么东西是没有理由的"。所以，充足理由律是用来解释个体事物存在的偶然性的。换句话说，它是用来解释为什么会存在如此之多的个体事物，它们看起来是如此的偶然，如此的微不足道，就像山谷里的野百合、海上的泡沫，充足理由律告诉我们：这些东西的存在都是有理由的。

　　一定有读者会紧接着想：可是，话说到这里，依旧没有解决我们的根本疑惑呀——请问，这个理由到底是什么？

　　这个时候，就需要引入第三条原则——"圆满性原则"了，这是一条关于上帝自由选择的原则。莱布尼茨认为：上帝之所以会在无数可能的世界里选择并创造出这个世界，其根本理由在于，这个现实的世界具有最大的完满性。也就是说，我们所身处的这个世界，是所有可能世界里最好的那个世界。很显然，这是一个上帝的视角，而不是凡人的视角。作为个体，我们的确会经常追问：我为什么存在？我为什么不是作为唱摇滚的周濂而存在，而是作为学哲学的周濂而存在？根据莱布尼茨的圆满性原则，答案非常明确——因为上帝在各种可能世界中做出了自由的选择，并且因为这个选择是上帝做出来的，所以它就是最完满的。

　　讲到这里，我突然脑洞大开地想到了《大话西游》里的一段台词，紫霞试探着问至尊宝："如果这段姻缘是上天安排的，该怎么办呢？"至尊宝答说："那——你就告诉他这是上天安排了这么一段姻

缘呀。"紫霞接着问："他不喜欢我怎么办？他有老婆怎么办？"至
尊宝说："你管他那么多，上天安排的最大嘛！"紫霞问："真的？"
至尊宝回答："上天安排的，还不够你臭屁的啊？！"

　　"上天安排的最大"，这句话虽然粗俗，但是话糙理不糙，正好
可以用来解读莱布尼茨的"圆满性原则"。

　　好了，让我们做一个小结。这一讲介绍了莱布尼茨的生平和著
述，重点解释了莱布尼茨哲学的三条基本思维原则，其中矛盾原则
是关于本质和可能性的原则，充足理由原则是关于存在的原则，圆
满性原则是关于上帝自由选择的原则。这三条原则是帮助我们走出
人类思维迷宫的阿里阿德涅线团。

　　在下一讲中，我们就要开始这场走出迷宫的旅行。只有走出了
迷宫，我们才能真正理解莱布尼茨为什么会说：这个世界是所有可
能世界里最好的那一个。

057

这个世界是所有可能世界里最好的吗？
——莱布尼茨哲学（下）

不可分的点：永恒存在的真实

在上一讲中，我塞给你们手中三个走出迷宫的线团，它们分别是矛盾律、充足理由律和圆满性定律。心急的读者一定会问：线团有了，可是迷宫在哪里呢？

在《神正论》这本书中，莱布尼茨告诉我们说，人类思维有两个著名的迷宫，常常让我们的理性误入歧途：一个迷宫是关于自由与必然的关系，这导致我们去思考恶的产生和起源问题；第二个迷宫是关于连续性和不可分的点的争论，这个问题牵涉到对于无限性的思考。莱布尼茨说：第一个问题几乎困惑着整个人类，第二个问题则只是让哲学家百思不得其解。

让我们从难到易，先来走第二个迷宫。首先我们要问，什么叫作"不可分的点"？如果我们环顾四周，就会看见各种物体，比如桌子、椅子、手机、电脑，这些东西在哲学家的眼里，都是可分的复合物，比如桌子可以分解成桌面和桌腿，再进一步，桌腿还可以继续被分解成分子和原子。现在我要问你们的是，原子是不可分的点吗？还是说，原子仍然可以被继续分解下去？

今天我们当然都知道，原子是可以继续分下去的，比如中子、质子和夸克，但在当时有一个主张原子论的哲学家名叫伽迪桑，他认为物体是由不可再分的原子组成的。桌子可以被大卸八块，扔在垃圾场里，风吹日晒，天长日久，最终彻底腐烂，消失不见，但是原子却始终存在，不生不灭，所以原子是这个世界上最真实的东西，也就是我们经常说的实体。

可是笛卡尔主义者不同意这个观点，他们认为原子是物质，而物质的本质是广延，凡是有广延的东西就是可以无限再分下去的，所以不存在不可分的原子。那么什么叫作物质的本质是广延，广延到底是什么意思？其实很简单，广延是指物质所占据的空间，比如你手中的这本书，它具有长宽高的属性，因此一定占据了某种空间。笛卡尔主义者认为，即使是微小如原子，人类的肉眼看不见也摸不着，但只要它是物质，那就一定有广延，只要有广延，在理论上就是可以继续再分的。

分析到这里，原子论者伽迪桑和笛卡尔主义者的分歧已经很清楚了：原子论者主张存在"不可分的点"，那就是原子，笛卡尔主义者认为不存在"不可分的点"，因为原子也是可以继续分下去的。

莱布尼茨最初信奉过伽迪桑的原子理论，但是他后来接受了笛卡尔主义者的想法，认为原子仍旧是物质，而只要是物质，那就有广延，只要有广延，就一定还可以被分解。可问题在于，他又想保留那个"不可分的点"，所以他只能引入一个没有广延的、纯精神性的东西来取代原子，莱布尼茨把它称为"单子"。为什么单子必须是没有广延的？因为有广延就是可以再分的，所以莱布尼茨在逻辑的逼迫下，就必须要取消原子的物质性，于是就创造出了单子这个纯精神性的东西。

单子的英文叫作 monad，它的古希腊文原义就是"一"和"单纯"的意思，所谓单纯，"就是没有部分"，所以单子就是组成复合物的最基本的实体，也是构建整个宇宙的最基本单位。说到这里，你应该明白了，莱布尼茨的单子正是那个哲学家苦苦寻找的"不可再分的点"。单子和原子的区别在于，原子是"物理上的点"，所以是可以再分的，而单子是"形而上学的点"，它是不可再分的。

也许有人还要继续追问：哲学家为什么要找那个不可分的点？原因很简单，就是要寻找那个不生不灭、永恒存在的最真实的东西呀！就是要寻找那个"在变化中持续存在"的实体呀！

连续性：有机联系的"整体"

接下来我们探讨什么是"连续性"。当你看到"连续性"这个词的时候，最先映入脑海的是什么意象？我在人大课堂提问的时候，有同学回答说"函数的连续性"，这个答案当然非常漂亮，但是我在这里想给你们提供一个更加日常的例子：当我们想到连续性的时候，首先映入脑海的可能是"河水"或者"时间"。李白有个名句叫作："抽刀断水水更流，举杯消愁愁更愁"。河水的一大特色就是连绵不绝，这是一个有机联系着的"整体"或者"全体"。与此相反，所谓的非连续性就是机械堆积而成的"整体"或者"全体"，比如说把土豆装在麻袋里，虽然看起来也是一个整体，但是土豆和土豆之间其实充满了缝隙，而且彼此是毫无关系的。

伽迪桑主张原子论，把原子看成不可再分的点，但是原子和原子之间，就像同一个麻袋里的土豆一样，是存在着虚空的，也就是说，它们之间没有连续性，虽然是一个整体，但却是机械堆积起来的整体。反过来说，笛卡尔虽然保证了连续性，但因为主张物质是可以无限再分下去的，所以也就取消了"不可分的点"。

现在我们可以把"连续性"和"不可分的点"这两个概念放在

一起，请问哲学家到底想问什么问题？答案很简单，他们追问的就是整体与单元、一般与个体的关系问题。

那么莱布尼茨的态度是怎么样的呢？莱布尼茨左右开弓，既反对笛卡尔也不同意伽迪桑，既想保留"不可分的点"，同时又保留连续性，从而实现整体与单元、一般和个别的辩证统一。

你或许会感到困惑，为什么一定要强调有机的整体？这就涉及近代科学对于整个人类生存的冲击。我曾经说过，近代科学提供的是一个机械论的宇宙观，它"把一个我们生活、相爱并且消亡在其中的质的可感世界，替换成了一个量的、几何实体化了的世界"，这样的宇宙观不能给人带来安慰，莱布尼茨的目的是要结合近代的机械论宇宙观和古代的目的论宇宙观。

不过要想完成这个理论上的重任，就必须引入"单子论"与"前定和谐说"。

每一个单子都是宇宙的表象

坦白说，每当我想起单子都会惊叹，当一个形而上学家脑洞大开的时候会产生多么稀奇古怪的想法。那么单子到底都有哪些属性呢？为了不增加大家的思考负担，我主要介绍单子的三个属性：

首先，每一个单子都是独一无二的，不存在两个完全一样的单子。为了说明这个道理，莱布尼茨曾经要求他的一个朋友到花园里找出两片一模一样的叶子，结果是根本找不到完全一样的两片叶子。

其次，单子之间是相互独立的，彼此之间无法发生任何关系。莱布尼茨有个非常形象的比喻：单子是没有窗户的。这是什么意思？你想，我们每天早晨起来打开窗户，目的是为了换空气，既然单子没有窗户，那就意味着单子是一个完全封闭的个体，无法与其他单子进行互动，它自己的内部属性无法逃逸出去。

为什么单子具有这么奇怪的属性？这个时候，就用得上在上一讲中介绍过的矛盾律了。所谓矛盾律，就是 A 不可能同时是 A 又是非 A。单子的独一无二性以及彼此不发生任何关系，其实就是对矛盾律的极致运用，它突出地强调了个体主义的特征。

现在我们来看单子的第三个属性，单子是精神性的实体，它具有实现完满的欲望和欲求。要注意的是，这种欲望不是来自外物，不是别人要求我怎么样，而是自身的内在动力，它自己欲求实现完满，用哲学的语言，就是单子是自身追求完满的"自因"。所谓"自因"，顾名思义，就是自己是自己的原因。

介绍完单子的属性之后，现在我们要来问这样一个问题：既然单子是没有窗户的，单子和单子之间没有任何的关系，那岂不是跟一个麻袋里的土豆也没有什么分别吗？这样一来，怎么保证"连续性"的问题呢？凭什么说单子组成的宇宙是一个有机的整体呢？

关于这个问题，莱布尼茨至少提供了两个答案。

第一，单子和单子之间虽然没有任何关系，但是每个单子都可以凭借自己的"知觉"去反映整个宇宙，在这个意义上，整个宇宙也就在每一个单子之中。这个说法似乎特别像我们所熟悉的"一沙一世界"。事实上，黑格尔在解读这个思想的时候，也用了这个意象，他说："每一个单子都是能表象的，同时也是宇宙的表象。每一个单子本身就是一个总体，本身就是一个完整的世界。……如果我们完全认识了一粒沙，就可以从这粒沙里理解到全宇宙的发展。"

第二个答案就是著名的"前定和谐说"。打个比方，整个宇宙就像是一个无比庞大的交响乐团，每个单子就像是乐手，彼此不知道对方的存在，听不见对方的演奏，它们之所以能够共同演奏出一曲完美和谐的曲子，都是因为上帝预先写好了谱子，并且事先给每个乐手安排好了演奏的节奏。

莱布尼茨用前定和谐说不仅解释了身心何以一致的问题，反驳了笛卡尔的"身心二元论"，同时还解释了宇宙万物的和谐关系。如果莱布尼茨的"前定和谐论"是对的，那就意味着全体单子都在做同样的梦，唯一的问题是，莱布尼茨是怎么发现这件事情的？难道他是上帝吗？

必然之恶：上帝的自由选择

接下来我们要讨论的问题是，如果世界是前定和谐的，那是不是意味着人是不自由的？进而言之，如何去理解恶的问题呢？思考到这里，就把我们带回到了第一个迷宫：从自由与必然的关系所导致的对恶的产生和起源问题的思考。

恶的问题一直都是困扰基督教神学的大问题。休谟曾经指出：如果上帝愿意制止罪恶而不能制止，那他就不是全能的；如果他能够制止而不愿意制止，那他就是怀有恶意的；如果他既能够制止又愿意制止，那么请问，世界上怎么会有这么多的罪恶呢？

的确如此，对于那些天生的残疾者、奥斯维辛集中营的幸存者、9·11恐怖袭击和印尼海啸的遇难者家属来说，这个世界不但不和谐，而且简直坏透了。"我为什么会来到这个世界？""为什么偏偏会是我？"这样的形而上学追问对于他们来说，不是偶一为之的哲学遐想，而是格外真实和沉重的人生拷问。

那么，莱布尼茨会怎么解答这些问题呢？这个时候，我们就用得上充足理由律和圆满性原则这两个线团了。充足理由律告诉我们，任何人来到这个世界，无论你是悲惨的还是幸运的，都是有理由的，只是我们自身很难洞悉这个理由，因为归根结底，世界之所以是这样的而不是那样的，乃是上帝自由选择的结果，而不是个体自由选择的结果。

莱布尼茨会承认，这个世界是不完善的，比方说，在鼠疫、战争及各种罪行中，会有无辜的人死去，这是"道德的恶"。再比如，上帝创世的时候要兼顾手段的简洁性和目的的丰富性，所以不可避免地会出现"物理的恶"。最后，相比起造物主，被造物肯定是不够完美的，这是所谓"形而上学的恶"。莱布尼茨一方面承认这个世界的确是不完美的，另一方面却一直在强调这个世界是不完美的与这个世界是可能世界里最好的那一个，二者之间并不矛盾。换言之，既然是被造物，那就注定是不完美的，这没什么好抱怨的，但这不等于说这个世界就不是可能世界里最好的那一个。

此外，莱布尼茨认为，不能仅从个体的角度去评价世界的善恶，这是因为，有时候恶是善的必要条件。比方说，如果你只吃甜的东西，很快就会觉得腻死了，必须结合酸的、辣的甚至苦的东西，这样才会有滋有味。

莱布尼茨还有一个比喻，他说，如果你去看一幅很美的图画，但是有人用一块布把它全部覆盖起来了，只留出一小部分让你观看，那么无论你怎么看，都会觉得这只是一堆混乱的色彩而已，毫无美感和技巧可言。只有当你揭开这块布，从正确的视角去看这张画，你才会意识到这其实是一幅杰作，而那块看起来混乱的色彩乃是构成这幅杰作的一部分。

仔细思考这个比喻，会发现它非常有道理，唯一让人困惑的地方在于：谁有能力挪开那块布？谁又能站在正确的视角去看这张画？很显然不是凡人，而是上帝。

我们是凡人，我们只要求凡人的幸福，我们只在意凡人的痛苦。也许在人生的某一刹那，我们可以像莱布尼茨那样，从无数的烦恼中超脱出来，试着从上帝的视角去沉思和赞美这个世界的美妙，但是这样的瞬间并不能医治具体的人生创痛。我们不妨设想一下，如果你是梁济，在你决定自杀前的三天，读到了莱布尼茨的哲学，掌握了他的理论的来龙去脉、前因后果，请问这会让你感到有所安慰吗？请问你会从此打消轻生的念头，和莱布尼茨一起来礼赞上帝的这个杰作吗？

现在，让我们来做一个总结。

　　首先，莱布尼茨是一个调和论者，为了寻找到"不可分的点"，他在逻辑力量的逼迫下发明了单子，与此同时，为了确保"连续性"，他引入了"前定和谐说"。他这么做的目的是为了结合近代的机械论宇宙观和古代的目的论宇宙观。

　　其次，莱布尼茨的哲学虽然给上帝保留了位置，其实却把上帝的功能极大地缩小了。莱布尼茨的上帝好比电脑程序员，一旦设定了初始程序，电脑就开始自动运行，然后上帝就开始无所事事地四处溜达，喝咖啡，闲聊，发呆，再也不插手剩下的事务。这个想法与当时流行的"自然神论"非常接近，后者将上帝看成世界的"最初原因"或者"第一推动力"，自打上帝对世界做了第一次推动之后，就撒手不管了，上帝成了"不在家的主人"。

　　最后，莱布尼茨的前定和谐说会很自然地得出如下结论：这个世界是可能世界中最好的那一个。这是一个无比精妙的形而上学理论，但我很怀疑它能否给现实世界里的受苦人带来安慰。

058
过度考察的人生是没法过的人生：
休谟哲学（上）

在开始这一讲之前，我想问大家一个很私人的问题，请问你们大概经过多久的时间才走出失恋的阴影？为什么当年那么椎心刺痛的情感创伤，在某年某月的某一日回想起来，会如此的云淡风轻？如果从知识论的角度出发，应该如何解释这个现象？

关于这个问题，我觉得这一讲的主角，英国哲学家大卫·休谟（David Hume）能够提供很好的解释。不过在探讨这个问题之前，先让我们了解一下休谟的生平。

业余的天才，快乐的胖子

1711 年休谟出生于英国北部的爱丁堡，他天资聪慧，12 岁就入读了爱丁堡大学，但并没有拿到学位，据说这在当时是很常见的现象。事实上，休谟一辈子都没有在大学里任过教职，他做过军官、外交官，当过家庭教师、图书管理员，这些工作都是他赖以谋生的职业，只有哲学思考和写作才是他毕生追求的事业。休谟曾经说过，除了研究哲学和一般学问，他对于任何其他学科都会产生一种厌恶感。

休谟是一个早慧的天才，他在 18 岁的时候就开始构思自己的哲学体系，这当然是一个非常艰巨的任务，给他带来了沉重的精神负担，甚至因此患上了抑郁症，这迫使休谟暂时放弃研究，过一种更接地气的生活。这段经历让休谟充分意识到，在哲学与生活之间保持恰当的平衡是多么重要。他曾经说过："做一个哲学家，但在你所有的哲学中，你仍然是一个人。"

休谟不仅是这么说的，也是这么做的。他年轻的时候是个"骨瘦如柴的高个子"，但是随着社交生活的拓展，特别是刻意补充营养和加强锻炼，休谟成了一个胖子，而且是一个快乐的胖子。他亲切和蔼，与人为善，在晚年的自述中，他这样评价自己的性格："和平而能自制，坦白而又和蔼，愉快而善与人亲昵，最不易发生仇恨，而且一切感情都是十分中和的。"这样的人格特征最擅长自我治愈，而且很快就见到了效果。

1739 年到 1740 年，休谟陆续出版了三卷本的《人性论》，第一卷"论理解"，第二卷"论情感"，第三卷"论道德"。在今天看来，这本书无疑是休谟最重要的哲学著作，可在当时却波澜不惊，几乎没有任何影响，休谟后来悲伤地说："它从机器中一生出来就死了，它无声无臭的，甚至在热狂者中也不曾刺激起一次怨言来。"这让休谟备受打击，不过他的自愈型人格此时发挥了作用，很快就走出了阴影。他意识到《人性论》之所以卖得如此惨淡，是因为界面不够友善，于是他用更加流畅浅白的语言改写了这本书的第一卷和第三卷，分别以《人类理解研究》和《道德原理研究》出版，果然获得了成功。在接下来的几年里，休谟又陆续出版了《英国史》等一系列著作。1763 年，当休谟以英国驻法国大使秘书的身份再次来到巴黎的时候，他已经是名满天下的哲学家了。有人这样形容说："王公贵族们奉承他，风雅的女士们崇拜他，哲学家们把他奉若神明。"这句话一点都不夸张，当时法国著名的哲学家，如狄德罗、达朗贝尔、霍尔巴赫和卢梭都跟他过从甚密。尤其是卢梭，他们两人曾经一度亲密无间，在休谟返回英国的时候，还把卢梭也带到了伦敦，只是后来卢梭的疑心病发作，导致二人最后翻脸。

休谟身上有很多凡人的特性，说他庸俗也不为过。比如休谟热爱名声，经常在心里盘算哪本著作会给自己带来什么样的声誉。由于从小丧父，经济状况不佳，休谟年轻的时候不得不四处求职，甚至还遭遇过农民工的待遇——被雇主恶意拖欠薪水，直到 15 年后才付清。1747 年，也就是他 36 岁的时候，休谟终于获得了经济上的独立，他在晚年的自传里这样写道："虽然我这样说的时候，我的大多数朋友们多爱笑我。总而言之，我在此时差不多拥有了 1000 镑。"仔细揣摩休谟的语气，就能体会出他发自内心的得意和微笑。但是奇怪的是，这些凡人的爱好并不会让休谟显得猥琐，反而让人会心一笑，产生出"他跟我们是一样的人"的亲切感。休谟跟我们当然不是一样的人，休谟之成为休谟，不是因为他好名或者好利，而是因为他在哲学上拥有的天纵奇才。

休谟被学界公认为英国有史以来最伟大的哲学家，他不仅是经验论的集大成者，也启发了康德的批判哲学，与此同时，休谟还是一个极具独创性的哲学家：他质疑因果关系的必然性，强调事实和价值的两分，主张理性是情感的奴隶，反对社会契约论，对宗教信仰展开温和但致命的攻击，几乎每一个主张都对后世的哲学产生了深远影响。这个在日常生活中"人畜无害"的胖子，其实是哲学领域里勇猛精进的斗士。

跟笛卡尔和洛克一样，休谟对于哲学问题无休无止的争论感到厌烦，于是把求助的眼光投向自然科学，希望能够借助自然科学的方法来确立"人的科学"，像牛顿那样一统江湖。更有意思的是，跟笛卡尔和洛克一样，休谟也怀抱着没落贵族的骄傲，认为一旦确立起"人的科学"，就能反过来为自然科学奠定"唯一牢固的基础"。哲学家的这种理想和抱负真的非常可爱，打个不恰当的比方，这就好像是一个穷亲戚来找富亲戚借钱，而且大言不惭地拍着胸脯说：我向你借钱可不只是为了我自己好，同样也是为了你好，归根结底，我是为了让你基业长青、千秋万代。

可惜，休谟是个在智识上过于诚实的人，经过一番研究，他发现人类理性的有限性远超出他的想象，结果，他不仅没能为自然科学奠基，反而做出了釜底抽薪的动作——他彻底地质疑了因果关系的必然性。

把经验论原则贯彻到底

这个出乎意料的故事要从休谟的知识理论说起。休谟把心灵所感知到的一切对象都叫作知觉（perceptions），而知觉呢，又可以分为两个部分：印象（impressions）和观念（ideas）。有时候休谟也把观念称为思想（thoughts）。

那么究竟什么是印象呢？休谟认为，印象是最原始的知觉素材，包括"听见、看见、触到、爱好、厌恶或欲求时的知觉"，印象的基本特点是生动活泼。跟印象相比，观念的生动活泼性就要大打折扣，它是我们在思考和回忆印象时所产生的东西，你可以把观念看成印象的翻版或者摹本。

对于印象和观念之间的区分，请允许我打个比方：我现在正坐在办公室里，当我回想起蛋挞的滋味时，仍然有香甜软糯、芳香四溢的感觉。在这一刹那，我口中的每一颗味蕾似乎都被激活了，说得通俗一点，就是开始流哈喇子了。但是我毕竟只是在回忆吃蛋挞的印象，哪怕我已经垂涎欲滴，但是比起真的把蛋挞包裹在嘴里的感觉，我现在的这种观念依旧是暗淡无光的。

回到这一讲最开始的那个问题，为什么当年那么椎心刺痛的情感创伤，在某年某月的某一日回想起来，会变得云淡风轻？其实，休谟早就给出了答案，因为"最生动的思想仍然比不上最迟钝的感觉"。

说到这里，你可能已经注意到了，休谟和洛克使用的哲学术语并不一样。洛克把心灵中的所有对象都称为观念，而休谟呢，则把心灵的一切对象称为知觉，所谓观念，只是一种知觉。这个差别还不是最重要的，重要的是，休谟主张一切知觉都来源于印象，观念归根结底也是来源于印象，这个思路跟洛克的"双重经验论"非常不同。洛克把感觉（sensation）看成观念的外在来源，把反省（reflection）作为观念的内在来源，这就意味着知识的来源除了感觉，还包括心灵自身拥有的"内部感官"，也就是反省，这么一来，洛克就违背了经验论的基本原则，对唯理论做出了让步。而休谟则是彻底地贯彻了经验论的基本原则，一切知识都是源于并且基于经验。所以说，休谟是把经验论原则推到极致的那个人。

按照休谟的观点，所有的观念都可以还原为最初的印象。那就意味着像飞马、金山这些稀奇古怪的观念，都是可以还原成为"翅膀和马"、"金子和山"这样的印象；上帝的观念也是一样的，所谓的全善和全知，不过就是把人类经验到的"善良"和"智慧"无限放大的一个结果。休谟的这个思路，其实已经蕴含了后来的"逻辑实证论"的观点。休谟说，当我们怀疑某个哲学术语到底有没有意义的时候，只需要去考察它到底来自什么印象，如果找不到任何印象的来源，那就可以说明它是毫无意义的胡说八道。

有人也许会接着问，就算我们承认一切知识来源于印象，那么请问，印象又是来自哪里呢？人类的理性能不能搞清楚印象的来源到底是什么呢？

如果让洛克来回答这个问题，他会说，感觉经验的来源当然就是外部的事物啊；如果让另一个经验论者贝克莱来回答这个问题，他会说，感觉经验的来源就是上帝。可是，从经验论的角度来看，这两个回答都没有将经验论的原则贯彻到底，如果贯彻到底，就只能像休谟这样回答：对不起，我不知道感觉印象的来源到底是什么，因为这已经超出了人类理性理解的范围，我们永远都不能断定，印象是由外部事物刺激产生的，还是被心灵创造出来的，或者是从上帝那里得来的。

这是一种典型的不可知论的态度，我们能够闻到扑鼻而来的怀疑主义气息。但是，休谟并不是一个彻底的怀疑主义者，相反，他自称是温和的怀疑主义者。什么叫作温和的怀疑主义者？简单说，他的温和性体现在他对常识的捍卫上，也就是坚持外部事物是客观存在的这种"自然信念"，他相信这种自然信念是高于我们的理性推理的。

说到这里，我们可以对这一讲的内容做一个小结。休谟是一个哲学领域中的大杀器，通过彻底地贯彻经验论的原则，他对一切形而上学和神学的呓语展开了最凶猛的攻击。他曾经这样说道："当我们巡视图书馆时，我们可以拿起一本书，例如神学或经院哲学的书，我们就可以问：其中包含着量或数方面的任何抽象论证吗？其中包含着有关事实与存在的任何经验论证吗？没有，那我们就可以将它投到烈火中去，因为它所包含的，没有别的东西，只有诡辩和幻想。"

但是另一方面，休谟又是一个常识论者和温和的怀疑主义者，这一点突出地体现在，休谟始终是日常生活中那个人畜无害的胖子，懂得"过度考察的人生是没法过的人生"这个道理，所以休谟才会说出这样的话来："我就餐，我玩双六，我谈话，并和我的朋友们谈笑；在经过三四个钟头的娱乐以后，我再返回来看这一类思辨时，就觉得这些思辨那样冷酷、牵强、可笑，因而发现自己无心再继续进行这类思辨了。"

说到这里，我们还没有触及休谟最重要的一个哲学贡献——对因果关系的质疑。关于这个问题，我们下一讲接着谈。

059
太阳照常升起？——休谟哲学（中）

　　姜文有部电影叫《太阳照常升起》，看懂的人不多。据说有记者问姜文："《太阳照常升起》的主题是什么？"姜文回答说："《太阳照常升起》的主题就是'太阳照常升起'。"这个回答霸气四溢，姜文的潜台词大概是说：你自己看电影去，看不懂拉倒。

　　我们这里不是电影教室，而是哲学课堂，所以我不打算讨论《太阳照常升起》这部片子都说了什么，而要追问的是，"太阳照常升起"这句话到底是什么意思？具体说来，"太阳照常升起"，到底是一个包含着必然性的知识呢，还是仅仅传达出了一种生活的信念？关于这个问题，休谟给出过非常有趣而深刻的回答。

两种知识：观念与事实

　　在正式探讨休谟的回答之前，让我们先来了解一下休谟的知识理论。休谟认为，人类理性的研究对象可以分为两种：第一种是以"观念之间的关系"（relations of ideas）为研究对象，第二种是以"事实"（matters of fact）作为研究对象。与此相应，就可以区分为关于观念的知识，以及关于事实的知识。

　　观念的知识包括几何、代数、三角以及逻辑这些学科。例如，"3乘以 5 等于 30 除以 2"，"圆形不是方形"。这些命题具有以下几个特点：首先，它们是必然为真的，即使有一天宇宙毁灭了，圆形也仍旧不是方形；其次，我们不需要通过观察经验事物，直接借助理性的力量就可以获得这些知识；最后，我们无法想象这些命题的对立面，比方说，你可以想象"圆形是方形"吗？

　　那么什么是关于"事实"的知识呢？比方说，人大东门外有人卖假证，珠穆朗玛峰海拔 8848 米，太阳明天照常升起，这些命题的特点是：首先，它们不是必然为真的，而是偶然为真的；其次，我们只有通过观察经验事物，才可以判断这些命题的真假；最后，我们可以毫无困难地理解这些命题的反命题，比如太阳明天不会升起，人大东门没有人卖假证，珠穆朗玛峰海拔 8840 米，当我们这么想的时候，根本不会觉得自相矛盾，这与设想"圆形是方形"完全不是一回事。

　　在做完这个区分之后，休谟说了一句非常关键的话，他指出："一切关于事实的推理，似乎都建立在因果关系上面。"这个表述中有两个关键的说法，一个是"关于事实的推理"，另一个是"因果关系"。

因果关系：人类心灵的习惯性联想

　　我们总是说，眼见为实，但在日常生活中，我们也常常对于那些不在眼前的事实进行推理，这个时候就会运用到因果关系。休谟举例说，如果你去问一个人，他为什么相信自己的朋友生活在法国，那么他会告诉你说，这是因为他收到过朋友的来信，上面的邮戳是法国的，或者他曾经听这位朋友说过要到法国居住。总之，他之所以相信自己的朋友居住在法国，是因为他对于事实做出了一个因果关系的推理。

休谟的另一个例子是，如果你在一个荒岛上发现了一块表，那么你就会很自然地推论，一定有人曾经到过这里。这也是关于事实所做的因果推论。

说到这里，我相信你一定觉得这些例子都太稀松平常了，任何有常识的人都会做出这样的推论。一点都没有错，到目前为止，普通人和哲学家的确没有分别，可是接下来就不一样了。普通人会心安理得地停留在这里，毫无反省意识地继续使用因果性进行事实推理，而有的哲学家，比如休谟，却会后退一步，于无疑处生疑，开始追问：什么是因果关系？因果关系的基础是什么？我们到底是通过理性还是通过经验发现的因果关系？

休谟认为观念和观念之间至少有三种联系方式，它们分别是相似关系、接近关系和因果关系。比如说，当我们看到圆形的时候，会很自然地联想起太阳或者月亮，这种联想就是基于观念之间的"相似关系"。再比如说，我们一看到华表就会想起天安门，一走近人大东门就会想起天桥边上卖假证的大妈，这就是时空上的"接近关系"。前两天我送布谷上学，一出门看到地上是湿的，布谷立刻说：这是因为昨天晚上下雨了。这就是"因果关系"的一个例证。在观念的各种联系方式中，因果关系毫无疑问是最重要也最特殊的那一种。

在《人性论》这本书中，休谟总结过因果关系的八条规则，我们在这里只列举其中的三条：

1. 原因和结果必须是在空间上和时间上互相接近的；

2. 原因必须先于结果；

3. 原因与结果之间必须有一种恒常的结合，构成因果关系的主要是这种性质。

其中，第三条原则最为重要，当前后相继出现的两个对象，总是以恒常的方式反复出现时，我们就会很自然地把前面那个称为因，把后面那个称为果。比如每回天下雨，地上都会湿，这就是一个反复出现的恒常现象。布谷虽然只有五岁，但是已经形成了一种心理习惯：每当看到地上湿的时候就会联想起天上下过雨。

如果你看到这里，没有对以上说法提出任何质疑，那么你已经被休谟悄悄地带到沟里去了。因为，我们已经对因果关系的本性做出了判断：它不是对象之间存在的必然关系，而是人类心灵的一种习惯性联想。

休谟的原话是这么说的："如果有人问：我们对于一切事实所作的推论的本性是什么？适当的答复似乎是，这些推论建立在因果关系之上。如果再问：我们关于因果关系的一切理论和结论的基础是什么？这可以用一句话来回答：经验。但是，如果我们再追根到底地问：由经验得来的一切结论的基础是什么？这就包含了一个新问题，这个问题最难以解决和解释。"

这个基础到底是什么？休谟告诉我们，无非就是习惯。"一切从经验而来的推论都是习惯的结果而不是理性的结果……习惯是人生的伟大指南。"

无法治愈的怀疑主义的惶惑

现在我们可以来回答一开始提出的那个问题了。按照休谟的观点，"太阳照常升起"只是一个从经验而来的归纳推理，在过去的每一天里，太阳都照常升起，但是这并不能保证太阳明天必然会照常升起，因为归纳推理只能保证可能性，无法保证必然性，它是对过往经验的总结，但却不能确保未来必定如此。我们完全可以想象这么一种可能性：太阳明天毁灭了，所以太阳再也不能升起来了。

要注意的是，休谟并不是要全盘否定因果关系，他只是在提醒我们，从经验论的原则出发，人类的理性无法揭示出因果关系的必然性，它只是人类主观的习惯性联想。

也许有人会说：既然太阳明天不会必然升起，那我们是不是应该开始末世狂欢、及时行乐了呢？当然不是这样的。休谟说，怀疑主义的惶惑，就像是一种永远都无法治愈的病，它会经常性地复发，那么怎么办呢？唯一有效的解药，就是不去关心和不去留意这些问题。休谟保证，只要我们不再思考这些问题，一个小时以后就会恢复常态，既相信存在着外部世界，也相信存在着内心世界。

所以，休谟告诉我们要回到常识，以抵御哲学思考所带来的侵害。尽管太阳明天不必然会升起，我们还是可以按部就班地在今天晚上打游戏、看电视，洗漱刷牙，上床就寝，安心入睡。因为归根结底，我们是按照习惯来指导自己的人生，我们"相信"太阳明天会照常升起。

休谟的这些劝慰对常人来说非常有效，但是对哲学家来说却没有什么帮助。这是因为，一旦因果关系不具备必然的联系，那就意味着科学的基础被抽空了。在上一讲中我曾经指出，休谟跟笛卡尔和洛克一样，试图为自然科学奠定"唯一牢固的基础"，可是当他得出结论认为因果关系不具备客观的必然性，而只是习惯性联想的结果时，休谟恰恰证明了，建立在经验基础之上的知识都是或然性的知识。不仅如此，他还把康德从独断论的迷梦中惊醒，虽然康德不赞成休谟的观点，但是不得不承认："自有形而上学以来，对于这一科学的命运来说，它所遭受的没有什么能比休谟所给予的打击更为致命。"罗素也有类似的评价，他说："通过对这种'或然性'知识的分析，休谟得出了一些怀疑主义的结论，这些结论既难反驳，同样也难以接受。结果成了给哲学家们下的一道战表，依我看来，到现在一直还没有够上对手的应战。"

我们来给本讲做一个小结：休谟通过区分"观念的联系"和"事实"这两种知识类型，指出一切关于事实的推理都是基于因果关系的，可是因果关系的基础是经验而非理性，这意味着因果关系没有必然性，只有或然性，它只是人类主观的习惯性联想。这样一来，休谟非但没有给自然科学奠定一个牢靠的基础，反而动摇了自然科学的基础，这给后世的哲学家留下了一个急需解决的难题。康德的先验哲学在很大程度上就是为了回应休谟的这一挑战。

060
理性是激情的奴隶：休谟哲学（下）

在开始这一讲之前，我先讲一个小故事。我七岁那年，有一天正在家门口跟小伙伴玩，突然厂里的喇叭暂停了红色歌曲的播放，开始用悲痛沉重的声音播发悼文。我妈一把把我抓进屋里，告诫我说，从今天开始，三天之内不准在公共场合大声说笑，因为我们慈祥的宋庆龄奶奶去世了。当时的我并不知道孙中山是何许人也，更不知道宋庆龄是孙中山的夫人，只是在一些宣传画面上，见过宋奶奶的形象，知道她是一个大人物，一个特别喜欢孩子的慈祥和蔼的老奶奶。这样的老人走了，当然不应该嬉皮笑脸，这是一种无须任何理性推理的直觉判断。就像我们看见"鲜花"会感到愉悦，听到"癌症"心里会发慌，从小到大，我们就接受了一整套黑白分明、爱憎分明的情感教育，跟不同的对象建立起一一对应的情感反应。比如说，宋庆龄是"慈祥"的，周恩来是"敬爱"的，旧社会是"万恶"的，国民党是"腐败"的，说到台湾，我们就想起"收复"二字，看到朝鲜就想起"兄弟"二字，想起民主肯定会接上"乱象"二字。

而美国呢？不仅是美帝国主义，还必须是"邪恶"的。

关于这种不假思索、脱口而出的直觉反应，当代道德心理学有一个很好的解释：我们的大脑有一种类似于照相机的曝光反应，它会把你熟悉的词汇和事物自动标识为好的、坏的，喜欢或者厌恶的。这种曝光反应的速度非常迅捷，整个过程只有 200 毫秒左右。这是什么概念？一秒有 1000 毫秒，可想而知，200 毫秒是多么短暂的一个过程。比如，当看到五星红旗迎风飘扬的时候，会立刻产生一种自豪感，由衷地在心里道一声："厉害了，我的国！"然后，你才会通过理性去寻找自豪的理由，追问我的国到底厉害在哪里。在这个意义上，我们可以说，理性是激情的慢动作，理性是激情的马后炮，或者，借用休谟的经典名言——"理性是而且也只能是激情的奴隶"。

道德判断的基础：理性 vs. 情感

在西方哲学史中，理性主义的传统源远流长，从柏拉图到康德，一直认为激情是而且也只能是理性的奴隶。比如柏拉图就曾经指出，那些能够用理性来控制激情和欲望的人可以获得永生，相反，那些被激情操控的人则会在来世变为女人。当然，如果柏拉图生活在现代，肯定会被女性主义者撕成碎片。

休谟认为，在道德领域中，最重要的问题就是要搞清楚道德判断的基础到底是理性还是情感。很显然，休谟不认同柏拉图的观点，他非常不看好理性在道德判断中所起到的作用。

我们可以将休谟的观点概括成以下几点。

首先，休谟认为道德理论属于实践科学而不是思辨科学，思辨科学推崇理性，讲究真伪，而实践科学则注重行动。休谟认为，促使我们去行动的动机（motive）不是理性而是激情。这个并不难理解，读大学的时候，很多男生都有这样的经历，拿起一束鲜花冲到女生楼下，不顾看门大妈的阻拦，三步并做两步冲上女生宿舍，促使你这么做的动机显然不是理性而是激情。如果此时理性横插一杠子，你很可能就不会行动了，因为你会计算后果，万一被大妈痛斥一顿，很没面子，万一上报学校，会不会被通报批评？这样一想，你就会偃旗息鼓，放弃行动了。

其次，休谟认为理性活动只是对事实做出判断，而道德判断则是对既定事实做出或赞成或反对的情感反应。说到这里，就涉及休谟关于事实和价值的两分。他曾经举过一个极端的例子，当我们面对一起谋杀事件的时候，如果仔细分析这个过程，就会发现在这个杀人的事实中，其实找不到任何恶的事实。休谟的意思是说，我们可以把杀人这个行为完全还原成一个无关于道德的行动，就好像我把粉笔头扔到了天上，那个人把刀子捅进了别人的肚子，在这两个行为中我们都观察不到道德的元素，你对我扔粉笔头这件事情无感，但对杀人这件事情充满了愤慨，只是因为你把情感附加到了杀人的行为上。休谟认为，对和错、罪恶和德性这样的属性，就像是声音、颜色、冷和热一样，依照近代哲学的观点，它们都不是对象的性质，而是心中的知觉。理性判断是关于"是"或者"不是"的事实判断，而道德判断是关于"应该"或者"不应该"的价值判断，二者之间存在着难以逾越的鸿沟。休谟关于事实和价值的区分，给道德哲学提出了一个巨大的难题，因为这意味着不存在所谓的道德知识，我们的道德判断只是情感和趣味的体现。比方说，当我们说这件事情是错误的时候，其实只是在表达"我不喜欢这件事"。这么一来的话，就很可能会进一步导致道德相对主义和虚无主义的恶果。

休谟的第三个观点认为，道德行为是有目的性的，而理性无法说明人类行为的最终目的，它只具备工具理性的作用。休谟的这个观点也得到了当代道德心理学的支持，乔纳森·海特在《正义之心》这本书中介绍了一个案例：有一种脑部受损的病人，会产生特殊的症状，他们的智商没有问题，能够非常清楚明白地做出对和错的判断，但问题在于，因为腹内侧前额叶皮层受损，他们失去了情感的能力，看到任何快乐或者恐怖的图片都无动于衷。这样的病人在现实生活中会遇到什么困难呢？打个比方，如果他们去超市购物，虽然可以对同一类型的商品进行性价比的计算，但是因为他们失去了感情偏好，所以对应该买哪一件商品很难做出决定。海特在介绍完这个例子之后，说了一句非常形象的话：当主人（激情）死了之后，仆人（理性）既没有能力也不想再去维持家业，因为它失去了动力，一切都完了。

　　海特把激情比作主人，但是把理性比作"仆人"，而不是像休谟那样比作"奴隶"。这是因为海特认为，"仆人"比"奴隶"能更加准确地描述出理性的作用和地位。其实休谟自己后来也认为"奴隶"这个表述有些夸大其词了，所以在《道德原理研究》中，他调整了自己的说法，认为理性对道德并非毫无作为，而是可以辅助情感，"间接地"同道德发生关系。具体说来，就是通过澄清事实细节，来帮助情感做出更加合适的反应。英国作家萧伯纳曾说："有教养的英国人"除了掌握"对"与"错"的差别，对这个世界一无所知。后来，有一个英国哲学家自嘲说，这个批评用在道德哲学家身上其实更合适——那些在大学讲台上侃侃而谈的家伙常把自己对于世界的无知当成美德。休谟对于理性作用的正面肯定，提醒我们，道德哲学家不仅要有鲜明的价值立场和道义担当，还必须深入具体的事理分析当中，掌握更多的实证材料，了解这个世界到底发生了什么，在事实发生改变的时候，同时也要改变自己的价值判断和立场。

　　无论理性是激情的奴隶还是仆人，都说明了一个显而易见的道理——"人们的道德判断是凭直觉快速做出来的"，在多数时候，道德推理总是姗姗来迟，它是马后炮，是事后诸葛亮，是为了证明人们业已做出的道德判断的合理性。

晓之以理，动之以情

如果以上说法成立，那么它到底给我们带来哪些启发呢？

也许有人会说，那我们干脆就放弃道德论证和道德说理算了。当然不是这样。虽然道德论证的有效性比我们预期的要低很多，虽然我们正处在一个几乎没有什么道理可讲，讲了道理也没有太多人会听的时代，但是我始终认为，对于知识人来说，尽可能清楚明白地讲道理仍旧是使命和职责所在。

但是，另一方面，知识人除了诉诸道德说理，还要学会重视情感教育。用中国人的老话说就是要晓之以理，更要动之以情。乔纳森·海特写过另外一本著作，叫作《象与骑象人》，他把理性推理比作骑象人，把情感直觉比作大象；之所以把情感比喻成大象而不是马，海特说，这是因为大象比马更庞大，也更聪明，所以操纵大象要更加困难。海特提醒我们，在面对道德分歧和政治冲突的时候，如果我们想要改变一个人的观点，就要学会跟大象交流，因为如果你想让对方相信违背他直觉的东西，他们会立刻找到理由来为自己的直觉做辩护，而且这种辩护几乎总能成功，所以除了要跟理性交流，还要学会直接诉诸情感，跟那头大象进行有效的沟通。

在结束这一讲之前，我想给大家再介绍一个休谟的观点。在论及一个人应该有的品德时，休谟举了一个例子，设想某人要把女儿许配给一个男孩，这个时候，张三说：这个男孩好啊，他为人正直仁慈，每一个同他交往的人都会得到公正良好的对待。李四说：这个男孩好啊，前程远大，一定会获得巨大的荣誉和进步。王五说：这个男孩好啊，他是一个社交达人，言谈举止机智高雅，豪爽而不做作，为人彬彬有礼，让人如沐春风。赵六说：这个男孩好啊，他面容安详，心灵宁静，宠辱不惊，能感受他是一个发自内心特别愉悦的人。

　　请问如果遇上这样的乘龙快婿，你会不会把自己的女儿许配给他？答案是显而易见的。在休谟看来，以上四个描述分别传达出四个品质：对他人有用，对自己有用，令他人愉悦，令自己愉悦。休谟认为这就是对"品德完美之人"的完整描述。坦白说，我认为这也是休谟的自画像，他的一生，就是在努力实现这四种品德的过程。

　　1776 年 8 月 25 日，休谟因病死于爱丁堡，著名经济学家亚当·斯密在讣告中这样评价休谟："总之，无论在休谟生前还是死后，我始终认为，他在人的天性弱点所允许的范围内已经近乎一个全智全德之人。"

《康德与论友围坐桌边》，布面油画，德国画家埃米尔 · 德斯特林（Emil Doerstling，1859—1940）绘于 1892—1893 年。

061
我们的责任不是创作书本，而是制作人格：
康德的哲学与人生

在很多人的心目中，康德（Immanuel Kant，1724—1804）就是哲学，哲学就是康德。有人认为，"康德的生平就是他的著作"；还有人评价说："康德哲学无与伦比的个人特质"就在于其中"完全看不到个人特质"。这些说法一方面反映出康德哲学无与伦比的重要地位，另一方面也折射出康德的个人形象实在有些枯燥无趣。

在这种"刻板印象"的形成过程中，德国诗人海涅可以说是功不可没，他曾经这样刻画康德：

　　描述伊曼纽尔·康德生平的历史是一个极端困难的差事，因为他既没有生活也没有历史。他住在德国东北边境的一个老城柯尼斯堡城外的一条小巷里，过着跟机械一样规律的、几乎抽象的单身生活。我想，当地大教堂的巨钟也不比居民伊曼纽尔·康德更兴味索然地重复日复一日的工作。起床、喝咖啡、写作、授课、吃饭、散步，一切都有固定的时刻，而邻居也都知道，穿着灰袍的伊曼纽尔·康德手上拿着西班牙的拐杖走出家门时，时间准是下午三点半整……在这条菩提树道上他总是来回走八遍，不管季节如何，不管天气是否多云或多云预示了即将下雨，可以看到他的仆人，老兰珀腋下挟着雨伞忧心忡忡地跟在他的后面，一个命中注定的画面。

这当然不是一个命中注定的画面。事实上，康德绝对不是"一堆和生活没有什么关系的抽象概念"。

在四十岁之前，康德的生活丰富多彩，传记作者曼弗雷德·库恩甚至用"纵情声色"来形容他的生活，只是到了四十岁以后，康德才慢慢把自己活成了世人心目中的那个机械、抽象、兴味索然的形象。即使如此，也绝不意味着晚年的康德是一个冷血动物和思想机器，他的朋友哈曼曾经说过，无论在生活中还是在哲学里，康德都是一个天性热情冲动的人。

德国哲学家费希特有句名言："一个人之所以选择某种哲学，正因为他是这种人，因为一种哲学体系绝非人们可以恣意取舍的无生命的家什，它因掌握它的人的精神而充满灵性。"因此，在了解康德的哲学之前，我们需要先来了解康德其人其事。

虚伪、奴性和傲慢

1724 年 4 月 22 日，康德出生于东普鲁士的首都柯尼斯堡。他的父母亲都是马具师出身，家境虽然不算富裕，但是温饱有余，因为有一技之长，再加上行会组织在当时的特殊地位，他们在社会上占有一席之地，受人尊重，而且保有很高的荣誉感和自尊心。

按照《旧普鲁士年鉴》，康德出生的那一天被称为"埃马努埃尔"（Emanuel），他的名字正是由此而来，后来康德自己改名为伊曼纽尔（Immanuel），但意思不变，仍旧是"与上帝同在"的含义。这真是一个绝妙的讽刺，因为康德成年之后成为一个无神论者，从不去教堂祈祷。康德最突出的哲学贡献之一就是"为信仰留下地盘"，他这么做，纯粹是为了满足普通人的心理需要，他自己没有这种需求。所以，这个名为"与上帝同在"的哲学家其实并不真的与上帝同在。

康德13岁丧母，22岁丧父，在回忆起父母给他留下的遗产时，他曾经动容地写道："我（出身技匠阶层）的父母非常诚实、道德高尚，而且举止有礼。他们没有为我留下财产（但也没有留下债务）。然而他们给了我一个以道德的角度而言最佳的教育背景。每当我念及于此，内心总是充满至高的感激之情。"

仔细琢磨其中的遣词造句，就会发现，康德只是强调了父母的个人品性，却只字未提他们的宗教背景。康德的父母都是敬虔派的信徒，这是新教的一个分支，也是当时柯尼斯堡占据主导地位的一个宗教流派。所谓敬虔派，顾名思义，就是强调基督徒生活的关键在于"敬虔"和"顺服"。然而这种敬虔和顺从只是相对于上帝和统治者而言，在面对异教徒和无神论者的时候，敬虔派的信徒往往会因为自认是"上帝的选民"，反而产生一种特权阶级的优越感。库恩在《康德传》中指出，成年后的康德既厌恶敬虔教徒的"奴性"表现，又反对他们那种"不可理喻的傲慢"。这样的情感反应很可能在中学时期就埋下了伏笔。

1732年，康德入读腓特烈中学，这是一段不那么美好的回忆。他日后写道："许多人认为少年时期是黄金岁月，但这或许是个错觉，那是最难受的时期，有令人喘不过气的纪律，朋友寥寥无几，自由则更加稀少。"曾经有学者总结说，康德在评价他的中学教育时，最常提到的是以下三个词：虚伪、奴性和傲慢。

虚伪的反义词是诚实，英文里有一个词叫作 integrity，意思是诚实、正直，我认为这个词更重要的含义是人格的一致性和完整性，如果一个人表里不一，被迫用自己并不认同的方式来表达自我，那就是对 integrity 最大的伤害。敬虔派号称是"灵魂的宗教"，特别看重"灵魂告白"与"自我批评"，用我们熟悉的话说，就是灵魂深处闹革命，狠斗私字一闪念。康德就读的腓特烈中学要求所有的学生在领圣体之前，必须事先撰文报告自己的灵魂状况，然后由一个训导人员来一一审核，确定谁有资格领圣体。在回忆这段往事的时候，康德认为这种"自我审查"的做法，既是在控制人的身体，也是在控制人的心灵，它不仅无助于培养学生的"批判性和独立性思考能力"，而且会导致"狂热思想以及精神异常"。由于在内心深处不认同这种灵魂深处闹革命的做法，但又不得不屈从于学校的规章制度，这让康德深感自己的人格受到了扭曲，他认为这种教育必然会制造出虚伪的人格。

其实，这种教育不仅会制造出虚伪的人格，而且会制造出"奴性的人格"。所谓奴性，就是缺乏个人的独立意志，唯主人的意志马首是瞻。晚年的康德在回忆自己的青春岁月时，曾经不无激愤地认为，自己在当时遭受到了奴隶一般的对待。

最后让我们来看"傲慢"，正像一个学者所指出的那样，这个词不仅适用于腓特烈中学的官员们，也适用于那些掌握权力的敬虔派信徒，这些人不但自以为掌握了真理，而且要把"真理"强加给其他人。

毫无疑问，少年时的这些经历对于康德思想的形成都具有非常深远的影响。只有了解了这些背景，我们才会明白成年后的康德为什么会如此强调"人的自由"，为什么如此看重人之为人的独立价值和尊严，为什么会在《什么是启蒙》这篇文章中大声疾呼"敢于运用你的理性"。在另外一个意义上，康德的经历也恰恰验证了这样一个道理：启蒙的敌人是最大的启蒙者，正如自由的敌人最好地确证了自由的重要性。

1755 年，31 岁的康德终于写完他的硕士毕业论文，题目是"简述几个关于火的思考"。当他获得了硕士学位和讲师资格后，就可以在大学开课了。可是康德并没有稳定的薪水，必须靠学生支付的钟点费过活，为了赚取足够的生活费，康德要上很多课，吸引足够多的学生。好在他的课程很受欢迎，总是座无虚席。著名诗人、德国狂飙运动的代表人物赫尔德曾经是康德的学生，他形容康德的讲课风格"戏谑、机智与灵动"，"他的讲演课像娱乐的对谈。他谈论原作者，也会掺杂自己的思考，经常比他们更加深远"。赫尔德认为康德唯一关心的是真理本身，他毫不在意派系和门户之见，也不喜欢那些亦步亦趋、唯唯诺诺的门生。康德的哲学意在唤醒每一个人独立的思考。

康德在这个时期是一个"高度社会化的人"，他喜欢打牌，看戏剧表演，听音乐会，从事各种各样的消遣活动，可以说是柯尼斯堡的社交达人。康德最喜欢的娱乐之一就是打牌。记得胡适在《留学日记》中对自己终日沉迷于打牌痛心不已，曾经这样自责："胡适之啊胡适之！你怎么能如此堕落！先前订下的学习计划你都忘了吗？子曰：'吾日三省吾身。'……不能再这样下去了！"然后，这个胡适之同学继续打牌不止。有趣的是，康德对于打牌却有着非常正面的看法，他认为打牌"可以修身养性，让人情绪稳定，习于容忍克制，因此对道德修养有所影响"。

生活准则的转变

1764 年，康德 40 岁，库恩认为，这是康德获得重生的关键一年。最直接的原因是，康德在这一年失去了至交好友丰克，丰克的猝逝让他深刻反省了生与死的意义，以及人生在世的真正价值。另外，康德的身体一直算不上健康，他身高只有 1.57 米，在欧洲人里绝对称得上矮小瘦弱，可以说是先天不足后天失调。康德在那个时期一度怀疑自己得了抑郁症，他相信，如果想要献身于伟大的事业，就必须有规律地生活，进行严格的自我管理。当然，最重要的原因还在于，康德认为一个人的品格（character）是在 40 岁定型的，良好的品格不能建立在感觉之上，而必须永远以理性的准则作为基础。康德说："作为一个人，我们必须根据理性去生活，因此应该以准则来约束兽性的本能，不可以让任何冲动过于强势。"

总之，从 40 岁开始，康德的生活准则已经从"美学"转向了"道德"，他不再过一种审美的生活、感性的生活，而开始过一种道德的生活、理性的生活。

也正是从这个阶段开始，他逐渐成为世人所熟知的那个康德，他的人生与哲学开始合流。1781 年，康德 57 岁，在当时的欧洲，他已经远远活过了人均的寿命，但是康德却厚积薄发出版了他最著名的《纯粹理性批判》，在随后的十年里，他又陆续出版了《实践理性批判》和《判断力批判》，一举奠定了他在哲学史上的崇高地位。

康德的哲学是出了名的晦涩难懂，我在读本科的时候，老师就曾经警告我们，康德的长句特别多，如果你用一根手指摁住一个分句，十根手指肯定是不够用的，即使脱下鞋子用上脚趾头，仍然不够用。

据说当时有一个学生由于读不懂康德的著作而发了疯，耶拿大学有两个学生为此决斗，因为其中一个学生羞辱另一个人根本没读懂《纯粹理性批判》，认为后者必须花 30 年的时间才可能有所了解，然后再花 30 年的时间才有资格评论。有些傲慢的康德门徒把解释康德视为一种特权，但凡有人表示不同意见，就会用"你不懂康德"来打击对方。我相信这是对康德哲学基本宗旨的违背，就像我们前面所说的那样，康德最反感的就是因为真理在握而产生的傲慢情绪，他最鼓励的就是"敢于运用你的理性"的自主和勇气。

康德一度相信人之为人的尊严在于有知识，是卢梭告诉他，人的尊严与知识的多少无关，与道德关系很大。康德说：

　　我曾经相信这（知识）就构成了人类的尊荣，而看不起无知的民众。卢梭在这个问题上纠正了我。这盲目的偏见消失了。我学会了尊重人，并且感到：除非我相信自己的这种探索者的态度能在建立人类权力方面给予所有人以价值，我就不比普通的劳动者更有用。

我相信这是康德从事哲学事业最根本的动机所在，也是他的最高目的所在。从这个角度出发，虽然存在着两个截然不同的康德形象，但是我认为，40 岁之前的康德与 40 岁之后的康德，二者之间并不存在真正的割裂。因为从年轻时代开始，他就在反抗虚伪、奴性和傲慢，不断尝试成为自主的、独立的人。

最后，请允许我借用蒙田的一句话来结束这一讲："我们的责任不是创作书本，而是制作人格；我们要赢得的，不是战役和疆土，而是行为的秩序与安宁。我们伟大而荣耀的杰作是一种合宜的生活方式。"我相信这是对康德毕生事业的最佳总结。

062

我能知道什么？——康德为理性划界

康德的理论使命：既反对独断论又反对怀疑论

上一讲我们结束在蒙田的那句名言上，我相信它是对康德毕生事业的最佳总结，因为康德明确地指出，他做哲学的全部旨趣都可以归结为以下三个问题：

1. 我能知道什么？

2. 我应该做什么？

3. 我可以希望什么？

后来康德又补充说道，这三个问题还可以进一步归结为"人是什么"这个最为根本的大问题。

单单看着这几个问题，就足以让我们心驰神往，可是，如果仅仅停留在这里，那就只是充满了浪漫情怀的口号，它引人遐思，却没有任何的可操作性，更谈不上有任何的学术性。过去这些年我常常会收到一些民间哲学家的鸿篇巨制，他们对哲学事业充满了激情，但是往往思而不学，热衷于另起炉灶，就好像此前两千多年的哲学史根本不存在，虽然不乏奇思妙想，但归根结底却是无本之木、无源之水。如果想要避免天马行空、神游九霄的民哲风格，就必须把哲学思考放置在具体的历史脉络和学术传统之中。

康德当然不是民哲，当他追问"我能够知道什么"的时候，是在非常自觉地立足在近代哲学的传统中，接着经验论和唯理论的争论往下说。我希望大家都还记得，唯理论的基本观点是知识源于并且基于理性，经验论的基本观点是知识源于并且基于经验。从笛卡尔开始，一直到休谟，这两派观点争论了一百多年，可惜不但没有解决问题，反而制造出更多的问题。

当唯理论发展到极致的时候，就会导致独断论的问题。所谓独断，日常的含义是未经商量，独自做出决定。在近代哲学的语境里，独断论指的是在没有考察理性的能力和边界之前，就对于那些我们不理解的事物，或者根本不存在的事物随意联想，信口胡言，做出一些似是而非却又斩钉截铁的武断结论。莱布尼茨的"前定和谐说"就是独断论的典型例子，莱布尼茨其实在僭越人类理性的边界，站在上帝的视角，对这个世界的本质做出论断。

另一方面，当经验论发展到极致，就会导致怀疑论的问题。比如说休谟指出因果关系并没有必然性，只是我们心灵的习惯性联想，这不仅让自然科学的基础变得不再可靠，也把康德从独断论的迷梦中惊醒过来。康德承认，某种程度上，《纯粹理性批判》的写作目的就是要回应休谟的挑战，把休谟问题尽可能地铺展开来，也正因为这样，康德一度被朋友戏称为"德国的休谟"。但是我认为这个绰号并不合适，因为康德虽然正视休谟的问题，但并不接受休谟的立场。

康德的理论使命是左右开弓，既反对独断论又反对怀疑论。为了完成这个任务，康德就需要一方面为理性划界，对于理性力所不能及的领域，保持沉默，否则就会掉进独断论的陷阱；另一方面康德要正面回应休谟问题的挑战，论证科学知识的确定性和普遍必然性，否则就会陷入怀疑论的泥沼。

不纯粹的《纯粹理性批判》

　　说到这里，我们可以正式来探讨《纯粹理性批判》这本大书了。如果要在西方哲学史中评选出三本最具影响力的著作，我敢打赌这本书一定会入选。康德自称只花了四到五个月就完成了这部震古烁今的巨著，但是我们千万不要以为这是一本灵光乍现的著作，事实上为了写作它，康德整整酝酿了十二年的时间。这本书的界面非常没有亲和力，康德曾经感慨说，如果要把它写得更通俗易懂，那就还需要再花几年的时间，可是因为年事已高，康德担心来不及完成这个工作，所以只用了短短四五个月的时间就整理出来了。

　　让我们先来破个题，《纯粹理性批判》共有三个关键词：纯粹，理性，以及批判。

　　"纯粹"的意思很明了，就是"不掺杂质"。叶秀山先生指出，在近代哲学传统里，当说到"纯粹"二字时，特指的是"不杂经验"，"与经验无关"，或者"不由经验总结、概括出来"的意思。为什么要特别强调与经验无关呢？这是因为从古希腊以降的西方哲学一直认为感觉经验是变动不居的，最经典的说法莫过于赫拉克利特的那句名言："一切皆流，无物常驻"。既然感觉经验是不可靠的，那么建立在经验基础之上的科学知识也是不可靠的。

　　这个时候，"理性"的重要性就凸显出来了。为了重建科学知识的可靠基础，就必须向理性求助。可是在这里我要特别强调的是，康德并不打算完全抛弃感觉经验，这是因为，如果只有理性，没有感觉经验，那么我们就只能拥有纯形式的知识。比方说同一律、矛盾律、排中律这样的逻辑命题，或者"所有的单身汉都是未结婚的男子"这样的分析命题，它们的优点是具有普遍必然性，缺点则是无法给我们增加新的知识，这样一来，科学知识的增长就成了问题。

为了解决这个问题，康德找到了一个折中的办法，他指出，所有的知识都"开始于"（begins with）感觉经验，但并非所有的知识都"源自于"（arises out of）感觉经验。"开始于"的意思是说，从事实上说，我们的一切知识都是从接受感官的刺激开始的，并非"源自于"的意思是说，如果要想形成普遍必然的知识，就不能仅仅诉诸感官经验，必须要引入理性来保证普遍必然性。

说到这里，你或许已经意识到了，康德哲学其实并不那么的"纯粹"，因为他并不认为存在着与经验无关的知识，而恰恰是在强调感性直观与知性范畴的相互依赖性。康德有句名言是这样说的："如果没有感性，则对象不能被给予我们，如果没有知性，则对象无法被思维。没有内容的思想是空洞的，没有概念的直观是盲目的。"所以说，康德的基本宗旨是综合经验论和唯理论，认为只有知性就无法直观到任何东西，只有感官则不能思维任何东西，唯有结合知性和感性才能产生出知识。以上表述中出现了很多复杂的概念，比如说感性直观、知性范畴，我们会在下一讲细细解释它们。

为理性划界

现在来解释"批判"二字。正如我们反复强调的那样，理性不是无所不能的，如果不对理性划界，就会产生独断论的问题。所以康德还需要对"纯粹理性"进行"批判"性考察。要注意的是，这里的"批判"不是批评、批斗的意思，而是研究、考察、区分、辨别的意思。因为极其看重批判的意义和价值，康德甚至把他的哲学称为"批判哲学"。

如果你去读康德的著作，就会发现他特别喜欢使用"王国"这个词，比如目的王国、人的王国，等等。什么是王国？你仔细想一想，就会发现任何王国要想长治久安，在最低的层面上，就需要对外确保边境安全和领土完整，对内确保法律和秩序。按照这个思路往下想，理性王国不仅需要对外明确自己的疆域，防止出现越界执法的问题，而且对内也要给理性王国的内部成员分配适当的"权限"，让它们各得其所，防止各个"职能部门"之间的"越权"或者"僭越"。（叶秀山语）

说到僭越，我们在讲古希腊哲学的时候，反复探讨的就是"僭越"这个概念，德尔菲神庙上的箴言"凡事勿过度"、俄狄浦斯王的悲剧、柏拉图的《理想国》，都在强调人类要克服本性上的僭越冲动，要各司其职、各归其位，始终恪守在永恒固定的界限之内。如果说古希腊哲学重在为人的欲望划界，那么在康德这里，就是在为理性划界。

在《纯粹理性批判》的序言中，康德指出，这本书的写作目的就是为了警告人们："永远不要冒险凭借思辨理性去超越经验的界限"。

"为理性划界"的重要性我们已经说了很多，现在要问的是，康德为什么特别强调"经验"是理性的边界？为什么一旦超越经验的界限，理性就会跌入"黑暗与矛盾"之中？

冤有头，债有主，归根结底，这个问题要追溯到笛卡尔的"心物二元论"。简单说，心物二元论的意思就是，在心灵和外物之间存在着难以逾越的鸿沟。笛卡尔的这个坑挖得太大，以至于他之后、康德之前的所有哲学家，包括莱布尼茨、洛克、贝克莱，都只能求助上帝来解决心物关系。这个时期的上帝对于哲学家来说，主要扮演救火队员的角色，但凡哲学思考陷入绝境，这个"救急神"就会随时亮相，解救哲学于危难之中。

康德认为，这些哲学家犯了两个根本性的错误：第一，他们原本想要追问"人能知道什么"的问题，结果却给出了"神能知道什么"的答案，建立起"以神为中心"的知识模型；第二，他们看似接受了心物二元论，但在实际思考的过程中，又不自觉地把"现象"和"物自身"混为一谈。

所以说，只有纠正了这两个错误，才能真正回答康德的这个问题——"我能知道什么？"那么康德到底是怎么纠正这两个错误的？不以神为中心的知识模型会是什么样子？什么是现象，什么是物自身？康德的工作又会造成哪些进一步的难题？关于这些问题，我们下一讲接着说。

063

人为自然立法：康德的"哥白尼式革命"

我们比金鱼看到的世界更真实吗？

上一讲我们结束在现象与物自身的区分上，这跟本讲的主题即康德的"哥白尼式革命"有着直接的联系。不过，在进入主题之前，我想先讲一个小故事。

几年前，意大利某个城市的议员煞有介事地提出一个议案，要求取消所有弧形的金鱼缸，理由是当金鱼向外凝视时，会看到扭曲的实在图像，这对金鱼来说是件残酷的事情。你是不是觉得非常滑稽？普通人肯定会把它当成奇谈怪论一笑置之，但是好学深思的人却会抓住它做起文章来。比如霍金就在《大设计》里讨论了这个问题，霍金质疑说：人类完全有可能也身处在一个大鱼缸中，被一个巨大的弧形透镜扭曲了眼前的一切景象，那么请问，人类凭什么认为自己看到的实在图像没有被扭曲？进而言之，人类凭什么认为自己看到的实在图景比金鱼更真实呢？

在上面的表述中出现了一个词——"实在"，英文是 reality，在哲学领域中的意思是"事物本来所是的样子"。如果觉得"实在"这个词不好理解，请你想想这句日常说法——"你这个人很实在"，这里的"实在"就是不玩虚的、真实可靠的意思。其实哲学中的实在也是真实的意思，有时候，我们把一个词挪个地方，换个搭配组合，似乎就会变得很哲学，让人产生畏难情绪。"你这个人很实在"，明明就是一个日常说法，但是一旦我们说"人类凭什么认为自己看到的实在图景比金鱼更真实"，我们似乎就会对"实在"这个词望而生畏，甚至感到不知所云了。

按照霍金的观点，所有观看世界的方式其实都依赖于某种特定的模型，既然如此，争论外部世界是实在的或者非实在的，就是没有意义的。所谓"依赖模型的实在论"，打个比方，就好像人类和金鱼都戴着有色眼镜在看世界，人类戴的是红色的眼镜，金鱼戴的是绿色的眼镜，所以人类和金鱼看到的世界是不一样的，而且因为那副有色眼镜是长在金鱼和人类的认知结构里的，不是你想摘就能摘的，所以谁都无法断言自己看到的世界更实在，甚至于，谁都无法断言外部世界是否真的实在，因为我们所看到的世界只是那副有色眼镜带给我们的表象世界。

现象与物自身

霍金的这个想法一点都不新鲜，康德早在两百多年前就在哲学界发动了一场"哥白尼式的革命"，提出了与霍金非常类似的观点。

天文学中的哥白尼革命是把"地心说"改成了"日心说"，以前的天文学家认为太阳是绕着地球转的，哥白尼反其道而行之，认为地球是绕着太阳转的。哲学领域里的"哥白尼式革命"同样如此，以前的哲学家主张人类的"认识符合对象"，康德反其道而行之，认为应该是"对象符合认识"。

你一定很好奇，康德的哥白尼式革命到底有什么哲学意义？

试想一下，如果人类的认识符合对象，那会导致什么样的后果？这就意味着认识必须要超出经验的界限，去处理外部世界的对象，对康德来说，这不仅是对理性的越界使用，而且必然要引入"救急神"来帮助人类确立外部世界的实在性。反过来说，如果颠倒认识和对象之间的关系，主张对象符合认识，那就可以避免上面这两个问题，从而给哲学领域打开一个崭新的视野。

康德的哥白尼式革命导致的一个直接结果，就是在"现象"和"物自身"之间划下了一道永远无法逾越的鸿沟。所谓"现象"（appearance），就是事物看起来的那个样子，在哲学上，和"现象"对应就是"实在"这个概念，也就是"事物本来所是的样子"，康德把它称为"物自身"（things in themselves），有人也翻译成"自在之物"。

举个例子，清晨起床打开窗户，我们听见鸟儿在歌唱，看到柳树在抽条，万物复苏，春意盎然，在哲学家看来，这些被感官经验到的东西都是现象或者表象，是事物向我们呈现出来的那个样子，而不是实在本身，用康德的话说，它们不是"物自身"。

再比如，人的耳朵只能听到频率在 20—20000 赫兹的声音，更高或者更低的声音我们就听不到了，这意味着，人类听觉所能捕捉到的声音，不是世界上所有的声音。更进一步，即使是频率在 20—20000 赫兹之间的声音，在人类的耳朵里和在狗的耳朵里，也会听到完全不同的"显象"。这个例子告诉我们，跟其他生物相比，人类的认知能力有其特殊性，就像狗听到的声音跟我们听到的声音是不一样的，金鱼所看到的世界与我们所看到的世界也是不一样的。所以霍金才会说，我们无法判断人的实在图像比金鱼更真实。

康德批评以前的哲学家，认为他们犯下的共同的错误就是，误把现象等同于物自身，赋予现象"绝对的"或者"先验的"实在性，他把这类观点统称为"先验实在论"（transcendental realism），把自己的观点称为"先验观念论"（transcendental idealism）。

先验、超验与先天

说到这里，我们需要澄清几个重要的康德术语。

首先，是"先验"与"超验"的区分。所谓"超验"（transcendent），顾名思义，就是超出经验以外。你想啊，谁可以去思考超出经验以外的对象？是不是只能是上帝，不是人？康德为人的理性划界，就是要提醒人们不要试图去思考超出经验以外的对象。这也正是先验实在论者的错误根源，人的理性一旦超出经验的界限，思考只有上帝才能思考的对象，就会产生"先验的幻象"。先验观念论，也就是康德哲学，就是在提醒我们不要被这种幻象欺骗。但是，康德承认他的工作无法真正消除先验幻象，因为人类理性始终存在着越界的冲动，所以消除先验幻象是一个不可能完成的任务。打个比方，康德就像是维持交通规则的协管员，他会吹响哨声提醒那些闯红灯的人，但是并不能真正杜绝闯红灯的现象。

其次，我们要探讨的是"先验"（transcendental）与"先天"（a priori）这对概念，先验的字面意思一目了然，就是"先于经验的"，在康德这里特别指的是"使经验得以可能的条件"。先天与先验的关系非常接近，先天的意思也是先于经验，所以有人也把它翻译成"验前的"甚至"先验的"。不过因为康德本人使用了不同的词，所以通常还是把 a priori 译成"先天"，以此跟"先验"有所区分。无论如何，我们要牢记于心的是，这两个词的基本含义是一致的，都是在表达"与经验无关"、"先于经验"的意思，事实上康德的"纯粹理性"大致也是这个意思。

上一讲我们提到康德的一个核心想法，我们的一切知识都"开始于"经验，但并非一切知识都"起源于"经验。这里的"开始于"指的是"时间上在先"，"起源于"指的是"逻辑上在先"，"先验"和"先天"这两个概念都是在逻辑上先于经验的意思。你一定好奇，在逻辑上先于经验的到底是什么东西？简单说，就是人类认知结构中所具有的"先天的认识形式"，比如感性直观中的时间和空间形式，以及知性的范畴，康德认为这些"先天的认识形式"与经验无关，人类知识不全都是"起源于"经验，理由正在于此。

需要特别强调的是，"先天知识"和"先天的认知形式"不同，唯理论者主张存在先天知识，康德不同意这个观点，因为先天知识是有具体内容的，而"先天的认识形式"只是一些纯形式，如果没有经验材料，这些先天的认识形式就是空的，所以康德才会说："没有内容的思想是空洞的，没有概念的直观是盲目的。"

让知识的归知识，信仰的归信仰

我们现在可以来给康德的哥白尼式革命做一个小结，康德颠倒了认识与对象的关系，由此严格区分了现象与物自身，导致了不可知论的结果，从此以后，任何人想要在认识论的意义上对超验的领地也就是"物自身"有所言说，都会听到交通协管员康德吹响的哨声。有人认为这个结果是消极的，因为归根结底，它是对"理论理性"也就是"理性的认识能力"的一种限制，但是从另一个角度出发，这种限制不仅是必要的，而且也是积极的。它是必要的，因为这样可以提醒我们避免出现先验幻象及独断论的问题；它是积极的，因为康德在为知识划界的同时也给信仰和道德留下了地盘，这个地盘不属于理论理性，是实践理性的活动领域。某种意义上，我们可以把康德的工作总结为：让知识的归知识，信仰的归信仰。比方说，康德认为，上帝存在、灵魂不朽和自由意志，这些问题既然是知识领域所无法回答的，那就统统归入信仰的领地，作为人类实践的道德公设而保留下来。

与理论理性和实践理性的区分相对应的，是人之为人的两个面向。作为自然的存在物，人类不得不服从普遍必然的自然法则。比方说，我们不可能像鸟儿那样飞翔，只能像石头一样自由落体，我们不可能无限制地扩展理性的认识能力，像神那样对超验领域发言，在这个意义上人类是不自由的。但是另一方面，作为道德实践者，人类的实践理性是以自由为基础的，它不可避免地要与物自身发生联系。结合人的这两个面向，我们可以把"人是什么"这个问题转述成下面这个问题："在一个严格遵守自然法则的世界上，人究竟有没有自由，有没有独立的价值和尊严？"

回到《纯粹理性批判》这本书，我们现在已经非常明了康德的工作意图，通过哥白尼式的革命，康德倒转了认识和对象的关系，确立起了主体在认识活动中的主导地位和能动作用。但是为了真正实现"人为自然立法"这一伟大目标，康德还需要回答"先天综合判断如何可能"这个关键问题。关于这个问题，我们下一讲接着说。

064
先天综合判断如何可能？
——康德对休谟问题的回应

分析判断和综合判断

"先天综合判断如何可能"是《纯粹理性批判》最核心的问题之一，某种意义上，可以说整本书都是在回答这个问题。

首先要解释的是先天综合判断这个概念。先从判断说起。康德认为，所有的知识都具有判断的形式，单独一个概念并不构成知识，只有把两个概念连接起来才构成知识。比方说，天是蓝的，花是红的，爱情是甜蜜的，男人是不靠谱的，中美贸易战的结果是双输，以上陈述都具备 S is P 的判断形式。如果我们仅仅说天、花、爱情、男人这样单独的概念，则构不成判断也构不成知识。

现在我想请你们分析比较这两个判断的异同：

例 1：所有的单身汉都是未结婚的男子。

例 2：康德是个单身汉。

你会发现，在例 1 中，只要分析主词"单身汉"的含义，我们就可以得出"未结婚的男子"这个谓词，也就是说谓词在概念上是包含在主词之中的，这样的判断被称为"分析判断"。康德喜欢举的例子是：一切物体都是有广延的。这个句子之所以是分析判断，就是因为物体的概念本身就包含着广延，也就是长宽高，如果没有广延那就不是物体。我们不需要通过经验观察，而是直接分析物体这个概念，就可以得出有广延这个结论。

按照以上标准，例2"康德是个单身汉"肯定不是分析判断，因为无论你怎么分析康德这个主词，都得不出单身汉这个谓词，我们必须要诉诸经验，才能知道答案。说到这里，不妨八卦一下，据说康德原本可以不做单身汉，他错过了两次可能的婚姻，主要原因是经济条件不允许。康德后来自嘲说，在他需要女人的时候，他养不起，在他养得起的时候，又已经不需要了。

分析判断的优点是具有必然性，它可以帮助我们澄清概念，把业已知道的东西说得更加清楚明白。这个功能当然非常重要，但是分析判断也存在着明显的缺陷，它无法给我们增加新的知识。相比之下，综合判断就可以帮助我们拓展对这个世界的新知。比如说休谟生于1711年，康德生于1724年，两人相差了13岁，可是康德1781年出版《纯粹理性批判》的时候，休谟已经去世整整5年，所以两个人在哲学上其实是两代人。这些知识都属于综合判断，它们无疑可以给我们增加很多新鲜知识。

大家有没有注意到，几乎所有的知识竞赛节目，比如说江苏台的《一站到底》，PK的都是综合判断意义上的知识。不仅如此，有一些题目还超级变态。我在网上搜到过这么一道题——下面哪一项是泰勒·斯威夫特的坐姿：A. 右腿在左腿上；B. 左腿在右腿上。我特别想知道的是，这算是哪门子的知识？泰勒·斯威夫特难道永远保持一种坐姿，不换腿的吗？如果算作知识，这个知识点的意义到底在哪里？当然，我很佩服一些选手，他们真的有过目不忘的记忆力，可是如果不能把这些知识进行有机的联系，那就只是在一个麻袋里面装了无数的土豆，每一个土豆都很硕大结实，但是每一个土豆之间都毫无联系，你可以不断地往麻袋里装土豆，就好像不断往大脑里塞进知识，但是它并不能帮助我们增进对这个世界的理解。

先天知识与后天知识

介绍完分析判断和综合判断，现在让我们来看另外两个例子：

例 3：A 是 A。

例 4：曼联是英超最成功的球队。

很显然，例 3 是必然为真的，因为它是逻辑上的同一律，康德认为这是先天的知识，事实上"先天"的本义就是"逻辑的"，是绝对不依赖于一切经验而发生的意思。先天知识有两个突出的特点：1. 普遍性（universality），也就是说，它是放之四海而皆准的；2. 必然性（necessity），也就是说，你无法想象它的反面，比如 A 不是 A 就是无法想象的。

例 4 属于后天的知识，因为它是建立在经验基础之上的。后天知识只有或然性和偶然性，虽然曼联迄今为止拿到了 13 个英超冠军，但是从 2013 年以后，已经有五年未曾染指冠军，如果曼联像利物浦那样一衰到底，那么"曼联是英超最成功的球队"这个后天判断就可能是错的。

先天综合判断如何可能

现在我们有了两两相对的四个概念，先天 / 后天，分析 / 综合，它们存在着四种排列组合的可能性：先天分析判断，先天综合判断，后天分析判断，后天综合判断。

	分析	综合
先天	是	?
后天	否	是

其中，先天分析判断和后天综合判断无须多说，它们显然是存在的。我想请问你们的是，后天分析判断是否存在？没错，这是一个空集，因为这是一个矛盾的表述。

对康德来说，他最关心的是先天综合判断如何可能的问题。这一类判断的特殊性在于，因为它是先天的，所以具有普遍必然性，因为它是综合的，所以可以增加新的知识。当"先天"与"综合"强强联手，就可以一举解决休谟问题造成的困难，确保科学知识的普遍必然性和可增长性。

在康德哲学中，先天综合判断如何可能的问题，又可以细分为以下四个问题，它们分别是：

1. 纯粹数学知识是如何可能的？

2. 纯粹自然科学知识是如何可能的？

3. 一般形而上学是如何可能的？

4. 未来的作为科学的形而上学是如何可能的？

毫不夸张地说，整部《纯粹理性批判》就是在回答以上这四个问题。

我要提醒你们注意的是，在回答先天综合判断如何可能之前，首先要回答先天综合判断是否存在这个问题。"如何可能"与"是否存在"的区别到底在哪里？我来给你们举个例子，当我们问"人是如何可能学会说话"的时候，我们其实已经假定了人肯定是会说话的，只有先肯定了这一点，才能追问使说话得以可能的前提条件。比方说我们就从来不会问狗是如何学会说话的，因为狗压根就不会说话。

那么到底是否存在先天综合判断呢？康德的回答是肯定的，他认为我们可以在数学和自然科学中找到明确无疑的例子。比如说数学里的"7+5=12"，几何学中的"两点之间直线最短"，物理学中的"一切发生的事情都是有原因的"，这些命题都属于先天综合判断。

以"7+5=12"为例，它为什么是先天综合判断？康德的理由是，我们无法通过分析 7、5 以及"加"这三个概念来推导出 12，我们必须通过计算 7，然后加到 5 的行为，最后得出结论 12。读到这里，你可能会反驳：不对啊，我立刻就得出了 12 这个结论。没错，那是因为你是成人，你会心算，而且在漫长的学习过程中，你对 100 以内的加减法已经达到了不假思索就能给出结论的程度。像布谷这样的五岁孩子，她就得老老实实地举着小手，一个手指一个手指地掰着才能算出 7+5=12。这是一个诉诸直观的过程，而不是一个逻辑推导的过程。对康德来说，"7+5=12"不仅是综合知识，而且是先天的知识，因为它具有普遍必然性，所以它就是先天综合判断的典型例子。

既然在数学和自然科学中存在着先天综合判断，那么我们就可以来探讨"纯粹数学知识是如何可能的"和"纯粹自然科学知识是如何可能的"这两个问题了。

我想再强调一遍，康德哲学的独到之处在于，他通过哥白尼式的革命倒转了对象和认识的关系，而且认为，人类的认识中毫无疑问地存在着普遍必然的东西，这一点是毋庸置疑的，因为数学和自然科学已经给我们提供了铁证，所以他追问的不是"是否如此"的问题，而是"如何可能"的问题。

现在让我们来做一个小结。我们首先分析了先天综合判断的含义，然后指出，按照康德的观点，在数学和自然科学领域毫无疑问存在着先天综合判断，由此进一步追问先天综合判断何以可能的问题。具体来说，康德通过分析感性直观（intuition），回答了"纯粹数学知识是如何可能的"，通过分析知性范畴（category），回答了"纯粹自然科学知识是如何可能的"，至于具体的分析过程，我们会在下一讲继续探讨。

　　认真的读者一定注意到了，到目前为止，我们还没有探讨形而上学当中是否存在先天综合判断，更没有触及"一般形而上学是如何可能的"及"作为科学的未来形而上学是如何可能的"问题。某种意义上，这才是康德《纯粹理性批判》最关注的问题，因为康德不仅想要在认识论的意义上为自然科学奠定普遍必然的基础，他还想要挽救形而上学的命运。康德感叹说，形而上学曾经被称为一切科学的女王，受人尊敬，如今却江河日下，遭到人们的鄙视和嫌弃，原因就在于哲学家们各执一词，按照各自的理性标准研究形而上学，结果却是各行其是，纷争不断。康德认为，有必要参考数学和自然科学，以它们为模板，建立一种作为科学的未来形而上学。康德究竟能否成功地做到这一点，请看下一讲。

065
为信仰留下地盘

感性、知性和理性

开始之前，我还是先讲一段个人的经历。小时候我特别喜欢帮着大人做蜂窝煤，现在的年轻人应该都没有这个经验了。星期天的上午，父亲在门前的空地上，把水、煤以及泥土按比例混合好之后，我就开始用一个模型制作蜂窝煤，这样吭哧吭哧干了一个上午，原本杂乱无章的煤堆，就变成了上百个有模有样、摆放有序的蜂窝煤。看着它们井然有序的样子，感觉就像在南海检阅部队一样，特别有成就感。

这段经历给我的印象如此深刻，以至于每当我读到《纯粹理性批判》中，先天的认识形式对经验材料进行加工整理时，就会情不自禁地想起做蜂窝煤的场景。这个联想初看起来十三不靠，但有一点是成立的，那就是先天认识形式的基本功能跟蜂窝煤模型是一样的，都是在为经验材料提供统一的形式。

　　说到这里，我要给你们区分几个概念。

　　首先，我们要了解的是，在康德的《纯粹理性批判》里，人的认识能力被区分为感性（sensibility）、知性（understanding）和理性（reason）三个层次。这跟我们通常的区分方式不太一样，我们一般都是一分为二，把感性和理性相对立，可是康德却一分为三，感性是最低的层次，知性和理性属于较高的层次。要注意的是，这里的理性是狭义意义的理性。因为康德还在广义的意义上使用理性，这个时候的"理性"就是泛指包括感性、知性和狭义的理性在内的所有东西。《纯粹理性批判》这个书名就是在广义的意义上使用理性。由于康德常常混用广义和狭义的理性，我们在阅读原著时要格外小心，一定要根据上下文判断它的确切意思。

　　其次，要说明的是，近代哲学家是在认识论的意义上使用感性、经验这些概念，这跟现代人的日常理解非常不同。日常生活中我们经常会说："你这个人很感性啊！"这个时候的"感性"是多愁善感的意思。我们还会说："你在爱情方面的经验很丰富嘛！"这里的"经验"是经历多多的意思。可是在康德这里，感性、经验指的就是纯认知的东西，它与情绪无关，与经历也无关。

　　康德认为，我们的经验知识是"感性直观"和"知性范畴"合作的产物。感性直观是对经验材料的一级加工，知性范畴是二级加工。感性直观包括时间和空间这两种形式，知性范畴共有 12 个，它们都是主体的先天认知形式。

时间和空间是先天的认知形式

　　我猜想有不少读者会表示困惑：时间和空间怎么会是先天的认知形式呢？因为按照普通人的日常理解，时间和空间是"客观"的存在，换句话说，它们是外在于主体认识的，要么是事物自身的存在方式，要么是事物之间的某种相对关系，总之，它们与认知主体无关。我们要牢记于心的是，康德的哥白尼式革命恰恰就是要颠倒我们的这种观念，把时间、空间以及包括因果性在内的知性范畴，统统纳入主体的先天认知结构之中，这是理解康德哲学的要点所在，也是难点所在，值得我们反复强调。

为了便于理解康德的这个观点，我给你们介绍一下挪威哲学家希尔贝克构思的思想实验。他说，让我们想象一个交通巡警正在向警长报告一起撞车事故，但是这个巡警非常奇怪，他告诉警长说：这起事故不发生于任何特定的时间，也不发生在任何特定的地点，反正它就是发生了。注意，他并没有说记不清发生的时间和地点，而是说这起事故不发生在任何特定的时空之内。警长问他事故发生的原因是什么，这个巡警回答说：没有任何事情造成了撞车，既不是因为司机在看微信，也不是因为车速太快，车子本身也没出现任何机械故障，反正车祸就是这么发生了，压根就没有任何原因。说到这里，如果你是警长，你会做出什么样的判断？你不仅会认为这个巡警在报假案，而且可能会建议他去精神病院咨询一下大夫。因为他犯的不是"经验性的错误"，比如报错了时间、地点或者是事故的原因，他犯下的是一个根本性的错误，他在报告一起完全无法被理解的事故。

这个思想实验告诉我们，如果没有时间、空间和因果性，我们将无法获得经验知识，甚至完全无法理解这个世界。用康德的话说，时间、空间和因果性之类的知性范畴是使经验得以可能的条件。这些条件是在逻辑上先于经验的，也就是康德所说的"先天条件"。

关于时间和空间的先天性，康德做过很多证明，我们无法详细进行讨论，我在这里只给你们介绍其中的一个证明。康德指出，我们可以想象没有任何事物、空空如也的空间，但是我们无法想象没有空间的事物。你可以停下来，仔细想一想，是不是这样的？康德认为，这个事实告诉我们，空间是在逻辑上先于经验的，它是使经验得以可能的先天条件。

普遍必然的先天认知形式确保知识的普遍必然性

我们前面已经说了，感性的直观形式只有两个：时间和空间。知性范畴却有 12 个。知性是比感性更高一层的认知能力，感性的作用是"被动"地接受经验材料，而知性的作用则是"主动"地对经验材料进行综合统一，最终形成知识。我们一直在说，康德的"哥白尼式革命"倒转了认识和对象的关系，由此解决了休谟难题，从此因果性不再是心灵的习惯性联想，而是一种知性范畴，它与时间和空间一样，都是主体具有的先天认知形式。经验知识的普遍必然性正是由于这些先天的认知形式才得到保障的。

如果你仍旧不理解这个"哥白尼式革命"到底有什么哲学意义，我想请你回想一下制作蜂窝煤的例子，在这个制作过程中，试问到底模型符合煤，还是煤符合模型呢？当然是后者，是煤符合模型。如果普天下的模型都是一样的，那么做出来的蜂窝煤形状是不是也都是一样的？同理，康德认为，先天的认知形式是人同此心、心同此理的，正是普遍必然的先天认知形式确保了知识的普遍必然性。

理性的作用：将知识体系化、完满化

说到这里，我们已经解释了感性直观和知性范畴的各自作用，接下来要探讨理性，确切地说是"狭义的理性"到底有什么作用。如果你拥有的只是《一站到底》选手的那类知识，就像麻袋里的土豆一样，彼此之间没有形成有机的联系，那显然是不足够的。为了使知识形成体系，就需要借助于理性的"调整"功能，把知识进一步体系化和完满化。

康德认为，在这个体系化和完满化的过程中，有三个终极的理念，分别是灵魂、世界和上帝，其中灵魂代表着主观世界的统一性，世界代表着客观世界的统一性，上帝代表着世界之为全体的统一性。这个想法乍一看很难理解，让我来举一个小例子。前段时间，布谷特别喜欢说"世界"这个词，比如有一天，她吃东西吃得很开心，突然两手一摊，坐在小椅子上，幸福地感叹说："这个世界真美好啊！"我第一次听她这么说的时候，非常震惊。因为她以前只会说这个冰激凌很好吃，那件衣服很漂亮，这首歌很好听，当她这么说的时候，只是在做一个一个的判断。可是当她突然开始说"这个世界真美好"这样高度抽象的话的时候，其实就是在对自己的所见所闻所感做一个整体的表述，她试图对自己的知识做一个体系化和完满化的表述，用康德的话说，她是在试图把握客观世界的统一性，所以她必须要用到"世界"这个词。

　　总结一下本讲的内容，人类认识共分三个阶段：感性、知性和理性。感性的作用是被动地接受经验材料，知性的作用是主动地综合统一经验材料，感性直观和知性范畴作为主体的先天认知形式，确保经验知识的客观必然性。所谓"概念无直观则空，直观无概念则盲"，这句话强调的就是知识的形成需要有感性直观和知性范畴的通力合作。但是形成知识还不足够，我们还需要形成有体系的知识，这个时候理性就出场了，理性具有"调整性"和"范导性"的功能，它的作用在于使知识成为统一完整的体系，康德把灵魂、世界和上帝称为"理性的理念"，需要特别强调指出的是，它们只是调整知识的工具，不能作为知识的对象加以研究。一旦作为知识的对象，就会出现"理性的幻象"。康德认为，这正是传统的形而上学家犯错的根源所在。

　　我们曾经介绍过各种类型的上帝存在的证明，无论是阿奎那的宇宙论证明，还是安瑟尔谟的本体论证明，在康德看来，都是对理性的僭越使用，因为上帝不属于现象领域，而是属于物自身也就是本体世界。一旦我们把它们作为知识的对象加以考察，就会产生"二律背反"的问题，例如：

正题：世界在时间和空间上是有限的。

反题：世界在时间和空间上是无限的。

请问哪个命题是成立的？很显然这两个命题一正一反，互相对立，按照矛盾律，A 和非 A 必有一个命题为假。可是在这里，我们偏偏无法做出真假判断，因为我们缺乏经验的证据，所以看起来这两个命题都有道理。但是两个互相对立的命题怎么会看起来都有道理呢？这就是先验的幻象，康德称之为"二律背反"，它会给我们的理性带来不必要的麻烦和困扰。传统形而上学家们之所以争论不休，症结就在于此。康德为知识划界，时刻警告哲人不要越界发言，康德的功能就像是交通协管员，站在十字路口随时准备冲着那些闯红灯的人吹口哨，但是交通协管员并不能真正杜绝闯红灯的现象，因为人性天然就有越界的倾向，就像人类理性总是忍不住地要去思考物自身，要把灵魂、世界和上帝作为知识的对象加以研究，这是人性使然。

康德批判传统的形而上学，他认为传统形而上学的症结就在于没有为知识划界。但是康德并不是要取消和摧毁形而上学本身，他在给知识划界的同时，也为信仰和道德留下了地盘。对康德来说，未来需要建立的形而上学包括两个部分：第一个部分是自然的形而上学，第二个部分是道德的形而上学。对康德来说，后一个主题尤为重要，某种意义上，我们可以说，形而上学的出路不在科学知识而在道德自由之中。

关于康德的《纯粹理性批判》我们就讲到这里，下一讲我们将进入康德的道德哲学。

自律给我自由：康德道德哲学（上）

这一讲我们将进入康德的道德哲学。在开始之前，我想先问一个问题，假如你有一个熊孩子，整天在幼儿园里调皮捣蛋、欺负同学，请问你会对他进行怎样的道德教育？你也许会对他循循善诱："不可以欺负比你弱小的人，因为那样子他会痛，如果换成是你，是不是也不希望这样被人欺负呢？"当然也不排除有个别读者会说："不可以打人，因为万一你打不过别人，那你可就悲剧了。"

动机论 vs. 后果论

这两个说法中，前者诉诸同情和共情，后者诉诸利益和计算，也许最终的效果都不错，你的孩子果然慢慢开始学会约束自己的行为了。但是，如果康德听见这些说法，肯定一个都不同意。因为在他看来，这些都不是道德的理由，根本无助于培养一个独立自主、有尊严的个体。康德会很直接地告诉孩子："欺负同学是不对的，不对的事情就不应该做。"

　　按照道德哲学的分类，康德属于典型的动机论。所谓动机论，顾名思义，就是强调一个行为的道德价值在于它的动机和意图，而不在于它的效果或后果。可是动机有很多种，康德指的是哪类动机呢？简单说，你应该做本身就是对的事情，无须考虑它能否带来好处。

　　举一个最经典的例子，一家小杂货店的老板，特别诚实守信，童叟无欺，哪怕是五岁的孩子来打酱油，他也不会多收对方一毛钱，按照普通人的标准，这个老板的道德水准是不是相当不错？可是康德却会说不一定。他会追问对方的动机，如果这个老板诚实守信的动机就是因为这样做是对的，那么他的确是一个有道德的人。但是如果他是因为担心多收了一毛钱后，孩子回到家里告诉父母，父母到微信上发帖子揭露整个事实，他的生意会从此一落千丈，那么康德会说，这个人的行为虽然看似符合道德规范，但动机不纯，所以依旧不是一个有道德的人。

　　上述两种动机的区别可以用两个表述来概括，前者是"出于责任"，后者是"符合责任"。这是一个非常重要的区分，对康德来说，只有"出于责任"的行为才是真正的道德行为。你也许会质疑康德的道德哲学要求太高了，谁没有一点私心呢？哪怕动机不纯，只要结果是"符合责任"的，那就是道德的。如果你这么想，那么你大致可以被归入后果论的行列。

　　但是对康德来说，"符合责任"与"出于责任"的区分却是至关重要的。因为康德坚持认为："善良意志（good will）并不是因为它产生了什么作用或完成了什么事情"，善良意志之所以是善的，"只是因为它的意愿而是善的"，即使这个意志缺乏实现其意图的能力，即使这个意志用尽全力最终也一无所获，它也仍然会像一颗珠宝一样因其自身的缘故而熠熠发光。

　　康德是第一个把"责任"（duty）概念作为道德哲学核心概念的哲学家。我们通常说到"责任"，都是跟特定的身份或者职务有关，比如父亲的责任，警察的责任，教师的责任。有时候责任也跟能力有关，比如好莱坞电影常说"能力越大，责任越大"。但是康德所说的"责任"跟这些元素都没有关系，它特指的是人之为人的普遍道德责任，也就是说，责任不会因人因地因事而异，它跟特定的身份、职务以及能力的大小都没有关系。

假言命令 vs. 绝对命令

那么这种道德责任到底从何而来，它是通过什么方式确立起来的呢？在回答这个问题之前，我们先来区分"假言命令"与"绝对命令"这对概念。

什么叫假言命令？举个例子：如果你想生意兴隆，你就应该童叟无欺。这个判断是典型的"if...then..."的条件句，这一类命题都属于假言命令。你之所以应该这么做，是因为要满足某些特定的个人欲望、偏好或者利益。假言命令具有高度的偶然性和随机性，因为只要条件改变了，你的行为也会相应做出改变。比方说，如果那个老板确信某个顾客无法戳穿自己的谎言，那么他就很可能会向对方收取高价。所以奉行假言命令的人，不会严格遵守道德法则，而是很可能会去精研各种骗人的技巧。与此相对的是绝对命令，这是无条件的道德要求，与个人的欲望、偏好、利益都没有关系。它就是直接下达命令："不准撒谎！""必须恪守诺言！"耐克广告中的那个著名的 slogan——"Just do it！"也是一种绝对命令的表达。

康德为什么要区分假言命令和绝对命令？这涉及道德法则的基础到底是什么。从时代大背景来说，当时占据主流地位的道德哲学是效益主义的伦理学，效益主义者是典型的后果论者，他们认为人的本性就是趋乐避苦、趋利避害，既然人类行为的目的就是尽可能多地增进幸福，那么幸福总量最大的行为也就是道德价值最高的行为。对康德来说，效益主义是不可接受的，因为它把道德基础建立在人的欲望、兴趣和偏好之上，可是这些东西都是因人而异、复杂多变的，如果把它们作为道德的基础，道德法则就会失去普遍有效性。更糟糕的是，这样一来，人就成了欲望的奴隶。康德主张通过理性来为道德法则奠基，让理性为自身立法。只有这样，我们才能确立起人之为人的尊严感。

道德法则 vs. 自然法则

说到这里，有必要对比一下道德法则和自然法则。

首先，自然法则属于理论理性的认知领域，是知性（understanding）为自然立法；而道德法则属于实践理性的实践领域，是理性（reason）为自身确立的法则。当然，这两点原则都充分体现出了康德哲学高扬人类主体性价值的特点。

其次，自然法则是人"不得不"服从的法则，它的具体表现形式为以"是"（is）为系词的判断句，比如说"地球是圆的"，"人民大学是中国最好的大学之一"；道德法则是人"应该"服从但却不一定服从的法则，它是由"应该"（ought）联结起来的命令式。在做事实判断时，我们只会说"地球是圆的"，不会说"地球应该是圆的"；但在做道德判断时，我们却一定会用上"应该"这个词——"你应该恪守承诺！""你不应该说谎！"地球是圆的就是圆的，你的个人意志无法更改这个事实，人类在自然法则面前是没有任何自由可言的。当我们从高处跳下的时候，我们将严格地遵循重力法则，像石头一样自由落体，绝对无法凭借自己的意志像鸟儿一样自由飞翔，这是铁一般的事实，所以在自然法则面前，只有必然性，没有自由可言。可是道德法则却不存在这样的必然性，虽然绝对命令要求"你应该恪守诺言"，但是你却不一定遵守诺言，正是因为有了自由意志，所以才有道德上的对错可言。

最后，自然法则是"他律性"的，道德法则是"自律性"的。

不久前,我在网上看到一个健身 App 的广告词——"自律给我自由",
顿时眼前一亮,因为这正是康德道德哲学的核心要义所在。"他律性"
意味着强迫性,哪怕外在的要求最终促进了你的利益,依旧是对个
人自主性的一种压制,它与自由无关。最近布谷的自主意识就像春
草一样疯狂生长,常常会挑战我和妈妈的权威,比如说:"为什么总
是要听你们的?为什么不可以我想怎么样就怎么样?"每当遇到这
样的挑战,我就意识到,这个时候不能再诉诸开明专制的那些道理
了,比如"爸爸妈妈这么做都是为了你好!"等等,可是跟她探讨
"自律给我自由"显然还为时过早,所以我只能告诉她:你可以跟爸
爸妈妈有商有量地做出选择,如果我们对,你就听我们的,如果你对,
就听你的,但是绝不可以"我想怎么样就怎么样"。

理性如何为自身立法

　　回到康德,你一定很好奇,理性究竟是如何为自身立法的呢?
康德提出了三条高度形式化的原则,分别是普遍化原则、目的原则
和自律原则。要特别提醒大家注意的是,康德确立的这三条原则跟
我们通常理解的道德原则不同,它不像五讲四美三热爱、八荣八耻
或者摩西十诫那样有具体的内容。相反,康德给我们提供了一个思
想实验的机会,他邀请每一个有理性的人加入这个思想实验当中,
也就是说,康德是在帮助每一个有理性的人都成为道德法则的立法
者。可是,难道这样不会出现一千个人就有一千条不同的道德法则
吗?康德的回答是,不会!因为此时,我们不是作为特殊的个体在
立法,而是作为理性的存在者在立法,当我们运用纯粹实践理性立
法的时候,我们就会将自己的特殊利益、欲望和偏好统统抛弃。在
这个时候就会出现一个很有趣的现象:看似一个理性存在者在自我
立法,实则是在为所有人立法。

　　说到这里,我想介绍一下美国当代著名的哲学家罗尔斯的一个

观点，他指出：康德道德哲学中真正吸引人的元素不在于他强调道德原则的一般性和普适性，因为这对康德来说并不新鲜。康德道德哲学真正的魅力在于，他认为道德法则是纯粹实践理性选择的对象。这意味着道德法则不再是上帝赠予人类的礼物，也不再是客观的、自然的价值，道德法则不是被人们发现的，而是人们发明的。

所谓"发现"，隐含之意就是道德法则是给定的现成物，它隐藏在某个地方，等待人们去找到它，而且往往需要借助上帝的帮助才能找到它。康德反对这个观点，认为道德法是被人类理性建构出来的，在建构的过程中，需要满足两个标准：第一，这些法则是被所有人所接受的（be acceptable to all）；第二，这些法则具有公共性和公开性（public）。罗尔斯认为这两条标准正是"社会契约论"的典型特征。

我认为罗尔斯的这个评价非常到位，他不仅点明了康德道德哲学与社会契约论之间的关系，更重要的是，他强调指出了康德道德哲学的价值在于高扬人的主体性精神。正因为人既是立法者也是服从者，所以在服从道德法则的同时，不仅实现了自律也实现了自由，这也正是"自律给我自由"的真谛所在。

这一讲就说到这里，关于普遍化原则、目的原则和自律原则的具体内容我们下一讲接着说。

067

经过裁剪的真话还是真话？
——康德道德哲学（中）

　　最近有家科技企业遭到了美国政府的重罚，朋友圈里议论纷纷，其中我最赞赏的发言来自一个科技新贵，他是这样说的："大家都在谈民族自强、自主研发、抵御制裁，为什么没人说说遵守规则、契约精神、少钻空子？或者，最基本的不违法违规？"

　　遵守规则、契约精神，这些都是老生常谈，之所以给这位朋友点赞，是因为作为一个科技新贵，他摆脱了个人欲望和利益的纠缠，尝试从理性的角度出发去思考"我应该做什么"这个问题。当然，正像我们所指出的那样，如果换成康德，他一定会继续刨根究底地追问这位朋友：契约精神对你来说，到底是一条绝对命令还是假言命令？如果你只是为了规避惩罚、提高利润才恪守契约精神，那么你的行为仍旧不是一个道德行为，因为你依然把行为的后果放到了责任的前面。

　　在康德看来，只有绝对命令才配得上成为道德法则。他总共提出了绝对命令的三种形式，分别称之为普遍化原则、目的原则和自律原则。接下来我们一一加以介绍。

绝对命令形式之一：普遍化原则

普遍化原则的具体表述是："只依据那些你可以同时愿意它成为普遍法则的准则行动。"这句话稍微有些绕，我给你们举一个例子就明白了。比方说，有人决定把"欠债不还"作为行为的准则，康德会说，作为一个有理性的人，你必须反问自己是不是愿意让"欠债不还"成为所有人的行为准则？如果通过了这个思想实验，那就可以成为普遍的道德法则。显然，如果人人都欠债不还，那么谁都不会愿意再把钱借给别人，所以欠债不还通不过普遍化法则。关于这个例子，我猜想读者至少会提出两个反驳意见。

第一，也许有人会说，最好的结果是我可以"有借不还"，但是别人却必须"有借有还"。这是典型的"自我例外论"的想法，说得通俗一点，就是严于律人、宽以待己。我承认，这种想法或许是大多数人的心声，但是对不起，它通不过康德的普遍化法则的检验，它是不道德的。

第二个可能的反驳是，康德的这种普遍化法则，其实跟我们在日常生活中经常出现的论调非常类似。比如说当你的孩子随地乱扔垃圾的时候，你会这样对他循循善诱："如果所有人都乱扔垃圾，这个世界不就成了大垃圾场了吗？"再比如说，在我小的时候，小伙伴们都会非常郑重其事地在自己的连环画上写上这几句话："有借有还，再借不难，有借不还，再借万难！"如果所有的连环画都是有借不还，最后的结果就是，没有一个小朋友愿意再出借任何一本连环画。"如果所有人都这么做的话……"这个推论好像是很有说服力，但是，它跟康德道德哲学的初衷其实是不符合的。为什么？因为它是在诉诸某种后果论。说得更明白一些，它不是在原则上反对乱扔垃圾，而是因为乱扔垃圾可能出现的恶果而反对之。

关于这个质疑，哈佛大学教授迈克尔·桑德尔在《公正：该如何做是好？》中指出，康德的普遍化法则，并不是在考察道德原则一旦普遍化之后可能造成的结果，而是在考察我的准则是否与绝对命令相一致，这种普遍化的考察其实是在表明一种强有力的道德主张，它力求弄明白："我即将做出的行为是否将我的利益和特殊情况置于他人之上。"我想问的是，桑德尔的这个解释是否说服了你？

绝对命令形式之二：目的原则

康德绝对命令的第二个表达形式是这样的：不论对待自己或他人的人性，都要当成目的，绝对不能只是当成手段。这句话也稍微有些绕，我们可以把它简化成八个字：人是目的，不是手段。隐藏在这条原则背后的是对每一个人的尊重，这种尊重不是基于对方的身份、地位和学识，也不是出于同情和关爱，而就是尊敬那种"内在于我们所有人当中的、毫无差别的理性能力"（桑德尔语）。

有人也许会反驳说，当快递小哥送货上门的时候，我就是在某种意义上把他工具化了呀？的确如此，当快递小哥给我们寄送快递的时候，我们好像把他当成了某种工具，但是在一个意义上，因为我们并没有把快递小哥"只是"当成工具。我们对他的期待和要求，不仅符合我们的意志，同时也符合他的意志，因为他知道帮我们寄送快递是他的职责所在。在这个意义上，我们其实是在高度尊重他的自主性，高度尊重他的自我选择。但是在下面这种情况下我们就是把他仅仅当成工具了，比方说，如果我们面对快递小哥的时候，正眼也不抬一下，粗声粗气地说："把信拿去！"这时候我们就是把他只当成工具，而没有尊重他也是一个人。当年刘少奇握住时传祥的双手说："你掏大粪是人民勤务员，我当主席也是人民勤务员，这只是革命分工不同。"刘少奇的话在一个意义上与康德是一致的，那就是人人平等。只不过刘少奇强调的是为人民服务，不分高低贵贱，人人平等，康德强调的是，作为有理性的道德实践者，不分高低贵贱，人人平等。

绝对命令形式之三：自律原则

你一定注意到了，康德对人之为有理性的道德实践者格外推崇，某种意义上，我们甚至可以说"人是目的"，其实就是在说"理性是目的"。绝对命令的第三个表达方式——自律原则就是接着这句话往下说。自律原则的基本观点是，每一个理性存在者的意志就是制定普遍法则的意志，换言之，每一个理性存在者都可以成为立法者。当一个人是在服从自我订立的道德法则时，他就实现了立法者与服从者的合二为一，也只有在这个时候，人不仅是自律的，同时也是自由的。

现在我们可以给康德的绝对命令做一个小结。普遍化原则是绝对命令最重要的公式，因为它突出反映了绝对命令的本质特征，也就是普遍性和无条件性。目的原则为绝对命令提供了具体的内容，虽然它依旧是高度抽象的，但至少告诉我们，要把每一个人当成有理性的道德实践者来加以尊重。最后，自律原则进一步明确了"理性为自身立法"，以及"自律给我自由"。需要特别说明的是，这三条原则不是三条绝对命令，而是绝对命令所必须满足的三个条件，换言之，它们从不同的角度刻画出了绝对命令的特征。

在任何情况下都不能说谎吗？

毋庸讳言，康德道德哲学是非常严苛的，甚至于有些不近人情。就以"不准说谎"为例，按照康德的道德哲学，这肯定能够通过普遍化原则成为一条绝对命令，因为一旦撒谎变得普遍，人们就不会再彼此信任，谎言就变得没有意义。但是对于普通人来说，不准撒谎，更像是一条假言命令而不是绝对命令。打个比方，你的一个好朋友得了绝症，你去医院看望她，假定她还不知道真实的病情，请问此时你会怎么跟她交流呢？我猜想一般人都会说："好好养病，没啥大问题，肯定会好起来的！"这是所谓的"善意的谎言"。出于同情，我猜想大多数人都不会选择实话实说。但是我们已经知道，康德绝对不会允许让同情成为道德法则的基础，而且康德会说，在这个时候撒谎，也许会让对方的心里好受一些，但这么做，只是把她作为满足她自己的一个手段，而没有把她作为一个有理性的道德实践者来加以尊重，所以这其实是不道德的。你一定会好奇，如果康德面对这个朋友，他会怎么说？我猜想他不会这样说："我刚才看了医生的报告，你就该吃吃，该喝喝吧，剩下的时间也不多了。"这么说听起来不仅不近人情而且有些残酷，更重要的是，它没有抓住康德道德哲学的核心。按照康德的理论，他更可能这样说："我刚才看了医生的报告，你已经时日无多，你要鼓起勇气，保持理性，有尊严地离开这个世界。"这句话的确非常振奋人心，但是不是仍旧有点不近人情呢？

说到不近人情，让我们再来设想一种可能性：当撒谎可以拯救一个人的生命时，康德会允许撒谎吗？比方说，纳粹分子正在追捕一个犹太人，走投无路之下，这个犹太人敲开了你家的门，你把他安排在地下室里。过了不久，纳粹分子前来敲门，请问你该如何回答他呢？一般人肯定会说：我当然要撒谎啊！可是康德的道德哲学分明是不准撒谎的，所以你看，康德道德哲学再一次显示出了它的缺乏弹性和不近人情。康德写过一篇题为《论出于利他动机说谎的所谓权利》的文章，大意是说，撒谎是一个已知的恶，一旦撒谎，我们就必须承担由此造成的恶果，而说真话却不一定带来恶果。比方说，就在你跟纳粹分子交谈的过程中，那个机智勇敢敏捷的犹太人已经逃之夭夭了；退一万步说，即便因为说了真话，导致犹太人被捕，康德会认为，追本溯源，也不应该由你来承担这个恶果，因为真正的行凶者是纳粹分子，不是你。

　　我相信任何稍有常识和理性的人都不会接受康德的这个解释。那么现在问题来了，如果绝对命令如此不近人情，那它一定是有问题的。桑德尔试图为康德做辩护，他告诉我们，在面对纳粹分子的询问时，你可以做出一个"真实的但带有误导性的陈述"，比如你可以这么说："一个小时前，我在路那头的杂货店里见过他。"桑德尔认为，从康德的角度来说，这个策略在道德上是被允许的，并且它可以保护犹太人的生命。有趣的是，康德本人就曾经用过这个策略。当时的普鲁士国王弗里德里希·威廉二世认为康德的著作对基督教有伤害，于是命令他不准在这类话题上发表任何意见，康德从内心里反对，但君命难违，于是他承诺说："作为陛下忠实的臣民，我将彻底停止所有与宗教有关的公共演讲和论文写作。"你有没有读出这句话里的机关？其实康德留了一个心眼，因为他知道威廉二世将不久于人世，所以特别强调了这个承诺的前提条件——"作为陛下的忠实臣民"，几年以后，国王果然驾崩，既然陛下已经驾鹤西去，承诺也就自然失效了。据说康德对此非常自得，桑德尔也认为此举非常聪明，理由是，相比于直白的谎言，那种在措辞上"具有误导性但在技术上却是真实的陈述"仍旧是可取的，因为无论后者如何闪烁其词，"都是尊重道德法则的"。

　　我不是特别认同这样的辩护。首先，在面对纳粹分子的追杀时，哪怕经过剪裁的真话可以救人一命，也不意味着"经过剪裁的真话就是真话"。换言之，说了一半的真话不是真话，而是谎言。事实上，在各种公共事件的官方报告中，我们读过太多避重就轻的所谓真话，它在混淆视听、颠倒黑白方面起到的坏作用甚至远高于赤裸裸的谎言。因为它变相地鼓励了投机取巧和阳奉阴违的恶习。在这个意义上，与其僵化地固守"不准撒谎"的绝对命令，不如接受"当撒谎可以拯救一个人的生命时，撒谎是被允许的"这个假言命令。

　　其次，当一个人尝试用部分真实的表述刻意误导纳粹分子时，很显然已经对不同行为的后果做出了评估。我的意思是说，他显然认为相比说出全部的真相，有误导性的、部分真实的表述更可取，因为这样做会让犹太人幸免于难。这么一来，桑德尔对康德所做的辩护，其实已经背离了康德义务论的原则，因为此时他已经在考虑后果的问题了。

　　我一直认为，任何义务论的道德哲学都必须要兼顾后果，完全不考虑后果的道德哲学不仅没有吸引力，甚至可能出现大谬不然的结果。事实上，当康德在考虑德福不一致的问题时，也不得不引进后果的维度。所谓德福不一致，用最通俗的话说就是，为什么好人没有好报。那么康德究竟是如何回应这个问题的，我们下一讲接着说。

068
好人一生平安？——康德道德哲学（下）

为什么好人没有好报

　　1990 年，一部名为《渴望》的大型室内情景剧，红遍了大江南北。据说当时公安部甚至专门表彰了整个剧组，因为在播出期间，全国的犯罪率出现了明显下降。当然，到底是因为犯罪分子也在追看《渴望》，所以缺少作案时间，还是因为犯罪分子被剧情感动，决定金盆洗手重新做人，那就不得而知了。时隔多年，我早已忘了《渴望》的具体情节，唯一的印象就是做好人太悲摧了，悲剧一个接着一个，几乎把所有该倒的霉全都经历了一遍。也正因为这样，片尾曲《好人一生平安》就显得尤为重要，这是一个无比善良美好的希望，它给每一个好人带去安慰。当然，这个善良的希望，恰恰从一个侧面说明，在现世生活中，往往是好人没好报，用康德的专业术语来说，就是德福不一致。

　　如果我做到了"我应该做的"，我就拥有了"德性"，在这个时候，"我可以希望什么"呢？从凡人的角度出发，当然是希望拥有"幸福"。但是，在《实践理性批判》中，康德却承认，在德性和幸福之间并不存在所谓因果关系。也就是说，有德之人并不会因此得到幸福，反过来，幸福的人也不因此就一定有德。

这真是一件让人烦恼的事情。虽然康德主张义务论，把德性放在幸福之上，但是如果一个道德理论竟然无法调和德性与幸福，这不仅在理论上是不完备的，对于现实中的普罗大众也缺乏吸引力。

德性与幸福

说到这里，我们需要调用一下以前学过的知识，在讲到晚期希腊哲学时，我们介绍了伊壁鸠鲁学派和斯多亚学派。伊壁鸠鲁学派跟着感觉走，试图在快乐中寻找幸福，并且认为幸福的生活就是有德性的生活；而斯多亚学派跟着理性走，试图通过智慧去寻找幸福，并且认为有德性的生活就是幸福的生活。这是两种截然相反的思路，伊壁鸠鲁学派用幸福去统摄德性，斯多亚学派用德性去吸纳幸福，但不管怎么样，它们都实现了德福一致。

我现在想来考考你们，如果从康德的角度出发，伊壁鸠鲁学派到底犯了什么错误？答案是他们把幸福原则当成了至上的原则。不过你要注意的是，康德也不是完全不考虑幸福问题的。我曾经介绍过康德的生平，他在 40 岁之前是柯尼斯堡的社交达人，吃喝玩乐无所不精，为了多挣薪水，康德开设过很多的课程。有一回他的一个学生答应某日上午来缴纳课酬，可是迟迟未到，康德一边说自己不急着要这笔钱，一边又每隔 15 分钟就唠叨说这个年轻人怎么还没有来。过了几天，这个年轻人终于来了，康德当然非常生气和失望。后来，这个年轻人请求康德担任口试中的考官，康德断然拒绝了，理由是："你可能不守信用。在辩论时缺席，会把一切搞砸的。"所以你看，康德并非不食人间烟火的苦行僧，他跟普通人一样重视身体的灵巧、健康和财富，这些都是"幸福"所包含的具体内容。在《实践理性批判》中，康德甚至认为，关照自己的幸福也可以是一种义务，因为从积极的角度说，"幸福包含着实现自己义务的手段"，从消极的角度说，"因为幸福的缺乏（如贫穷）包含着践踏义务的诱惑"。康德的这些观点就是一些常识，甚至与管子的"仓廪实而知礼节，衣食足而知荣辱"有不谋而合之处。但是作为一个义务论者，康德的底线是绝不可把单单促进自己的幸福作为义务本身，更不可将幸福原则作为一切义务的基础，伊壁鸠鲁学派的错误正在于此。

那么斯多亚学派又犯了什么错误呢？康德认为，斯多亚学派把德性作为至善的条件，这一点是完全正确的，可是他们竟然认为凡人可以在今生今世实现德性本身，臻于至善，这就高估了人类的有限性。这是一个非常有趣的思路，康德的意思是说，人们在道德上的进步是永无止境的，特别是考虑到我们不仅是理性的动物，同时还是感官的动物，所以只要还生活在感官世界里，有理性的存在者就永远不可能真正实现至善。这有点像是在说，吾生也有涯，而追求德性的道路也无涯。既然如此，那该怎么办呢？康德回答说，我们需要把"灵魂不朽"作为一个"公设"。所谓公设的意思是，它在理论上是未经证明的，但在实践上又必须把它假定为前提。为什么要把灵魂不朽假定为前提？因为人只有在无限发展的进步中，才有可能达到与德性法则相一致的境界，也就是臻于至善。

康德对斯多亚学派和伊壁鸠鲁学派还有一个更加重要的批评。你一定还记得分析判断和综合判断的区分，康德认为，他们的错误在于，把德性和幸福的关系看成分析的关系。斯多亚学派认为德性生活蕴含了幸福生活，伊壁鸠鲁学派认为幸福生活蕴含了德性生活，所以虽然观点不同，但是他们的方法论却是一致的，都认为德性与幸福是分析的关系。康德认为德性与幸福是综合的关系，也就是说，努力变得有德性的行为，与努力去谋求幸福的行为，是两个完全不同的行为。康德的这个说法显然更符合我们的生活常识，现在的问题在于，我们是不是必须要接受德福不一致这个结论呢？

上帝的回归：人类作为有限理性存在者的宿命

这时康德又祭出了"先天综合判断"这个大杀器，他认为虽然德性和幸福的关系是综合的，但也是先天的。也就是说，"德福一致"是一个先天综合判断。

这个先天综合判断之所以可能，首先要由"灵魂不朽"这个道德公设加以保证。但是光有灵魂不朽还不够，因为万一到了来世，你还是没有好报，那该怎么办呢？所以还得再多加一个"上帝存在"的道德公设。叶秀山先生指出：只有在宗教的思路中，"德性"和"幸福"才真正有了"因果关系"，只有这样才能保证人能够按照他的"德性"，分配到他应享有的"幸福"，同时也能从他享有的"幸福"，推想出他的"德性"来。而且，此种"分配"和"推想"，都可以精确到不差分毫。在这里，宗教——"神"，不仅是个评判者、判断者，而且是个"分配者"。所以叶秀山先生说："宗教并非完全盲目产生，而是有一种理性的根据。"

说到这里，你一定已经发现了，在《纯粹理性批判》中，康德把上帝逐出了人类理性的认知领域，但是在《实践理性批判》中，这个从前门被赶出去的上帝，又从后门偷偷溜了进来。德国诗人海涅对此有过一个非常精彩的论述：

> 康德在自己的《纯粹理性批判》里面，扮演了一个无所畏惧的大力士，一下子把上帝给杀死了。从此，在自然界里面再也没有上帝不死，灵魂不朽了。你们以为我们现在可以回家了吗？绝对不是。在一场悲剧之后是需要一场喜剧的。康德在这样做的时候，转过身他突然发现，老兰珀满脸不安的泪水。

老兰珀就是不管阴天还是下雨，只要康德出门散步，就忠心耿耿跟随左右的那个老仆人。海涅说，康德一看到老兰珀的泪水，就忍不住想："善良的老兰珀是需要一个上帝的。"于是他又在《实践理性批判》里面让上帝复活了。

对于沉浸在宗教传统中的西方人来说，上帝存在就像是整个道德世界乃至于人类世界的压舱石和定心丸，陀思妥耶夫斯基说："既没有上帝，也没有来生，人将会变成什么样呢？那么说，现在不是什么都可以容许，什么都可以做了么？"作为现代人，听到"一切皆有可能"总觉得是个好事儿，这是因为我们总是天真地认为"可能性"就是"好东西"，但是，一切皆有可能，当然不仅包含了所有好的东西，也包含了所有不好的东西，比如道德的崩溃、秩序的瓦解和人心的溃败。

有人曾经不无嘲讽地指出："每一次哲学上的反叛都试图成为'无预设'的，但没有一次成功。"我认为康德就是一个很好的例证。康德虽然赋予人类理性以前所未有的尊严和荣耀，但是当他的哲学推到极致处，当他发现人类理性束手无策时，仍然要紧急召唤上帝来救急。也许这是人类作为有限理性存在者的宿命，我们永远都无法仅仅凭借自身的力量挺立在宇宙之间。

海涅甚至认为，康德让上帝复活，也不仅仅是为了老兰珀的缘故。海涅打了一个比方，他说："我的朋友打碎了格兰登堡一条大街上所有的路灯，然后在黑暗中发表了一通关于路灯的必要性的讲演。他说：他之所以在理论上砸碎这些路灯，只是为了向我们证明在实践中，如果没有这些路灯，我们将会是多么的不方便。"海涅的言外之意是，康德在《纯粹理性批判》中杀死上帝，恰恰是为了向我们证明，在道德实践和生活世界中，如果没有上帝，人类的生活将会举步维艰。

到目前为止，我们已经介绍了实践理性的两个公设——灵魂不朽和上帝存在，除此之外还有一个"意志自由"的公设。有一本畅销书叫《未来简史》，作者是以色列历史学家尤瓦尔·赫拉利，在分析介绍完当代脑神经科学的一系列研究成果后，赫拉利非常沮丧地指出："我们越理解大脑，心灵反而越显得多余。"因为"科学家并不知道，大脑中电子信号的集合究竟是怎么创造出主观体验的"。赫拉利说："虽然灵魂是个很有趣且让人轻松的说法，我也很乐意相信，但我就是无法直接证明它的真实性。"赫拉利不无疑惑地反问："或许，'心灵'的概念也会像灵魂、神和以太一样，被丢进科学的垃圾堆？毕竟，没人曾经用显微镜看到过所谓痛苦和爱情的体验……"

如果康德读到这些话，他一定会说：没错，灵魂、上帝、自由意志，这些东西就是发现不了啊，我早就告诉你们，它们是超验领域中的存在，无法成为知识的对象，人类理性的认识功能无法把它们作为研究的对象。但是在道德实践领域，我们却必须要假设它们是存在的，因为如果没有意志自由，善恶将不复存在，如果没有灵魂不朽，人类无论如何也不可能达到至善，如果没有上帝存在，德性与幸福将无法确保一致。

也许有人会对这样的答案表示不满，认为这是对宗教和神学的让步，但是我要再次强调刚才谈到的那个观点——这或许正是人类作为有限的理性存在者的必然宿命！既然人类的理性是有限的，那就意味着存在理性够不着的地方，否则，人类就成了无所不知、无所不能的上帝。

康德哲学最典型的特征就是二元论：现象与物自身，自然法则与道德法则，自由与必然，理论理性与实践理性。这种二元论的思维模式最早源自笛卡尔，但是我认为康德与笛卡尔的区别在于，笛卡尔是因为无可奈何才接受二元论，而康德则是自觉主动地接受了二元论。他是自己主动跳进这个大坑的，而不是一不小心跌进去的，并且在这个绝境中，康德通过哥白尼式的革命，实现了"知性为自然立法"，以及"理性为自身立法"的壮举，令人惊异地确立起了人的尊严，这是非常了不起的哲学成就。

讲到这里，我们终于可以结束康德哲学的环节了，最后我想用康德的两句话来做总结。

第一句是："我们的时代是一个批判的时代，一切事物都必须接受审判。"

第二句是："有两种东西，我们越是经常、持续地对它们反复思考，它们就总是以时时翻新、有增无减的赞叹和敬畏充满我们的心灵：这就是在我头顶之上的星空和在我心中的道德法则。"

我认为，这里的"敬畏"是在告诫我们时时意识到人之为人的"有限性"，而这里的"赞叹"则不仅是对宇宙之浩瀚无垠和道德法则之神圣庄严的咏叹，同时也是对虽然有限但依旧能够运用理性并且善用理性的人的致敬。

答问 4
康德哲学为什么这么难懂？

　　有不少学友反映很难理解康德哲学，老实说，这完全在我的意料之中。

　　邓晓芒老师有一个很经典的说法：读哲学史读到康德的时候，你会发现突然上了一个台阶，因为读到他的时候，我们会忽然发现读不懂了。在他之前的笛卡尔、培根、洛克都比较好懂，莱布尼茨稍微费解一些，但是他的单子论、前定和谐说其实也很有意思，而且能够与日常所思所想连在一起。但是自康德以后，哲学就不再是业余哲学家所能染指的了，因为哲学成了大学教授的学问，成了一门专业，需要你掌握专业术语、特定概念和分析的技巧，而这些都不是仅凭你聪明、领悟力强就能马上接受的，只有按部就班地接受一定的训练，才能够做哲学。我非常认同邓晓芒老师的这些观点。可是我们又没法绕过康德，怎么办呢？我只能尽我所能把康德哲学的硬壳软化，提纲挈领地帮助大家了解他的基本思路和精神。

　　最多的问题集中在"先天综合判断"上面，有不少学友认为

"5+7=12"不是综合判断,而是分析判断。必须承认,这是一个很有争议的话题。我在本科读《纯粹理性批判》的时候,也对康德的这个说法非常不理解。如果我们把数学看成一个逻辑体系,那么依靠逻辑法则和定义,就能从5+7推论得出12,这样一来它就是分析命题而不是综合命题。说得再清楚一些,按照这个观点,"5+7"这个主词其实是"隐蔽地包含"了谓词"12",但是由于它过于隐蔽,如果缺乏足缺的逻辑训练,你是很难看出它是分析判断的。

关于第65讲,我相信也会有不少人继续追问各种问题,比如:那12个知性范畴到底是通过什么方式总结出来的?为什么知性范畴是12个,而不是13个或者14个?知性范畴又是通过什么方式被运用到感性经验上的?因为我们只是一个导论课程,所以不可能一一深入地探讨这些复杂问题,我建议有理论兴趣的朋友去读康德的原著,如果啃不动的话,可以去读邓晓芒老师的《〈纯粹理性批判〉讲演录》,里面有很详细的分析。

接下来,我想跟大家聊一聊如何阅读哲学原著。罗素说过一段特别棒的话:

> 研究一个哲学家的时候,正确的态度是既不是尊崇也不是蔑视,而是应该首先有一种假设的同情(hypothetical sympathy),直到知道在他的理论中有哪些东西大概是可以相信的为止;唯当此时才可以重新采取批判的态度,这个态度应该尽可能地类似于一个人放弃了他长期坚持的意见之后的那种精神状态。蔑视会妨碍这一过程的前一部分,尊崇会妨害这一过程的后一部分。有两件事必须牢记于心:一个人的见解与理论只要是值得研究的,那么就可以假定这个人具有某些智慧;但是同时,大概也没有人在任何一个主题上达到过完全和最后的真理。当一个有智慧的人表达了一种在我们看来显然是荒谬的观点时,我们不应该努力去证明这种观点多少是真的,而是

应该努力去理解它何以竟会曾经看起来似乎是真的。通过运用历史的与心理的想象力，可以立刻扩展我们的思想领域；并且帮助我们认识到，我们自己所珍爱的许多偏见，对于有着不同心灵气质的另一个时代来说，会显得何等愚蠢。

我个人特别喜欢罗素的这段表述，我认为它能帮助我们确立正确的学习态度，避免获得一些廉价的成就感。比如说，在康德那个时代，由于欧几里得几何学和牛顿物理学取得了难以置信的成就，康德会认为它们毫无疑问具有普遍必然性，并且把它们作为先天综合判断的确存在的铁证。康德没有预见到非欧几何学和爱因斯坦相对论的出现，这是他的时代局限性使然，严格说来并不是他的错。

当我们评价一个具有里程碑意义的哲学家时，最常见的评语是：自某某人以后，哲学家要么就在他的框架下继续工作，要么就必须解释为什么不这么工作。换言之，你要么支持他，要么反对他，总之不可以无视他。各位千万不要小看这样的评语，我认为这是对一个哲学家最高的评语，纵观西方哲学两千年，够得上这个评价的哲学家屈指可数，康德无疑是其中的一个。康德哲学的具体内容当然可以被质疑，比方说刚才提到的"5+7=12"到底是不是先天综合判断，当代英美分析哲学家就提出了许多反对意见，认为压根就没有先天综合判断，数学命题不是综合判断而是分析判断。有一个叫蒯因（Quine）的哲学家甚至认为，分析判断和综合判断的区分也是不成立的。所以说，康德哲学的具体内容也许会过时，但是这并不意味着康德哲学的基本精神和方法论原则也会过时。比方说，当代认知科学的主流仍然是在康德主义的框架下展开工作的；再比如说，康德区分现象和物自身，为知识划界，为信仰和道德预留地盘，这些原则性的思考对于我们仍有很大的启发意义。

康德本人曾经说过，哲学是不可教的，唯一可教的就是如何进行哲学思考。在具体的哲学思考过程中，只有在很有限的范围内是可以确定无疑的。所以方法论上的启发性，才是一个哲学家、一个哲学体系带给我们最大的馈赠。我们在阅读康德的时候，也要时刻牢记这一点。

《利维坦》1651 年首版卷首图

069

一切人反对一切人的战争？
——霍布斯的《利维坦》（上）

作为人造之物的国家之于我们

网络上曾经流传过这样一句话："离开了国家，你什么都不是！"你觉得这句话说得有道理吗？我个人认为这个说法不仅有道理，简直可以说是很有道理。现代国家对于个体生活的确有着举足轻重的影响，成为一个没有国家的人，就意味着你失去了国家的保护，没有了公民的身份，你将不再拥有基本权利，缺乏安全保障，几乎无法找到有意义的职业。你也不会拥有身份证、户口本和护照，你的生活将会因此变得举步维艰，我说的还不是比喻意义上的举步维艰，而就是字面意义上的。比方说，因为没有身份证，你将无法购买火车票和飞机票，别说去三亚旅行，你连出北京到廊坊可能都去不了。有人会说，这岂不是太糟糕了，我要用脚投票。对不起，因为你没有护照，所以你连用脚投票的权利都没有。

正因如此，政治学者斯特雷耶才会在《现代国家的起源》中说：

"今天，我们视国家的存在为理所当然。虽然我们不满于它的要求，抱怨它越来越多地侵蚀了私人空间，但也很难想象没有国家存在的生活状态。在现代世界，最可怕的命运莫过于失去国家。"

话虽如此，我想提醒大家注意的是：首先，现代意义的国家并不是从来就存在的，在历史上有很长一段时间，"国家确实不存在，那时也没有人在意它存不存在"。其次，即便现代国家的存在已经成为难以摆脱的事实，这也并不意味着我们要成为国家的奴隶，从此对那个可以对我们予取予求的"有朽的上帝"、"利维坦式的怪物"俯首称臣，而恰恰意味着我们要去质疑、追问国家的正当性，尽我们所能地去约束国家的权力，不让它对我们为所欲为。

近代政治哲学的一个核心主题就是"证成国家"（justify the state）。为什么要证成国家？很显然，当一个东西的存在是不言自明的时候，它并不需要通过证明来彰显它的合理性或者合法性。你或许会问，什么叫"不言自明"？我承认，"不言自明"是一个初看起来非常清楚，仔细想想却茫然不知所云的说法。让我暂且给它一个解释，不算定义，所谓"不言自明"，就是"自然而然的"，自然的事物是不言自明的，自然的关系也是不言自明的。比如我和布谷之间的关系就是一种自然的关系，它是不言自明的，如果有一天我说咱们去做亲子鉴定吧，那就意味着我们之间的关系出现了大问题，需要通过证明来确证它。

国家同样如此，对于柏拉图、亚里士多德这样的古典政治哲学家来说，国家是自然之物，它的存在就像阳光雨露之于万事万物，是自然而然的。但是对于近代政治哲学家来说，国家却不是自然之物，而是人造之物，这是一个根本上的观念的变革。而这个变革就始自我们接下来要讲的这个人物——英国政治哲学家霍布斯。

霍布斯与《利维坦》

霍布斯（Thomas Hobbes）出生于 1588 年。也正是在这一年，西班牙无敌舰队大举进犯英国，消息传来，他身怀六甲的母亲惊慌之中早产，霍布斯后来曾经自我嘲讽地说："我与恐惧是双胞胎"。这句话一点都不夸张，事实上，在霍布斯的个人气质和政治思考中，恐惧始终占据了最为核心的位置。

1641 年之后，霍布斯敏锐地觉察到英国内战的威胁，他为此忧心忡忡，为求自保，自我流亡巴黎十年。在这期间，他的政治思考几乎与英国政局的演变保持同步的节奏：1642 年霍布斯完成《论公民》，同年英国爆发内战；1648 年霍布斯动笔撰写《利维坦》，1649 年查理一世被处死，1651 年《利维坦》完稿。对霍布斯来说，英国内战及查理一世被处死折射出来的是政治哲学的永恒问题：如何实现秩序和稳定？如何解释统治权利与服从义务之间的关系？

《利维坦》在政治哲学史上占据着举足轻重的历史地位。罗尔斯认为这是英语世界政治思想领域最伟大的单部头著作。这个评价很有意思，它有两个限定词：一个是英语世界，一个是单部头著作。罗尔斯认为，约翰·密尔的政治哲学要比霍布斯更伟大，但是没有哪一部密尔的单部头著作要胜过《利维坦》；洛克的《政府论》同样如此，它"也许更为理性，更合乎道理……但是，它缺少霍布斯政治概念的广度和力量"。而其他一些作者，比如康德和马克思，他们的政治思想同样很伟大，但却不是用英语写作的。所以，罗尔斯认为，当把所有东西都综合考虑在内——"包括风格和语言，规模和精确度以及观察的生动有趣，它复杂的分析结构和原则，它的表述方式"，霍布斯的《利维坦》无疑是英语世界政治思想领域最伟大的单部头著作，阅读这本书，会给读者带来"相当压倒性的和戏剧性的效果"。

"一切人反对一切人"的自然状态

那么《利维坦》到底都说了些什么呢？很显然，我们无法用两讲的篇幅面面俱到地介绍这本书的思想，我只能提纲挈领地点明霍布斯的中心思想。理解《利维坦》的最佳入口就是霍布斯对"自然状态"的描述。

霍布斯是一个社会契约论者。所谓社会契约论，简单说就是认为政治社会的起源是基于人与人之间签订的契约，因此政治社会不是自然之物，而是人造之物。可问题在于，人们为什么要选择签订契约来加入政治社会呢？肯定是因为契约之前的状态不令人满意，甚至非常糟糕，这个道理不难理解。结婚证就是一纸契约，领证的那一刻标志着一个人从单身状态进入了婚姻生活状态，为什么越来越多的人声称是不婚主义者？理由在于他们认为单身状态没那么糟糕。反过来说，为什么仍旧有那么多的人前赴后继地进入围城，很大的原因在于他们不想一个人吃饭、一个人旅行、一个人睡觉，即使有男女朋友，他们也觉得缺乏保障，必须要通过婚姻这个契约来彻底改变生活状态。所以契约的作用就在于，将人从一种前契约的状态改变成后契约的状态。

现在的问题在于，自然状态到底有什么不好？霍布斯对此有过非常经典的论述，他认为自然状态是"一切人反对一切人"的战争状态，在这样的情况下面，产业是不存在的，因为成果不稳定。为什么成果不稳定？因为到处都是土匪和流寇，掠夺和抢劫。这样一来，所有的文明产物，包括农业、商业、贸易、艺术、文学、社会等都将不存在。更糟糕的是，"人们不断处于暴力死亡的恐惧和危险中，人的生活孤独、贫困、卑污、残忍而短寿"。因为不晓得谁是敌人，任何人都有可能是敌人，所以自然状态中的人们处于普遍化的全面恐惧之中。

自然状态真的有这么邪乎吗？为了解释这个问题，我们必须要了解霍布斯对自然状态的具体刻画。

　　霍布斯认为，在自然状态中，人与人之间"在身心两方面的能力都十分相等"，因为这种在能力上的大致平等，导致人们产生了目标和希望的平等。这个说法初看起来没什么了不起的，但仔细一想却非常具有颠覆性，因为它在根本上颠覆了人分贤愚拙巧、三六九等的传统观念。

　　你或许会反驳说：不对啊，我跟霍金在智力上就是不相等的，我跟"大鲨鱼"奥尼尔在体力上也是不相等的！没错，你和霍金在智力上的确有很大的差距，你跟奥尼尔在体力方面的对比也极为悬殊，在一个高度成熟和发达的文明社会里，这种差距会让你跟他们之间产生完全不对等的目标和希望。比如说，霍金想要成为有史以来最伟大的物理学家，奥尼尔可以憧憬每年拿到数以千万计的年薪，这些目标和希望都是我们望尘莫及的。但是要注意的是，我刚才说的是在一个成熟和发达的文明社会里，如果我们跟霍金和奥尼尔一起重返自然状态，情况就会大不相同了。霍金就不用说了，他可能连一天都活不下去。那么奥尼尔呢？在自然状态当中，因为没有裁判的吹罚，更没有警察和法官的庇护，奥尼尔的身体优势将不会那么明显，哪怕是最孱弱的人，也有可能趁其不备给他下黑脚、拍板砖，如果诸位联合起来，众志成城，一定可以把奥尼尔大卸八块，让他暴尸街头。

　　所以说，在自然状态当中，人与人在身心两方面的能力是十分平等的。既然如此，人们就会很自然地产生"目的和希望的平等"，霍布斯说，再加上资源稀缺这个条件，就必然会导致人与人之间的竞争。有人也许会继续反驳说，人们也许会采取相互谦让和合作的态度，而不是互相竞争与争斗。霍布斯认为，在自然状态中不存在道德，所谓谦让和互爱都是不存在的；并且，在一个没有共同权力来确保正义的地方，也就是无所谓正义可言的。更进一步，霍布斯认为人性具有三个根本的特征：第一，为了求利益，所以互相竞争；

第二，为了求安全，所以互相猜疑；第三，为了求荣誉，所以互相侵犯。这三个人性的基本特征，再加上自然状态的基本特征，就必然会让"自然状态倾向于导致而且事实上就是战争状态"。我们可以把霍布斯的论证步骤总结如下：

首先，自然天赋和精神能力的平等导致我们实现各自目的之希望的平等，希望的平等进一步导致相互竞争，使彼此成为潜在敌人。

其次，竞争导致相互不信任的普遍状态。

再次，缺乏信任导致人们认为辛勤劳动不如掠夺，进而导致人们相信，先发制人是获取安全的最好保障。

所以最终的结果必然就是，为了保全生命，每一个人都会采取先发制人的策略。

也许你会疑惑，霍布斯的自然状态好像有点道理，但是对于文明社会应该已经完全不适用了吧？霍布斯的回答是，不是这样的！自然状态如影随形，哪怕我们进入了政治社会和文明世界中，自然状态的阴影依然伴随着我们。他说：当你外出旅行的时候，你会随身带上武器，并且设法结伴而行；当你睡觉的时候，你会把门闩上；即使在屋子里面，也要把金银细软放在箱子里面并且加上锁。你明明知道有法律和警察的保护，为什么还要这么做？霍布斯问道：当你带上武器出行的时候，对自己的国人是什么看法？当你把门闩起来的时候，对同胞们是什么看法？当你把箱子锁起来时，对自己的子女、仆人是什么看法？所以说，这些看似无意实则有心的行为，暴露出你在骨子里对于他人充满了猜忌和不信任，你在内心深处其实相信，这个看似文明法治的世界随时都可能堕入"一切人反对一切人"的自然状态。

既然自然状态是如此的不堪，那么唯一的选择，就是尽快通过签订契约摆脱自然状态。关于这个问题，我们下一讲接着说。

070
在全面恐惧和特定恐惧之间：
霍布斯的《利维坦》（下）

上一讲我们介绍了霍布斯的自然状态，这是一个"一切人反对一切人"的战争状态，因为没有一个共同的权力来惩罚暴力，所以在互相猜忌、人人自危的情况下，最合理的自保之道就是先发制人，也就是俗话中的"先下手为强，后下手遭殃"。有人会说：难道就没有法律和公正可言了吗？霍布斯的态度很明确：没有法律！因为没有共同权力的地方就没有法律，而没有法律的地方就无所谓公正或者不公正。

有的读者也许会表示不同意："没有王法，难道也没有天理吗？"熟悉西方法律思想史的读者甚至会说："即使没有人定法，也应该有自然法呀！"话说到这里，就变得比较有意思了，因为它涉及霍布斯对传统政治哲学的一个重大改造——他主张从自然权利（natural rights）推出自然法（natural law），而不是从自然法推出自然权利。

天理（自然法）vs. 王法（人定法）

在介绍自然法与自然权利的关系之前，让我们先来区分一下自然法与人定法。

所谓人定法，顾名思义，就是人制定的法律。它在本质上与我们常说的"王法"很一致，只不过王法特指的是由皇帝或者官府制定的法律，而人定法也有可能是以人民的名义制定的法律。我们中国人习惯把王法和天理放在一起说，比如王法何在，天理难容！但是相比之下，天理的等级要高于王法，它是规范万事万物的最高法则，北京大学的张维迎教授就曾经建议将西方法律传统中的自然法翻译为"天理"。

现在我要问各位一个问题，如果只有王法没有天理，只有人定法没有更高位的自然法，那会出现什么样的情形？很显然，在这种情况下，统治者很可能借助一定的程序将自己的意志和利益写入法律，由此获得形式上的"合法性"。这会导致非常糟糕的后果，比方说，在"二战"结束之后的纽伦堡审判中，人们将无法对纳粹战犯做出裁决，因为这些战犯可以自我辩护称：我是在按照第三帝国的法律行事，我的所作所为是具有合法性的。所以，为了匡扶正义，将纳粹战犯绳之以法，就必须复兴自然法的观念。

说到自然法，最经典的表述来自古罗马时期的政治家、著名的斯多亚学者西塞罗，他是这样说的：

> 事实上有一种真正的法律——即正确的理性——与自然相适应，它适用于所有的人并且是不变而永恒的。……它不会在罗马立一种规则，而在雅典另立一种规则。有的将是一种法律，永恒不变的法律，任何时候任何民族都必须遵守的法律，而且看来人类也只有一个共同的主人和统治者，这就是上帝，他是这一法律的起草人、解释者和监护人。

从这段话不难得知，自然法具有普世性和永恒性，因为它的书写者不是人类而是上帝。现在的问题在于，人类的理性是否可以把握和洞悉由上帝书写的自然法？麦克里兰在《西方政治思想史》中指出："传统的自然法观念认为上帝的律法可见于三事：《圣经》经文的启示、人的理性及一般的社会经验。上帝的手以这三种不同方式写下自然法：直接写在经文里、间接透过哲学，以及间接透过社会经验写在人心上"。

自我保全的方法说明：从自然权利到自然法

传统上认为，从自然法出发，可以进一步推论得出人所拥有的自然权利。但是霍布斯的与众不同之处在于，他完全颠倒了自然法与自然权利的先后关系，主张在自然状态中，人首先拥有的是自然权利而不是自然法，也就是说，自然法是从自然权利中推论得出的，而不是自然权利从自然法中推论得出。

那么在"一切人反对一切人"的自然状态中，人究竟拥有什么样的自然权利呢？简单说，就是运用一切手段来保全生命的自然权利。霍布斯指出："由于人们这样互相疑惧，于是自保之道最合理的就是先发制人，也就是用武力或机诈来控制一切他所能控制的人，直到他看到没有其他力量足以危害他为止。"

从这个前提出发，霍布斯推论得出了19条自然法。要注意的是，根据霍布斯的观点，所谓的自然法，其实就是关于如何自我保全的方法说明，也即人的理性为了有效地"自我保全"而发出的指令。

第一条指令，也就是第一条自然法是："每一个人只要有获得和平的希望时，就应当力求和平。"这被认为是根本的自然法，借用政府新闻发言人最喜欢的说法，就是"只要有百分之一的和平希望，就要付出百分之百的努力"。

第二条自然法是对第一条自然法的引申："既然人们应当力求和

平，所以在别人愿意放弃对一切事物的权利的前提下，我们也应当放弃对于一切事物的权利。"这句话是个条件句，它的有趣之处在于，只有在别人愿意放弃自然权利的前提下，我们才放弃自然权利，可是问题在于，谁会是第一个敢于放弃自然权利的人呢？看好莱坞大片的时候，经常出现双方举枪对峙的局面，为了避免两败俱伤的局面，人们往往会说，"我们一起数一二三，然后同时放下枪"，而不是说，"你先放下枪，然后我再放下枪"，是不是这样？因为万一后放下枪的不守承诺，那么先放下枪的人岂不是就遭殃了？

所以，为了避免出现这种情况，霍布斯又推出了第三条自然法："所订信约必须履行"。你一定会感到困惑，这种契约的有效性根据到底在哪里？难道真的是因为君子一言驷马难追吗？霍布斯的回答很简单也很明确：这种契约之所以有约束力，不是因为一诺千金，而是因为害怕毁约之后所产生的某种有害后果。所以，我们再次看到，恐惧二字在霍布斯理论中的重要地位，正如施特劳斯所说："霍布斯的自然法因此就是根植于恐惧和欲望，或者根植于激情之中。"

以全面恐惧换取特定恐惧

总结一下，按照霍布斯的观点，自然状态的最大问题在于暴力横行，人们随时处于暴死街头的恐惧之中。造成这一局面的根源在于缺乏一个共同的权力来惩罚暴力，所以要想真正彻底地解决这个问题，只能是所有人都放弃自然权利，把自然权利让渡给第三方，也就是所谓的"主权者"，由他来执掌生杀予夺的大权。要注意的是，在霍布斯的社会契约理论中，签订契约的甲方和乙方不包括主权者，它是契约之外的存在，本身不受契约的束缚，可以为所欲为，而作为立约各方的臣民们则必须服从契约，不可违抗主权者的任何命令。

问题是，既然主权者可以予取予求，臣民们的处境岂不是和自然状态差不太多？人们为什么会如此不理性地选择签约，建立国家呢？关于这个问题，我认为麦克里兰的解释最为精彩，他是这么说的："在自然状态，人恐惧横死于他人之手，这是一种非常普遍化的全面恐惧，到了公民社会，人放弃这种全面恐惧，换取一种非常特定化的恐惧，也就是害怕横死于主权者的司法之剑底下。……一种针对一切人的恐惧，非常概括的恐惧，换成盖过一切的、对主权者的恐惧。"

霍布斯给世人提供的是一个两难选择：一边是无所不在、目标不明的普遍恐惧，一边是确有所指、非常具体化的特定恐惧，也就是横死于主权者的司法之剑底下的恐惧。两害相权取其轻，霍布斯倾向于认为后者要好那么一点点，哪怕国家此时已经变身为《旧约·圣经》中那个令人恐惧的巨兽——利维坦。

打个比方，在看恐怖片的时候，最恐惧的时候是不知道恐惧的对象到底是谁，这个时候，你会觉得每一个角色都是潜在的恶魔，这种感觉非常类似于自然状态中的全面恐惧。而一旦我们得知恐怖片里的恶魔到底是谁，虽然还是会恐惧，但心里总归会稍微踏实那么一点点。

也许有人会大声地表示反对：这不合理！为什么必须要做非此即彼的选择？难道在"一切人反对一切人"的战争状态，和主权者手握生杀予夺大权的"利维坦"之间，就没有中间地带了吗？霍布斯和他的追随者们会斩钉截铁地告诉这些人：对不起，这个真没有！没有了国家你什么都不是，所以，为了不重返全面恐惧的自然状态，人民只有默默忍受现有的任何政府。

击溃利维坦恐惧逻辑的秘诀

现在的问题在于，我们有可能击溃上述的恐惧逻辑吗？1679年，91岁高龄的霍布斯去世，他没有等得及看到九年之后的光荣革命，也没等到看见他的理论被证伪的那一刻。1688年12月11日，众叛亲离的詹姆斯二世将国玺投进泰晤士河，逃往法国避难，从那一刻开始，直到次年 2 月 12 日，也就是议会选举詹姆斯的女儿玛丽为女王为止，在此期间英格兰有三个月的时间处于主权者缺位的状态，但是除了发生零星的骚乱，霍布斯预言的"一切人反对一切人"的战争状态并未出现。强大的议会传统和贵族传统，以及井然有序的市民社会让英格兰安然渡过了危机。击溃利维坦恐惧逻辑的秘诀非常简单也非常困难，就是在无所不能的国家和彻底原子化的个体之间打入一个楔子：自由的结社和结社的自由。

　　近代政治哲学的核心问题是：应该由谁说了算？对此，霍布斯的回答是：必须有人说了算！而且必须是由主权者说了算！有意思的是，霍布斯的结论虽然是专制主义的，但是他的方法论和思考原则却是个人主义的，从自然状态到利维坦，隐藏其中的是理性利己主义的基本逻辑。施特劳斯曾经把霍布斯称作"近代政治哲学之父"，理由之一就在于，"霍布斯以一种前无古人、后无来者的清澈和明确，使得'自然权利'，即（个人的）正当诉求，成为政治哲学的基础"。在我看来，霍布斯把政治最铁血也最丑陋的一面展示得淋漓尽致，对于他来说，"政治与其说是一种关于好坏的审慎抉择，不如说是一种事关生死的生存决断"（史蒂芬·B. 斯密什语）。

　　这一讲就到这里，我想给各位留下两个思考题：第一，你认为在无政府和利维坦之间还存在第三条道路吗？第二，建立在恐惧基础之上的秩序和稳定是可靠的吗？

答问 5
当我们在谈论政治的时候我们在谈些什么：
关于霍布斯的人性观的回答

　　在讲授霍布斯的《利维坦》时我给大家留了几个问题，不少朋友做出了非常精彩的回答，比如林戈、小松、王立早、伟哥之声、木皮牛阿洛、lililili11、王小米戴着项圈去流浪、柠檬树不会飞、狗不理包子儿，等等。网络真是一个很奇妙的地方，虽然我们素未谋面，但是每回看到这些名字的时候，我就会产生非常熟悉亲切的感觉。我想选择其中的两个回答，作进一步的生发。学友"林戈"说："还是觉得重点在于霍布斯对人性的预设上。"另一位朋友说："当我一想到人性之恶时，我总是觉得霍布斯讲的全面战争很有道理！但当我和家人、朋友们在一起时，我又觉得洛克讲得有道理。"

　　这两个回答不约而同地把焦点指向了霍布斯的人性论。这是一个非常重要的观察。所谓人性（human nature）当然就是指人身上所具有的给定的、永恒不变的性质。人性到底是什么？这是千百年来争论不休的一个话题，古今中西莫不如此，比方说中国古代的孟子主张性善论，荀子主张性恶论。当代的生物学在这方面做出了很多的研究，考察到底是自然本性（nature）还是后天环境（nurture）对人的行为影响更大。我不想把话题扯得太远，还是把目光聚焦在西方政治哲学特别是霍布斯的身上。

首先，西方政治哲学的主流论证模式，尤其是关于霍布斯的几讲中提到的"方法论的个人主义"，有两个非常重要的特征：第一，在解释顺序上，坚持把个体作为解释社会和国家的原初起点及最终根据；第二，在哲学人类学上，对人性有一个基本的假设或判断，比如说古典经济学中"经济人"的假设，或者霍布斯在《利维坦》中似乎也有关于"人性是自私"或者"自我中心"的设定。从这种人性论出发，再提出一套人类幸福和政治制度的主张，也就是阐述在何种条件下，有助于具有如此这般特点的人，满足他们的需求，实现他们的愿望。

但是，一个非常有趣同时也是非常让人困惑的问题在于，霍布斯其实从来没有在本体论的意义上宣布人性就是自私自利的，人天生只追求和只关心自己的善。比如说在《利维坦》的第六章，霍布斯认为人们具有仁爱的能力，具有希望他人安好的欲望或善意的能力，他说我们能够热爱人民；在第三十章中，霍布斯认为夫妻情感在重要性上仅次于自我的保存，并优先于财货和生活手段。霍布斯还说，某些人是有美德的，或者说，我们能够变成有美德的人。在第十五章，霍布斯谈到了正义的美德，以及根据正义而行动的美德。

换言之，霍布斯似乎没有对人性到底是什么给出明确的回答。罗尔斯在《政治哲学史讲义》中认为，如果我们非常严格地阅读霍布斯的著作，"那么，我们会发现，他的观点是前后矛盾的"。

列奥·施特劳斯在《霍布斯的政治哲学》这本书中也承认，虽然"一切人反对一切人的战争状态"必然地要源自人类的本性，但是霍布斯在不同著作（《原理》、《论公民》和《利维坦》）中关于"人类本性"的断言，"存在着令人震惊的不一致和脱节，并存在着更为惊人的含混不清之处"，每一部著作甚至还有逻辑上的缺陷。所有这些迹象都表明，霍布斯从来也没有完成对他的根本论断所作的论证，而且我们会发现，霍布斯之所以没有完成这些论证，其实就是因为，"是否直截了当地把人的自然欲望归结成为虚荣自负，并明确地以此作为他的出发点，连他自己都拿不定主意"。

如何解释霍布斯人性观的含混不清和自相矛盾？一个最简单的办法就是，霍布斯本人就没有想清楚！但是我认为在解释经典作家的经典著作的时候，要尽可能地抱有同情的理解的态度，在看似不连贯不一致的地方，要尽可能帮他做出连贯一致的合理解释。就此而言，我比较认同罗尔斯的回答，他认为："我们最好是说，霍布斯是在以某种方式来强调人性的某些方面，以便对人性的这种理解能够更好地符合他的政治学说的目的。他想说明并解释，是什么因素维持着公民社会，对和平与和谐来说为什么强有力的主权者是必要的。换言之，他关注的主要是政治学、政治问题，以及政府的基本制度结构。"

对于罗尔斯的这个观点，我想再做一些解释。罗尔斯的意思是说，霍布斯并没有在人性论的层面上断言人类是自我中心的，他强调人类的自我中心，并不意味着他同时反对人有仁爱、正义、忠诚的一面，更不意味着他试图给出一个形而上学意义上的人性观。霍布斯真正想说的是：在解释公民社会和社会团结的基础这些问题时，我们不能依赖于人们的仁爱、正义和忠诚这些能力。也就是说除了这些根本利益之外，还存在其他的根本利益，我们要把公民社会和社会团结的问题建立在这些根本利益之上。

村上春树有本书名叫《当我谈跑步时我谈些什么》，借用这句话，也许我们可以这样来理解霍布斯为什么会特别强调人性自私，他其实是在提醒我们注意，当我们在谈论政治的时候我们在谈些什么？霍布斯的回答是：我们首先在谈的是保存我们的生命；其次谈的是确保我们身边之人的善；最后，我们谈的是获取舒适生活之手段。

当我们谈论政治的时候，我们优先关注的是这些问题，而不是别的问题。

在这个意义上，我们也许可以这样说：霍布斯在《利维坦》中并没有给出一个形而上学的人性观，他强调的是人性的政治面向，或者说他强调的是人的政治本性，而且是在极端状态下所显示出来的人的政治本性；相比之下，洛克的《政府论》更关注人性的社会面向，或者说是人的社会本性，而且是在正常情况下显示出来的人的社会本性。

所以问题兜兜转转，又回到了人的政治本性将会盖过人的社会本性，还是人的社会本性将会胜过人的政治本性这两个判断上。

071
国家为什么宁缺毋滥？
——洛克的《政府论》（上）

开始这一讲之前，先给大家讲一个小故事。2002 年，一个名叫舍恩的德国科学家被曝造假，在此之前，他已经在《自然》和《科学》这样的顶级期刊上发表了一百多篇论文，这是一个匪夷所思的成就，很多人把这个年仅 32 岁的学术新星视为 21 世纪的爱因斯坦，未来的诺贝尔奖得主。舍恩造假的方式其实很简单，他总是先炮制出一个结果，然后通过计算机伪造图表来证实这个所谓的结果。看到这里，有些心急的读者肯定会问：周老师，你说这些十三不靠的事情到底是为了什么？

我的意思是说，社会契约论者的工作方法其实很像自然科学家，所谓的"自然状态"，就像是实验室里的初始条件，它是一种理论"设置"，目的是帮助有理性的人进行"思想实验"，思考为什么需要有国家，国家的存在到底有什么合理性，等等问题。社会契约论者的潜台词是，作为一个有理性的人，只要你严格按照我设定的步骤去思考，就一定会接受我的最终结论。这非常类似于自然科学家通过模拟别的科学家的实验条件，最终得出同样的结果。但是问题在于，既然"自然状态"并非真实的历史状态，而是假想出来的东西，那么为了得到预先给定的结果，不同的社会契约论者就可以设置出不同的自然状态。如此说来，岂不是与舍恩的造假手段如出一辙？

事实似乎就是这样，洛克的自然状态跟霍布斯的自然状态非常不同，结果霍布斯得出了支持专制主义的结论，赋予主权者不受任何约束的权力，而洛克呢，得出了自由民主和宪政民主的结论，主张政府只拥有有限权力，一旦政府侵犯公民的自然权利，公民就可以推翻政府，甚至不惜重返自然状态。

那么，洛克与霍布斯的自然状态到底有什么不同？究竟是谁造假了，谁没造假？哪个人的自然状态更加真实可信？

洛克 vs. 霍布斯

在回答这些问题之前，我们先来介绍一下洛克的政治哲学。我们知道洛克是英国经验论的代表人物，与此同时还是自由主义的开山鼻祖，比较来说，洛克对后世影响最大的不是《人类理解论》，而是《政府论》。《政府论》共分上篇和下篇，上篇是驳论，下篇是立论，上篇驳的是罗伯特·菲尔默的君主专制，下篇立的是混合宪政（mixed constitution）。

相比之下，上篇的影响力远小于下篇，真正让《政府论》成为传世名著的是它的下篇。毫不夸张地说，它的核心思想构成了现代国家的经典表述，大约整整一百年后，美国建国之父托马斯·杰斐逊在起草《独立宣言》时，几乎照单全收了《政府论》下篇的思想，比如说下面这段不朽名句就是对洛克原文的改写：

> 我们认为下面这些真理是不言而喻的：人人生而平等，造物者赋予他们若干不可剥夺的权利，其中包括生命权、自由权

和追求幸福的权利。为了保障这些权利，人类才在他们之间建立政府，而政府之正当权力，是经被治理者的认可而产生的。

虽然洛克没有直接点名批评过霍布斯，但是他对霍布斯理论的抨击却是随处可见的。

比方说，霍布斯认为自然状态毫无道德可言，必然导致"一切人反对一切人"的战争状态；洛克认为，因为存在着自然法，所以自然状态是有道德的，它是一个"和平、友善、互助互保的状态"。

再比如说，霍布斯主张先有自然权利，然后从自然权利推导出自然法；洛克认为先有自然法，然后从自然法推导出自然权利。

霍布斯认为，为了避免暴死街头，确保和平，自然状态中的人不得不全部放弃自然权利；洛克主张，即使在签订社会契约、进入公民社会之后，人们也没有完全放弃自然权利，而是保留着生命、自由和财产权，成立政府的目的恰恰就是为了保护这些自然权利。

最后，霍布斯认为主权者不参与签订社会契约，因此也不受社会契约的约束，国家是可以为所欲为的利维坦式的怪兽；洛克认为政府的权力是有限的，人们只是将部分的自然权利以"信托"的方式交给政府，一旦政府不能履行保护自然权利的职责，公民有权推翻政府，为此不惜重返自然状态。

为什么要建立国家

通过以上简要的对比可以看出，洛克与霍布斯之间最大的不同在于，他们对自然状态有着非常不同的描述。可是，既然自然状态像洛克说的那么好，为什么人们还是要选择离开自然状态，建立国家呢？

我身边颇有一些不婚主义者，虽然他们也承认不结婚会有一些不方便，比如生病的时候无人照料，父母经常逼婚，但是这些不方便显然还不足以让他们下定决心，就此步入婚姻的围城。那么对洛克来说，自然状态到底有哪些不方便，会让人们决定要成立国家呢？我们可以把这些不便概括为三点：

第一，自然状态中虽然存在自然法，但自然法的特点是写在人类的理性里，而不是写在字面上，也就是说，它不是白纸黑字的成文法。所以自然状态还是缺少确定无疑和众所周知的法律，这种法律可以为所有人都认可和接受，并且作为辨别是非的标准，和裁判一切纠纷的共同尺度。

第二，在自然状态中，人们一旦发生纠纷，找不到一个具有公信力的和公正无私的裁判者，其结果就是人人都是裁判者。

第三，在自然状态中，即使人们对纠纷做出了正确的裁决，也缺少强有力的组织手段来执行这个裁决。

很显然，如果任何人都没有权力来执行法律，法律将成为一纸空文，反过来说，如果人人都有权力来执行法律，也会生出无数的是非和纠纷。这个时候，自然状态就有可能从和平、互相信任的境况堕落为战争状态。

事实上，洛克在《政府论》下篇第三章中，专门讨论了战争状态。洛克说："战争状态是一种敌对的和毁灭的状态。"在这种情况下，基于"根本的自然法"，每个人都"应该尽量地保卫自己"，"可以毁灭向他宣战或对他生命怀有敌意的人"。洛克认为，人类选择脱离自然状态，组成社会和国家的主要原因之一，就是为了避免这种战争状态。

没国家不一定比有国家更糟糕

说到这里，我相信有些读者会感到非常困惑：这样一来，洛克和霍布斯的基本逻辑不就是一样的吗？难道洛克只是一个伪装的霍布斯主义者？他的自然状态表面上看起来温情脉脉，实质上仍然是霍布斯意义上的"一切人反对一切人"的战争状态。关于这个问题，政治哲学界有很多的争论，我的基本观点是这样的：霍布斯的哲学重逻辑，洛克的思考偏常理，当我们把逻辑推到极致处，就会发现霍布斯的理论无比强大。这就好比是一个持刀歹徒把你逼到墙角，让你不得不做出非此即彼的选择。而洛克则始终保持常理的暧昧性，他既不愿做过度反思，也相信事在人为，他想告诉我们，除了利维坦和战争状态，你还有别的选择。

正是因为这种摇摆性和暧昧性，让洛克一方面呈现出霍布斯主义的底色，承认自然状态有可能堕入战争状态，但是另一方面他始终认为，在自然法支配下的自然状态只是有可能而不是必然堕入战争状态，所以我们无须忍受现有的任何政府，一旦政府化身为利维坦，对人们的自然权利构成巨大的伤害，那就可以行使革命权，甚至不惜重返自然状态，尽管存在诸多不便，但事在人为，没国家不一定比有国家更糟糕。

麦克里兰指出："洛克明显认为社会出于自然，国家则属人为。……社会在逻辑与历史两方面都先于国家而生，故应该由社会决定要什么样的国家，而非由国家来决定社会应该是何模样。社会分立于国家，以及社会优先于国家这两项坚持，后来成为自由主义的骨干。"麦克里兰用"社会"取代"自然状态"，这个做法颇具深意。英国人似乎从来都更青睐与国家对应的社会，与国王对应的乡绅，认为这才是秩序和法律的基础所在。牛津大学教授塞缪尔·芬纳在《统治史》中这样描写那个时期的英国：

乡绅所执行并理解的法律，还有英国的地方行政，已经让这个国家的日常生活时时处处都依赖于他们，而几乎一点也不依赖于国王，这是一个简单的事实。如果没有国王，法庭、教区、济贫法、城市和乡村等整个国家机器都可以正常运转，但是没有乡绅，它就根本无法运行。换句话说，对于国王的权力来说，乡绅是不可或缺的，但是对于乡绅来说，国王却是可有可无的。

这段话让我想起少年时期接受的教育，那个时候，人们一谈起"社会"就避之唯恐不及。比方说，"某某人是混社会的"，"千万不要与社会青年来往"，"现在社会上很乱"，总之，"社会"这个词总是与黑、乱、混联系在一起。直到很久以后，我才慢慢明白过来一个道理，贬低社会就抬高了国家，因为社会强大了，国家就弱小了，社会变好了，国家就可有可无了。

作为思想实验的社会契约论

现在我们来回答这个问题：到底是霍布斯的自然状态更真实，还是洛克的自然状态更真实？

首先，我们可以很明确地说，这两种自然状态都不真实，因为社会契约论是关于国家起源的一种"哲学解释"，不是对真实历史的客观描述。某种意义上，霍布斯和洛克都存在着循环论证的嫌疑，也即为了获得论证的结果，而事先调整了论证的前提。但问题在于，我们是不是可以因此指责他们学术造假，就像科学家们指责舍恩一样？我认为不可以，因为社会契约论是一种思想实验，思想实验跟科学实验最大的不同在于，思想实验是启发性的、引导式的，它的功能在于帮助我们去澄清一些原本就接受，但出于某些原因隐而未现的观念。比方说，霍布斯的"自然状态"虽然初看起来难以置信，但是就像我们在上一讲所说的那样，只要考虑一下我们在日常生活中的所作所为，比如睡觉时锁上门，出行的时候带上防狼喷雾剂，我们就会意识到霍布斯的自然状态并非完全是在危言耸听。他用他的思想实验告诉我们，这个世界的确潜伏着很多危险，必须考虑秩序和安全的重要性。另一方面，洛克则通过常理和常识安慰我们，虽然人心难测，但情况也许没有那么糟糕，哪怕没有国家，我们还是可以听凭理性的声音，在自然法的引导下建立起一定的秩序。所以说，当两个政治哲学理论互相竞争的时候，往往不是因为谁更符合经验事实而获胜，而是因为谁更能改造人们的观念、更能调动起人们的激情而获胜。

在这个意义上，我甚至认为，你愿意相信谁是真的，谁就会是真的。这话似乎非常不靠谱，请允许我稍微做些解释。心理学上有个名词叫作"自我实现的预期"，既然自然状态从未在历史上出现过，而现代国家已经是既成的事实，那么对于我们来说，自然状态就不是过去时而是将来时。我的意思是说，自然状态是在国家崩溃之后所呈现出来的那个样态。所以，在这个前提下，如果你相信它是"一切人反对一切人"的战争状态，那么你就会为此做各种准备工作；如果你相信它是一个虽然有些不方便，但仍然拥有"和平、友善、互助互保的状态"，你就会为此做另外一些准备工作。在很大程度上，这会是一个自我实现的预期。

最后，让我们重新回到近代政治哲学的核心主题——证成国家。这个主题又可以细分为两个问题：为什么需要国家，以及什么样的国家才是合法的？前者问的是国家的必要性，后者问的是国家的合法性。霍布斯只回答第一个问题，不关心第二个问题，对他来说，答案非常明确：必须要有国家，而且必须是由绝对的主权者主导的专制主义国家。洛克的回答则是：国家宁缺毋滥，如果必须建立国家，只有建立在同意基础之上的混合宪政才是合法的。菲尔默与霍布斯主张的君主专制永远都不可能是合法的，甚至比自然状态还糟糕。洛克的理由是："只要有人被认为独揽一切，握有全部立法和执行的权力，那就不存在裁判者……这样一个人，不论使用什么称号——沙皇、大君或叫什么都可以——与其统治下的一切人，如同其余的人类一样，都是处在自然状态中。"

072

人类的第一桶金是如何赚到的？
——洛克的《政府论》（中）

谁该获得笛子？

在开始这一讲之前，照例先讲一个小故事。有三个小朋友正在争一支笛子，每个人都说自己最有资格获得它。安妮的理由是：我是三个人中唯一会演奏笛子的人，我可以最大程度地实现笛子的功能。鲍勃来自一个贫穷的家庭，从小就没有玩过什么玩具，他的理由是：我最需要这支笛子，而你们都有那么多的玩具了，所以我最有资格获得它。最后一个孩子名叫卡拉，在听完前两个孩子的说法后，她大声反驳说：都别闹了，当然是我最有资格得到这支笛子，因为是我花费了几个月的时间和心血才制作完成这支笛子，难道我没有权利拥有它？

我想请问各位，你会支持谁得到那支笛子，理由是什么？需要说明的是，这个例子的发明权不属于我，属于著名的诺贝尔经济学奖得主阿马蒂亚·森。

　　阿马蒂亚·森认为：如果你是一个效益主义者或者德性伦理学家，那么你很有可能会支持安妮得到这支笛子，因为这会实现效益最大化，让笛子的潜能真正得到实现，说得直白些，安妮能让笛子吹出美妙的音乐，而另外两个人都不会吹笛子；但是如果你是一个平等主义者，你就会支持鲍勃的主张，因为这将缩小人与人之间明显的不平等；最有趣的是，不管你是马克思主义者，还是自由市场资本主义的支持者，在这个问题上会暂时地站在同一个立场上，因为你们都会认为是卡拉的劳动创造了这根笛子，所以卡拉最有资格得到这根笛子。

　　森的本意是想通过这个例子告诉我们，在回答哪种分配制度最正义的时候，各种理论意见相左，而且争论不休，人们注定无法就何为完美的正义社会达成一致意见。但是根据我的个人经验，人们的分歧似乎没有森想象的那么大。我在人民大学的课堂上曾经多次问过学生，每次的结果都大同小异，只有很少一部分人支持安妮或者鲍勃，90%以上的人毫不犹豫地认为卡拉最有资格得到笛子。在我看来，这再一次证明了洛克《政府论》的巨大影响力，它不仅是混合宪政国家的经典论述，还为私有产权的论证和资本主义的发展奠定了理论基础。

　　绝大多数人认为卡拉最有资格得到笛子，是因为卡拉为此付出了劳动，劳动创造价值这个观念最早可以追溯到洛克。有意思的是，马克思主义也认同劳动价值论，但是我们都听说过马克思的这句名言：资本从诞生的那一天起，每一个毛孔都滴着血和肮脏的东西。那么洛克到底是如何看待资本的？在他的眼中，资本在诞生的第一天，看起来会是一个什么形象？洛克会支持私人财富无限累积和存在着巨大贫富差距的社会吗？

财产与财产权

在介绍洛克的劳动产权论之前，先让我们做一些准备性的工作。

第一，我们要对"财产"（property）这个概念做一个解释。洛克有时候在狭义的意义上使用"财产权"，这时候指的就是大地上的果实、土地、不动产等对象；有时候他会在广义意义上使用"财产权"，这时候就把人的生命权和自由权都包括在内。为什么洛克要在广义意义上使用财产权？这跟洛克一个根深蒂固的观念直接相关，所谓财产权，最核心的含义就是"未经本人同意不能被夺走"，有位学者甚至干脆把财产权定义为 say no 的权利，显然生命权和自由权也是如此，未经本人同意不能被夺走。

第二，虽然狭义的财产权和生命权、自由权一道被称为自然权利，但是在洛克这里，财产权是一种非常特殊的权利，它不是人们与生俱来就拥有的。打个比方，一个呱呱坠地的小婴儿，只要脱离母体，他／她就拥有了生命权和自由权，但是洛克认为，这个小婴儿不拥有财产权，因为财产权必须通过"与人的本性（nature）相关的行为才能获得。私有产权是个体通过他自己的自然的、道德的和理性的行为获得的"（Sukhninder Panesar 语）。洛克的意思是说，如果一个人什么事情都没有做，只是单纯地想要拥有某物，那么对不起，他并不因此拥有受保护的财产权。任何人都必须通过做某些与他的本性相关的事情，才有可能拥有财产权，具体地说，这些事情就是"劳动"。

第三，财产权有时候也被称为所有权。在此有必要区分一对概念——占有（possession）和所有（property），占有是一种"事实状态"，所有是一种"法律状态"。去年我在美国访学，有好几次因为粗心大意丢了东西，但每次都找回了失物。后来我留了一个心眼，果然发现，在波士顿的马路上，经常会有一些人们遗失的财物，小到一顶帽子、一双手套，大到一件衣服甚至一个手机，有的被放在路边，有的挂在树枝或者篱笆上，有时候一个星期过去了，那些财物还是原封不动地留在原地。这说明几乎所有的路人都没有把它们据为己有，因为在他们的观念世界里，这是有主物而不是无主物，也就是说在法律上它是别人的财产。你一定会说，这是因为我们生活在一个法治社会，所以单纯的占有才不会等于法律意义上的所有。

财产权如何产生

现在问题来了，在自然状态中，人们最初是如何从事实上"占有"某物变成法律上"所有"某物的？这个转变到底是如何发生的？换个说法，人类的第一桶金是如何获得的？

洛克告诉我们：最初世界是为人类所共有的，上帝赋予所有人类以理性，让他们为了生活和便利的最大好处而利用这个世界。注意，既然世界最初是为所有人"共有"的，那就意味着没有人对土地、果实和一切自然资源具有排他性的私人所有权。

但是洛克指出，人们虽然没有对于外物的所有权，但却拥有对自我的所有权，每个人都排他性地拥有自己的人身。当他通过双手和劳动，使任何东西脱离自然的状态，那个东西就正当地属于他本人，因为此时他已经对外部世界"混入"了他的劳动。比方说摘果实或者打猎的过程，就是把劳动"混入"外部事物的一种方式，由于添加了他自己所有的某些东西，果实和猎物就成为他的财产。这就是从自我所有权转变成外物所有权的过程。

我们可以把洛克的基本逻辑概括如下：

第一，每个人都有权拥有他自己的人身；

第二，每个人都有权拥有他自己的劳动；

第三，每个人都有权拥有把自己的身体的劳动混入的东西。

这个论证非常的简洁明快，但是你会不会觉得哪里有些不对头？没错，问题首先出在把劳动"混入"外部事物这个表述上。如何理解"混入"这个说法？什么样的行为可以被称为劳动？当代著名的政治哲学家罗伯特·诺齐克举过一个极端的例子：如果我把自己制作的番茄酱倒入大海之中，那我到底应该拥有大海的多大一部分呢？我们还可以设想一些别的例子，比如说某人随身带了100面小旗，每走一公里就插一个小旗，插了100公里，请问，这100公里的土地都属于他了吗？

当然了，洛克的想法没有这么天真，曾经有学者这样替洛克回应诺齐克：首先，洛克只承认那种改善了资源的行为才是劳动；其次，如果一个人的劳动非但没有改善资源，甚至还减少了资源的价值，那简直就是非理性和无知。在这个意义上，把番茄酱倒入大海根本不是劳动，它不仅没有改善资源，反而污染了资源。

与定义劳动相关的另一个问题是，如何衡量和界定由劳动产生的价值。初看起来，一块无人耕种的荒地是没有价值的，一株山谷里寂寞生长的果树也是没有价值的。那么，这是不是就意味着，所有的价值都必须计算在劳动的账上？我的意思是说，当某人在土地上耕作之后，他就不仅拥有了从土地上生长出来的庄稼，还拥有了对这片土地的所有权？有学者指出，按照正常的逻辑，我们能够接受通过劳动增加的价值，比如说从地里面长出来的庄稼，但是土地本身并不是增加值，土地在人们开始耕种之前就已经存在。因此，劳动产权论充其量只能证明保留劳动果实的合理性，似乎并不能成为拥有所开垦土地的权利的根据。

说到这里，让我们再次明确一下本讲的问题意识：资本是不是从降生的那一天起，全身上下就滴着血和肮脏的东西？如果按照洛克的观点，人类的第一桶金是干净的，因为从劳动产权论的角度出发，私有产权是通过劳动创造出来的。我们都知道，劳动是最光荣的事。

当然问题并没有就此得到解决，因为我们尚不清楚，洛克会不会支持不受约束的个人财产累积。根据有关机构的研究，目前世界最富有的 1% 人口拥有的财富多于其余 99% 人口拥有的财富总和。不仅世界贫富悬殊的鸿沟越来越大，而且富人变得更富的速度也更快了。按照洛克的理论，这是被允许的吗？关于这个问题，我们下一讲接着说。

最后我想给大家留一道思考题。我们在前面介绍了，洛克的财产权与生命权和自由权不同，它不是与生俱来的自然权利，而是一种特殊权利（special rights），必须通过"与人的本性相关的行为才能获得"，我想请各位思考一下，如果财产权是人与生俱来的一般权利（general rights），那将意味着什么？

马云和比尔·盖茨有权拥有他们的巨大财富吗?
——洛克的《政府论》(下)

洛克的补充条款

让我们来设想这样一个场景:在人类还处于自然状态的时候,某天,张三和李四相约去采摘果实,两人在山谷里搜寻了整整一天,结果一无所获,直到黄昏即将来临的时候,才不约而同地看到远方有一棵苹果树。两人相互对视了一眼之后,突然开始发足狂奔,张三以迅雷不及掩耳之势跑到苹果树下,又以迅雷不及掩耳之势将苹果一扫而空,等李四气喘吁吁地来到树下时,已经一无所有了。

按照上一讲介绍的洛克理论,张三把自己的劳动混入果实中,那么他就应该拥有对所有果实的合法所有权。但是我相信多数人都会觉得这里存在着不妥。事实上,如果洛克在现场,也会反对张三独占所有的苹果。

洛克在《政府论》中指出,除了劳动产权论之外,还要补充两个条款,才可以构成完整的私有产权理论。第一个条款叫作"损坏条款"（Spoilage Proviso），意思是说，上帝把世界赐给人类的目的，不是让人们浪费资源，而是享用资源。假设张三一口气摘了 100 个苹果，最后只能吃掉 50 个，剩下的 50 个全都烂掉了，那就违反了洛克所说的损坏条款。

第二个条款叫作"充足条款"（Sufficiency Proviso），意思是说，当张三通过劳动占有外物的时候，应该还留有"足够多和同样好"的东西给其他人。显然在上面那个例子中，张三没有满足这个条款。

洛克认为，只有满足了上述两个条款，自然状态中的人才能通过劳动正当地拥有私有财产。由此，我们似乎可以认为洛克并不支持无限累积的私有财产。可是问题到此并没有得到真正解决，因为这两个条款都太容易被规避了。

首先来看损坏条款。如果张三足够机灵的话，他可以把吃不下的那 50 个苹果卖给其他人，由此获得叮当作响的铜钱，这样一来，张三就可以完美地规避损坏条款的约束，因为货币不像苹果，是不会腐烂的。换句话说，货币和贸易活动的出现，会让人们在不违背损坏条款的情况下积累和贮藏财产，这样一来，就有可能出现财富的无限累积和贫富差距的迅速拉大。有位学者这样评论洛克的财产理论："稍作思考就可以明白，洛克对有限的和有条件的占有权的说明，本意上只适用于人类历史较早的阶段——人对土地及其果实的原始占有。……事实上，正如洛克表明的那样，它只适用于无货币、从而也无市场的阶段。"

有人会说，虽然货币的出现让"损坏条款"失效了，可是还有"充足条款"可以补救啊。没错，初看起来是这样的，但事实上充足条款导致的问题也许会更多。除非世界上的资源极大丰富，否则怎么可能留下足够多和同样好的东西给别人呢？借用网上流行的一句话，"理想很丰满，现实很骨感"，如果真的把充足条款付诸实施，最终很有可能得出任何人都不能合法地私人占有资源的荒谬结论。

究竟应该怎样解决这些难题呢？对此洛克没有做更多的说明，

有一点是毫无疑问的，那就是货币和市场的出现是一个不可逆的历史过程，这样一来损坏条款就不可避免地被损坏了。所以，如果想对洛克条款做些补救工作，就只能在充足条款上下功夫。

自我所有权与公地悲剧

下面我想介绍一下哈佛大学教授罗伯特·诺齐克的观点。诺齐克是洛克的当代传人，在《无政府、国家与乌托邦》一书中，他试图修正洛克的充足条款，他是这么说的："如果使不再能够自由使用那些被占用事物的人们的境况因为占用而恶化，通过正常步骤占用先前的无主事物，并进而持有永久的可继续的财产权利就不被允许。"这句话非常拗口，我相信各位读者对于哲学家的叙述风格已经非常熟悉了，他们为了确保逻辑的严密性，不惜牺牲表述的简洁性和可理解性。但诺齐克的意思其实很简单：如果张三占有了最初的无主物之后，并没有让李四在内的其他人的生活因此变得更差，那么张三的占有就是合法的。

仔细考察诺齐克的上述逻辑，就会发现有一个说法最关键——"不使别人的状况恶化"，敏感的读者一定已经意识到了，这正是对洛克"充足条款"的改写，诺齐克用"不使别人的状况恶化"取代了洛克的"留下足够多和同样好的资源给别人"。诺齐克认为，只要满足了这个条件，即使 1% 的人拥有了超过 99% 的人的财富总和，这种巨大的贫富差距也是合理的。

可是，诺齐克的补充条款真的成立吗？我觉得不成立。因为我们还需刨根究底地追问，不使别人的状况恶化的"标准"到底是什么？对于这个问题，诺齐克有两个回答：第一，以"物质福利"作为衡量标准；第二，以私人占用前的公共使用作为标准。但是这两个标准都是成问题的。

我们先来探讨第一个标准。假设有一块土地，原本是张三和李四共同拥有，张三的年收益是 500 元，李四的年收益也是 500 元。结果有一天，张三通过某种方式独占了这块土地，然后他和李四的关系就发生了变化，原本是合作者，现在张三成了地主，李四成了长工。假设张三是一个非常精明的管理者，他使土地的整体收益变成了 2000 元，其中张三作为地主分到了 1400 元，李四得到了 600 元。很显然，李四的生活境况变得更好了，他的年收入从 500 元变成了 600 元。按照诺齐克的补充条款，这意味着张三对于这块土地的所有权就得到了有效的证明，因为他没有让李四的状况因此恶化。

请问你觉得这个论证能够说服你吗？有一个名叫柯亨的学者表示不同意，他认为在这个例子中，虽然张三对土地的占用并没有恶化李四的物质福利，但却剥夺了李四的两个权利：1. 对土地的发言权；2. 对自己的劳动力该如何使用的发言权。柯亨的意思是说，李四和张三一样有权拥有这片土地，而且李四原本对自己的人生规划不是做长工，而是当地主，但是自从张三占有这块土地之后，李四的人生理想就破灭了，虽然做长工的收入还多了 100 元钱，但是远远不能弥补人生理想破灭带来的伤害，对于有志青年李四来说，他的生活状况明显是恶化了而不是改善了。

我们需要重新考察"自我所有权"这个概念，这是洛克主义最核心的概念之一，它的基本含义是：每个人都排他性地拥有自己的人身。按照洛克和诺齐克的思路，从自我所有权可以推论得出对外物的所有权，但是通过柯亨的分析，我们发现，自我所有权还包含比经济活动更加丰富的内涵。它意味着每个人都是相互独立的个体，每个人都有各自的生活目标，沿着这条思路去思考自我所有权，就会得出这样的结论：自我所有权的价值在于"我们有追求自己生活目标和'自己人生观'的能力，因为自我所有权可使我们抵制他人的下述企图：仅仅把我们当作工具以实现他们的目的"。诺齐克的问题在于，当他在为财产的初始占用提供辩护的过程中，仅仅考虑了张三的自我所有权，却根本没有把李四的自我所有权和自主性

（autonomy）考虑在内。

现在让我们来探讨诺齐克的第二个标准，也即以私人占用前的公共使用作为标准来衡量"不使别人的状况恶化"。你或许听说过"公地悲剧"这个说法，所谓公地悲剧，指的就是土地在被私人占用之前的公共使用状态。什么状态？当然是悲剧状态。由于产权不明晰，每个人都拥有使用权，但又没有权力阻止其他人使用，于是每个人都倾向于过度使用，最终造成资源的枯竭，这就是公地悲剧。我在香港中文大学读博士的时候听说过一件事情：起初，学校里的传真机是摆放在公共场所供人们免费使用的，但是自从某位博士向内地传真了整整一本书之后，学校就把传真机给收走了。每当说到公地悲剧我就会想起这个故事，如果用一个成语来形容它，就是竭泽而渔。

诺齐克认为，只要没有人的处境比公地状况的处境更糟糕，那么无限制的私有财产权和持续发展的资本主义制度就是正义的。这么似乎很有道理，可问题在于，避免发生公地悲剧是一个门槛太低的标准，除了诺齐克支持的无限制的私有财产权和资本主义制度，还有很多类型产权制度可以满足这个标准。所以说，诺齐克的这个标准也不能支持他的论点。

总结一下本讲的内容，我们的问题意识是，洛克的产权理论毫无疑问是在为商业世界和资本主义制度鸣锣开道，但是洛克会因此支持无限累积的绝对的财产权吗？初看起来，洛克的损坏条款和充足条款非常明确地表示出了否定的倾向。可是这两个条款各自存在着难以克服的问题，诺齐克试图对洛克条款做出修正，为私有财产的无限累积做辩护，但是诺齐克的补充条款同样存在着理论上的困难。所以，如何解释洛克的产权理论仍然是一个开放性的问题。

詹姆斯·塔利在《论财产权：约翰·洛克和他的对手》中指出：

从 19 世纪初期开始，洛克的财产权理论在西方政治思想中扮演了一个颇受热议的关键角色。英国和法国的早期社会主义者将以下两点作为现代社会主义的主要哲学基础：劳动者对他们的劳动产品享有的权利和按需占有。在 20 世纪，局势有所转变，洛克变成了有限私有财产权的代言人。最近，他又成了无限私有财产权的代言人。

这或许是所有伟大文本的必然命运，它能够随着时代的变迁，不断地展现出它的各种可能性。在 1703 年写给朋友的一封信中，洛克对自己的财产权理论做出了极高的评价，他是这样说的："我没有在其他任何地方找到一个对财产权问题的分析胜过一部名为《政府论》的书。"我认为，洛克并没有夸大其词。

答问 6
每个人都必须拥有财产?

在探讨洛克的《政府论》时，我们一直在追问私有产权的问题，这个问题的重要性毋庸置疑。早在 1215 年，英国的贵族们逼迫英国国王约翰签订了《大宪章》的时候，其中就包含了保护私有产权的条款，确立了"税收法定"原则，在此后的岁月里慢慢形成了"无代表不纳税"的观念。英国历史上漫长的议会与王权之争，归根结底在于国王想绕过议会和法律直接征税，可是议会不答应。要注意的是，这不完全是利益之争，更是价值之争。著名的政治学者汉娜·阿伦特（Hannah Arendt, 1906—1975）说："在 18 世纪，尤其是在英语国家，财产与自由仍然是一致的，说财产就是说自由，恢复或捍卫一个人的财产权利，就等于是为自由而战。"在以上观念形成的过程中，洛克 1689 出版的《政府论》无疑起到了非常重要的作用。

在第 72 讲中，我介绍了洛克的一个基本想法，财产权虽然和生命权、自由权一样都是自然权利，但却是一种特殊的自然权利。财产权的特殊性在于，它不是与生俱来的，而是要通过人们碰巧做过的事情或者在他们身上发生过的事情才能得到的，比如制作了笛子，采摘了果实，播种了麦子。总之，如果一个人没有做任何事情，是不可能获得受保护的财产权的。在介绍完这个观点之后，我给大家留了一道思考题：如果财产权不是特殊权利，而是与生俱来的一般权利，那将会导致什么样的后果？

有不少朋友给我留下了非常棒的回答。"纺织杂工"、"小松"等人认为，如果财产权是与生俱来的一般权利，那就只能推论得出土地国有制甚至是共产主义的结论。还有人认为，如果财产权成为与生俱来的一般权利，那就意味着必须进行按需分配。

的确如此，如果财产权成为人与生俱来的一般权利，就会导向某种平等主义的结论。但是不是共产主义，是不是土地国有制，这需要更进一步的分析。有一个名叫杰里米·沃尔德伦（Jeremy Waldron）的学者在 *The Right to Private Property* 这本书中分析了这个问题，他认为存在着两种私有产权的论证思路，它们都是以权利为基础的。一种就是洛克和诺齐克的思路，把财产权当成特殊权利；另一种则是黑格尔的思路，把财产权当成一般权利。

黑格尔认为，拥有财产对于个体的伦理发展至关重要。试想，我们为什么要给贫困家庭提供基本的生活补助，为什么要尽可能地建立和完善社会保障体系，为什么要建立希望小学，归根结底都是因为，一个人如果想要自我发展，就必须拥有一定数量的财产。正是因为拥有财产对于个体的伦理发展至关重要，所以黑格尔才会主张"每个人都必须拥有财产"（everyone must have property），沃尔德伦认为这个判断包含了社会再分配的观念，因为"我们不能一方面论证说拥有财产对于伦理发展是必需的，然后另一方面又对那些无产者的道德和物质困境毫不关心"。

有意思的是，仔细考察洛克的思路，包括苏格兰启蒙运动时期的亚当·斯密等人，就会发现，虽然他们主张作为特殊权利的财产权，但是多多少少还是承认或者包含了一定程度的一般权利的观念，也就是说，他们承认必须要保障每个人都能维持生计的一般权利。相比之下，诺齐克在这方面的观点就显得非常极端，他认为任何税收都是对自我所有权的侵犯，所以诺齐克在政治光谱上属于 libertarian，我们把它翻译成自由至上主义者或者自由意志主义者，而洛克则属于 classical liberal，也就是古典自由主义者。

当然，进一步的问题就是，每个人都必须拥有多少财产？私有财产和人的伦理发展之间的关系到底是怎样的？作为一般权利的财产权是不是最终会导致共产主义、按需分配这样的结论，我认为这中间还有很多值得探讨的问题。我们无法一一展开，就拿"按需分配"来讲，我们都知道，只有在物质极大丰富的共产主义社会，才有可能真正实现按需分配。如果有人说"我现在需要有一辆宝马车"，国家肯定不可能满足他，但是如果有人说"我现在需要一笔钱供孩子上小学"，那么这种需要就是合情合理的。所以我们可以在概念上区分基本需求和奢侈需求，用罗尔斯的术语说，就是有些 goods（好东西）是所谓的 primary goods，中文翻译成"基本善"，所谓基本善的定义就是，任何一个人，无论他的理性生活计划是什么都必须要拥有的东西。每个人都有权拥有这些东西，它们是任何人与生俱来就该拥有的一般权利。

我在第 72 讲中还提了一个问题：如果世界最初是无主而不是共有的，那会出现什么样的结论？很显然，如果世界是无主的，那么我们就可以简单地按照"先到先得"的方式来获得最初的财产权。在张三和李四的例子里，张三因为跑得快，他先得到了苹果就应该合法地拥有苹果，因为那棵苹果树是无主的。但恰恰因为洛克强调世界是上帝交给所有人"共有"的，所以先到先得原则就失效了。

学友韩菁有一句评论说："我们被私有财产神圣不可侵犯的概念洗脑很久。"这句话值得做个回应，我认为正确的表述是，私有财产是神圣不可侵犯的，但是私有财产并不是可以不受法律的约束和调整的，也不是可以不受限制地累积的。古典自由主义者特别是自由至上主义者强调财产权是道德上的绝对之物（Moral Absolutes），所有的自由权最终都可以还原为财产权，这个观念在哲学上是缺乏充足有力的论证的。但是这绝对不意味着私有财产是可以随便侵犯的。对于当代中国人来说，我们更需要提醒的是这一点。

必须承认，鉴定人类的初始产权是如何获得的，这在某种意义上是一个无法完成的工作。比方说，你爸爸的爸爸的爸爸的爸爸到底是通过何种方式获得这块土地的？在这个过程中有没有违背正义的原则？因为历史太过久远，线索过于杂乱，文献残缺不全，逻辑晦暗不明，也许我们永远都搞不清楚。那么怎么办？是不是应该彻底地抹杀历史，推倒重来，重新建立起产权的大厦？还是说在尊重历史的前提下通过一些恰当的手段来调整不公正的后果。美国学者大卫·施密茨（David Schmidtz）说：无论是好是坏，我们都不可避免地背负着历史的包袱，历史的意义重大。问题不在于无论历史多么不公，我们都必须要尊重历史，问题在于，以某种方式去尊重历史会使得人们拥有一个相互尊重、相互有益的未来。

074

分裂的卢梭，统一的卢梭：卢梭的思想与人生

我的哲学入门

在进入卢梭（Jean-Jacques Rousseau，1712—1778）的精神世界之前，先来说一说我的个人经历吧。1991年，我从浙西南的一个小镇考上北大哲学系。在此之前，我只去过两个大城市，一个是上海，一个是杭州，只读过两本哲学书，一本是马尔库塞的《爱欲与文明》，还有一本是弗洛伊德的《精神分析引论》。1991年的夏天，我踏上了北上的列车，因为一些难以明说的理由，我必须先去石家庄陆军学院军训一年。一走出石家庄火车站，我就被带上了迎新的中巴车。一路上，来自天南海北的北大新生们欢声笑语，有一位来自北京的女孩和一位来自上海的男孩显得特别的欢脱，其中一位站在中巴车的中间，用眼睛扫视了一下周围的同学，大声说了一句："同在一片蓝天下！"听到这么文艺腔的表达，我心中不禁有些纳闷：莫非大城市的人都是这么说话的？那位上海男生凑到我身边问我："同学，

你是哪个系的？"我说我是哲学系的。他接着问："那你知道冯友兰吗？"我在心里嘀咕："冯友兰？是个女哲学家吗？"然后说我不知道。然后他就不搭理我了，扔下我继续跟北京女生说同在一片蓝天下的话。

那天晚上，发生了更加恐怖的事情，因为同寝室的北大同学都是这样开始彼此寒暄和问候的："请问你考了多少分？""我在福建省是第8名。""他是内蒙古的文科状元！"当时是全国统考，所以各个省之间是具有可比性的。作为浙江考生，我的考分还过得去，但是在这种赤裸裸的比较中，还是感受到了巨大的心理压力。同寝室一位来自边缘省份的男生，因为考分相对较低，那天晚上，我看他一个人默默地坐在蚊帐里面，两眼放空，发呆到天明，我知道他心里受到了多么严重的冲击。

结束了一年的军训生活，我回到北大，开始接触大量的经典著作，本源、存在、本质、真理、实体，各种超级概念就像陨石一样劈头盖脸地向我砸过来。但我面对这座巍峨雄伟的哲学大厦，却始终有不得其门而入的感觉，直到有一天我读到卢梭的著作，那扇怎么推也推不开的哲学大门忽然就打开了。他的文字和思想就像是划亮天际的闪电，虽然夜幕低垂、暴雨如注，但在闪电到来的那个瞬间，整个世界都被照亮了，那些隐藏在黑暗中的各种事物，在那一刹那纤毫毕现。比如下面这句话：

> 是怎样一长串的罪恶在伴随着这种人心莫测啊！再也没有诚恳的友情，再也没有真诚的尊敬，再也没有深厚的信心了！怀疑、猜忌、恐惧、冷酷、戒备、仇恨与背叛永远会隐藏在礼仪那种虚伪一致的面孔下边，隐藏在被我们夸耀为我们时代文明之依据的那种文雅的背后。

这些文字，不仅道出了一个年轻人的格格不入和愤世嫉俗，更重要的是，它让我恍然大悟：原来我在成长过程中体会到的那种虚伪、竞争、矫饰、攀比，以及由攀比带来的妒忌和蔑视、羞耻和虚荣，都是可以上升到哲学的理论，对接到对整个文明和时代的批判上的。

卢梭的这段话出自 1751 年写就的《论艺术与科学》，这是一篇命题作文，当时的第戎学院向全社会公开征文，题目是："科学与艺术的进步有助于改善人们的风俗吗？"

显然，卢梭的答案是否定的。今天看来，他的这个回答并没有什么了不起的。但是如果回到 18 世纪中叶，放在当时的时代语境下面，你就会意识到卢梭的回答是多么的惊世骇俗，多么的逆潮流而动。启蒙运动的主流观点尊崇理性的力量，认定可以借助理性扫除宗教迷信和政治独断；肯定科学的作用，相信科学发展可以改善人类生活；总之，在理性与科学的引导之下，人类将不断进步，最终步入一个"大光明"的时代。但是卢梭却给这种进步主义的乐观精神以迎头痛击，给出了彻底否定的回答。

卢梭是反人类的吗？

伏尔泰读完这篇论文后，给卢梭回信说："我收到了你的反人类的新书，谢谢你。在使我们都变得愚蠢的计划上面运用这般聪明灵巧，还是从未有过的事。读尊著，人一心想望四脚走路。但是，由于我已经把那种习惯丢了六十多年，我很不幸，感到不可能再把它捡回来。"

伏尔泰的这句话非常尖酸刻薄，我想对它做一个简单的分析。

首先，我们能够非常鲜明地体会到伏尔泰的写作风格，用一个词来形容，就是讽刺，这是伏尔泰的武器，而卢梭的武器则是雄辩。正如一位学者所指出的，从讽刺到雄辩，这种写作风格上的变化"标志着革命准备中的一个新阶段"，在 1750 年以前，"讽刺是哲学家们所采用的主要文体。讽刺有一种破坏作用；同时对进步事业也有很大的贡献。讽刺善于以智慧的光芒来暴露封建社会和天主教的种种荒谬可笑之处。但是讽刺的作用有它一定的限度。讽刺是宫廷或沙龙里的人物所做的事情。他们即便了解到那些荒谬可笑之处，至多不过哄然一笑而已，因为决定性斗争的时机尚未到来，而且他们本身就是些贵族或大资产者，还有等待的时间。……相反地，卢梭的雄辩却能抓着人心，它是向不能再忍受压迫的、愤恨不平的人们而发的。它不只是启发了智慧，而且还把人身上的一切潜力都发动起来"。

我特别认同这段文体学的分析。我一直认为在面对极权主义体制时，隐喻和反讽有它的价值，人们可以在心照不宣的哄堂大笑中消解权威的道貌岸然，就像海涅所说的那样，笑声拉开了专制崩溃的序幕。但是隐喻和反讽还不足以促成专制的最终崩溃，甚至还会出现一个始料未及的后果，因为通过反讽不仅可以带来智识上的优越感，同时在形式上完成了反抗的姿态，由此反而可能导致消解反讽者的革命性，失去行动的能力和勇气，从而延迟"决定性时机"的到来。在这个时候，也许需要卢梭式的雄辩才能鼓荡人心，激发斗志，最终叫醒所有的人。法国大革命的领袖罗伯斯庇尔就曾经把卢梭而不是伏尔泰奉为精神领袖，他说："卢梭是唯一一个以其灵魂的高尚和人品的伟大表现出自己是人类当之无愧的师表的人。"

其次，伏尔泰嘲讽卢梭反人类，一心想把人拉回到"四脚走路"的原始时期，这是对卢梭思想的根本误解。卢梭的确对人类文明展开了猛烈的批判，他说："出自造物主之手的东西，都是好的，而一到了人的手里，就全变坏了。"但是这并不意味着卢梭主张要返回到自然状态和原始社会，恰恰相反，在对人类社会和文明世界做出批判的同时，卢梭清醒地认识到："人性是无法逆转的。人一旦离开了纯真和平等的时代，就永远不会再回到那个时代。"既然回不到过去的黄金时代，那就只能在此时此地，建立一个全新的社会和文明。所以说，卢梭的"一个根本原则"，也是"贯彻始终的原则"，是"人是好的，社会使他变坏，但只有社会，这个毁灭一切的动因，才是得到最后救赎的动力"。只有把握住了这一点，我们才可以真正把握和理解卢梭的整体思想。

卢梭的撕裂与统一

在卢梭的身上，我们能够深刻地体会到他的撕裂性。美国学者弗兰克·M. 特纳把卢梭称为"真诚之父"，认为他是有史以来以真诚的态度打动读者的第一人。他在《忏悔录》中毫无顾忌地交待自己的一生，将人性中最不堪也最阴暗的部分放在光天化日之下，供所有人审视和批判，从他的童年、性生活经历、情人、恐惧、不安，一直到他的背叛。但是这个所谓的"真诚之父"同时又是一个充满了冲突、矛盾和撕裂的人。有人这样总结他的一生："卢梭是个剧作家却又猛烈攻击戏剧，是个道德家却又抛弃子女，是个宗教哲学家却又出于可疑的理由两度改变信仰，是个自由意志论者却又念念不忘强制，是个自然神论者却又指责其他自然神论者不信教，是个友谊的颂扬者却又与每一个人都反目成仇。"

在这张反目成仇的名单上，不仅有伏尔泰、狄德罗，还有休谟这个人畜无害的大胖子。1766 年，休谟邀请卢梭一道去英国居住，为此休谟还替卢梭向英国政府申请了一笔不菲的薪水，但是由于卢梭的被迫害妄想症发作，这对挚友最后还是以互相攻击结束了友谊。休谟这样评价卢梭：

> 他在整个一生中只是有所感觉，在这方面他的敏感性达到我从未见过任何先例的高度；然而这种敏感性给予他的，还是一种痛苦甚于快乐的尖锐的感觉。他好像这样一个人，这人不仅被剥掉了衣服，而且被剥掉了皮肤，在这情况下被赶出去和猛烈的狂风暴雨进行搏斗。

　　虽然在日常生活中，卢梭就像是一个精神分裂症患者，不仅剥掉了衣服而且剥掉了皮肤，在狂风暴雨中与天斗、与地斗、与己斗、与人斗，但是在哲学思考上，卢梭却不是一个精神分裂症患者，他的思考深谋远虑、一以贯之，在《忏悔录》中卢梭这样写道："《社会契约论》里的所有放胆之言此前已写在《论不平等》之中；《爱弥尔》里的所有放胆之言此前已写在《新爱洛伊斯》之中。"

　　在接下来的两讲中，我们将分别介绍《论人类不平等的起源》和《社会契约论》这两本书，看看卢梭是怎样回答下面这个问题的："文明人怎样才能不返回自然状态，也不抛弃社会状态中的便利，就重新获得那如此天真幸福的自然人才有的好处？"我想请你们仔细揣摩这句话的深意，正像法国哲学家朗松所说，只有在这一问题的观照下，卢梭的所有著作才可以得到真正的理解。

075

虚荣心与私有制：卢梭论人类不平等的起源

卢梭的写作动机

1750 年，卢梭 38 岁，这是他来到巴黎的第六个年头，这个来自日内瓦小城的青年虽然才华横溢，但却过得并不如意。他做过秘书、乐师、侍从等无聊的工作，尽管与狄德罗这样的启蒙运动干将成为挚友，但始终没有真正跻身巴黎文坛。卢梭渴望成名，赢得承认和尊重，同时又深深地体会到与文明世界的格格不入。这一年的夏天，他准备去探视狱中的狄德罗，结果在半路上偶然看到第戎学院的一起征文告示，卢梭抓住了这次机会，《论艺术与科学》这篇论文让他脱颖而出，成为启蒙思想界的焦点人物。五年之后，卢梭再次参加第戎学院的论文竞赛，写出了《论人类不平等的起源》，这一次他没有获奖，但此时的卢梭已经无须奖项证明自己的价值。卢梭的思想如此的与众不同，叫人心神不宁，没有人可以忽视他的存在。有位当代学者讥讽卢梭标新立异，把他的成名过程描述为"一个无名小卒找到了如何成名享誉之路"，就好像卢梭是一个精致的利己主义者。我不这么看待卢梭的写作动机，你可以质疑他的人品，反对他的观点，但不可以怀疑他在思考时的真诚性。

在《忏悔录》中，卢梭这样交代这本书的写作动机：

> 我无情地驳斥了人间的无聊的谎言，我大胆地把人们因时间和事物的进展而变了样的天性赤裸裸地揭露出来；并把"人所形成的人"和自然人加以比较，从所谓"人的完善化"中，指出人类苦难的真正根源。……我于是用一种他们所不能听见的微弱声音，向他们喊道："你们都是毫无道理的人，你们不断地埋怨自然，要知道你们的一切痛苦，都来自你们自己。"我这一篇"论不平等"就是这样的默想的结果。

这段话的关键词是"变了样的天性"。卢梭认为，人性是可以被改造的，而改造人性的最大动力来自社会和制度。话说到这里，都不会引发争议，卢梭的与众不同在于，他认为人类从自然状态进入公民社会，人性就不可避免地扭曲了，理性、艺术、科学看似在引领人类上升，其实让人类堕落！在《论艺术与科学》中，卢梭已经非常明确地表达出了这个立场，现在他需要在《论人类不平等的起源》中，用系统性的方式把这个过程完完整整地表述出来。

人类社会的四个阶段

这本书给我们展示了人类社会发展的四个阶段。

第一阶段，也即自然状态。这个时候人与人之间没有交往，孤独的野蛮人游荡在森林中，它甚至还称不上是一个人，而只是一个有局限性、和平而善良的动物。卢梭强调，此时人的生活还谈不上幸福或者不幸福，因为这些孤独的野蛮人甚至还没有形成"幸福的观念"。

　　第二阶段，卢梭把它称为"最初的人类社会"。这也是人类最幸福的时代，它比自然状态前进了一步，但是与此同时，人类没落的最初征象也开始逐渐显露出来。

　　到了第三阶段，出现了私有制，自然人发展成为"人所形成的人"，富人们为了保护财产，通过契约创造出国家。但卢梭把这种契约称作"骗人的契约"，因为它的目的是维护富人的私有产权和不平等的社会地位，它最终会发展到专制统治的顶点。

　　第四阶段，由于这种骗人的契约"给弱者以新的桎梏，给富者以新的力量；它们永远消灭了天赋的自由，使自由再也不能恢复；它们把保障私有财产和承认不平等的法律永远确定下来，把巧取豪夺变成不可取消的权利，导致难以接受的结果"，所以必须要用真正的契约来取代骗人的契约，只有这样，每一个人才可能重获自由。

　　通过以上简短的介绍，我们可以得出两点结论：

　　首先，卢梭笔下的自然状态与以前的社会契约论者特别是霍布斯完全不同。卢梭认为霍布斯只是"把从社会里得来的一些观念，搬到自然状态上去了"，也就是说，卢梭承认人与人的关系像狼一样险恶，但这是社会中的人，而不是自然状态中的人。在这个意义上，卢梭认为霍布斯颠倒了文明与野蛮，颠倒了自然状态与社会，霍布斯"论述的是野蛮人，而描绘的却是文明人"。

　　其次，当人类社会脱离自然状态，进入社会之后，不仅人性败坏，而且通过签订骗人的契约，最终将导向专制统治，彻底丧失自由，所以卢梭认为，我们必须要用真正的契约来取代这个骗人的契约。那么真正的契约是什么呢？真正的契约就是卢梭在六年之后写的《社会契约论》。所以说，《论人类不平等的起源》只是提出了问题但没有解决问题，答案要到六年后写成的《社会契约论》才真正见分晓。

人类不平等的根源

在接下来的时间里，我想重点来分析产生人类不平等的两个关键因素：虚荣心和私有制。

卢梭认为，随着语言和社会组织简单形式的发展，人性也随之开始发展，起初人具有两种特性：自爱心和自尊心。自爱心关注的是"我们自身的福祉和维持生命的手段"，自尊心"关注的是别人是如何看待我们"。在丛林里孤独游荡的野蛮人不会有自尊心，因为他还没有跟人发生接触，没有接触就没有比较，没有比较就没有落差，没有落差也就不会出现自尊心的满足或者受损。打个比方，情人节的时候，同宿舍的女生打扮得漂漂亮亮，喷着 Dior 的香水跟男朋友约会去了，而你却形单影只地枯坐在屋里读卢梭，出门的时候只能喷六神花露水。这个时候你不仅会自尊心受到严重损伤，可能还会油然而生一种嫉妒心和羞耻感。

我们需要对"狭义的自尊观"与"广义的自尊观"做一个区分。狭义的自尊观指的是人和人之间在交往的过程中，基于互惠原则给予彼此的平等尊重，这是一种良性的、积极的自尊观。但是广义的自尊观，或者说我们在日常生活中最常遇到的自尊观却是消极的、负面的，甚至是具有破坏性的，它其实就是我们常说的"虚荣心"，以及与此相关的妒忌、怨恨等一系列非道德的情感。

卢梭在《论人类不平等的起源》中对这个现象做出了非常精彩的分析，他说：

> 随着观念和感情的相互推动，精神和心灵的相互作用，人类便日益文明化。……最善于歌舞的人、最美的人、最有力的人、最灵巧的人或最有口才的人，变成了最受尊重的人。这就是走向不平等的第一步；同时也是走向邪恶的第一步。从这些最初的爱好中，一方面产生了虚荣和轻蔑，另一方面也产生了

羞惭和羡慕。这些新因素所引起的紊乱，终于产生了对幸福和天真生活的不幸的后果。

当人们发现，"只有与其他人相比较，（我）才能断定自己是幸福的还是不幸的"，就会发展出各种"魔鬼般的恶习"，比如嫉妒成性、忘恩负义、幸灾乐祸，等等。我在读书的时候，有一首歌特别流行，它是这么唱的："只要你过得比我好，什么事都难不倒，一直到老。"可是对于那些嫉妒成性的人来说，事情恰恰相反：只要你过得比我好，我就什么事都不好了。所以康德说："妒忌就是忍着痛苦去看到别人幸福的一种倾向。"

我在一篇文章中分析过这种心理状态：当妒忌心爆发的时候，你会不由自主地密切关注着被妒忌者的一言一行、一举一动，以至于在某种程度上，你简直是为了被妒忌者而活着，那个人的言行举止无时无刻不在提醒你，让你意识到自己的悲惨境地。有时候这种情绪是如此的病态，以至于妒忌者会把他人不经意的言行，解读成对自己人格的轻视和羞辱。这种想象中的蓄意羞辱，恰恰证明了嫉妒者一直在担心自己有理由被羞辱。

如果说虚荣心还是基于人与人之间的泛泛比较，那么卢梭认为，随着私有制的产生，人与人的不平等就逐渐被制度给固化下来，进而发展成为支配和服从的不平等关系。卢梭激烈地批评私有制的产生，他说：

> 谁第一个把一块土地圈起来并想到说：这是我的，而且找到一些头脑十分简单的人居然相信了他的话，谁就是文明社会的真正奠基者。假如有人拔掉木桩或者填平沟壑，并向他的同类大声疾呼："不要听信这个骗子的话，如果你们忘记土地的果实是大家所有的，土地是不属于任何人的，那你们就要遭殃了！"这个人该会使人类免去多少罪行、战争和杀害，免去多

少苦难和恐怖啊！

中国有句古话叫作"定分止争"，意思是说只有确定哪些东西是你的，哪些东西是我的，人们才有可能真正避免争执。西方人的传统观念也是如此，比方说17世纪德国法学家普芬道夫认为只有区分出你的和我的才可以避免战争。可是卢梭的观点恰好相反，他认为正是因为出现了私有制，才会产生出许多的争执和战斗。卢梭的这个想法与洛克也形成了鲜明的对比，洛克肯定私有产权，认为它会把人类带入商业文明。这样的社会虽然没有什么特别激动人心的伟大壮举，但是它的好处是不再需要我们"抛洒热血或拿生命冒险"，商业文明是一种安全的、稳固的和可以信赖的人类生活方式。可是卢梭看到的却是截然不同的景象，他认为私有制将会导致战争状态，"平等一被破坏，继之而来的就是最可怕的混乱。……新产生的社会让位于最可怕的战争状态：堕落而悲惨的人类，再也不能从已踏上的道路折回，再也不能抛弃已经获得的那些不幸的获得物，同时他们努力以赴的只不过是滥用使自己获得荣誉的种种能力，从而为自己招致恶果，并终于使自己走到了毁灭的边缘"。

卢梭指出，为了避免战争，保障自己的私有财产，富人们尝试建立起新的意识形态，通过灌输新的格言，创建新的法律和制度，"利用那些攻击自己的人们的力量来为自己服务，把自己原来的敌人变成自己的保卫者"。其结果就是——"不平等终于变得根深蒂固而成为合法的了"。最终，这种不平等会达到它的顶峰，也就是专制统治。在专制统治下，除了专制者，其余一切人都是平等的，因为他们都是零，都是nothing，这样一来，"一切又都回到最强者的唯一权力上来，因而也就是回到一个新的自然状态"。

当人类不平等的历史发展到这一步的时候，在卢梭看来，唯一的出路就是推翻眼前的这个旧世界，"扫清地面并抛弃一切陈旧的材料，以便重新建造一座美好的大厦"。

　　让我们来读一读卢梭在《论人类不平等的起源》的续集《社会契约论》里的这句名言吧："人是生而自由的，但却无往不在枷锁之中！"虽然只是寥寥几个字，但却道尽了人类的整个历史。正像麦克里兰所说，这是意识形态的基本特征，用简单的意象去思考问题，进一步化约成为一句口号或者一个标语，让最低的人类理解力能够一看就懂。"现代意识形态空想家以为了解世界很容易，世界要完美，则实行一套意识形态即可。卢梭是这些'可怕的简化者'中的第一个，是他们的原型与先驱。"

076
我们有做坏事的自由吗？
——卢梭的《社会契约论》

权力关系与自由

上一讲我们讲到，卢梭认为虚荣心和私有制是人类不平等的两个根源。虚荣心的产生，是因为人与人之间不可避免的相互攀比，由攀比带来的心理落差，以及由心理落差带来的妒忌与羞耻、虚荣与矫饰；私有制的出现则进一步固化了人与人的不平等，并且在此基础上又衍生出一整套法律、制度和意识形态。

卢梭认定文明人就此深陷枷锁之中，而且还对自由的丧失熟视无睹，他说："文明人毫无怨声地戴着他的枷锁，野蛮人则绝不肯向枷锁低头，而且，他宁愿在风暴中享自由，不愿在安宁中受奴役。"

你一定会好奇，野蛮人在什么意义上是自由的？按照卢梭的观点，野蛮人不是群居动物，而是独自一人游荡在森林里，所以他无须跟别人发生任何关系，既不用服从别人的意志，也无须使别人服从自己的意志，在这个意义上他是自由的。然而这只是"自然的自由"，而且注定不能长久，因为出于种种原因，野蛮人终归要进入社会。什么是社会？社会在本质上就是人与人的一种联合方式，任何联合都免不了出现权力关系。所谓权力关系，也就是支配和服从的不平等关系。

打个比方，昨晚我跟布谷说："你去把 iPad 拿过来。"布谷直愣愣地盯着我说："你不会自己拿吗？"这句简单的对话，展示出的就是支配与服从的关系及其断裂。这个时候，作为支配方的我应该作何反应呢？如果此时我正告布谷说："我是你爸爸，你必须服从我的命令。"那么我就是在借助父亲的权威宣告权力关系的正当性。如果我跟布谷说："信不信我会揍你！"那么我就是在借助暴力的威胁来维系权力关系。无论是哪一种方式，卢梭都会毫不犹豫地指出，这只会加深二者的不平等，作为服从方，布谷都将失去她的自由。因为按照卢梭的观点，"自由是使自己的意志不屈服于他人的意志，也不使他人的意志屈服于自己的意志"。所以对卢梭来说，理解自由的关键首先在于"不屈从"于他人的意志。卢梭痛恨一切意志的屈从，在他看来："在人与人的关系上，一个人所能遭到的最大不幸，就是看到自己受另一个人的任意支配。"沿着这条思路往下想，就会很自然地得出卢梭在《社会契约论》中的核心观点：必须要建立起这样的一种社会，在其中每一个人都不屈从于别人的意志，只有这样，每一个人才真正获得了自由。可是问题在于，既然社会是人与人的联合体，那么联合体的意志就注定与个人的意志有冲突，那么自由到底从何而来呢？

社会与道德的自由才是真正的自由

还是让我先讲完布谷的故事。在我的权威受到挑战之后，我是这样回复布谷的："你要搞清楚，是你提出要用 iPad 学习恐龙的素描画，所以不是爸爸要用 iPad，而是你自己要用 iPad，这是你的事情，自己的事情自己做！"如果此时布谷真正听懂了我的意思，明白拿 iPad 这个行为不是在服从我的命令，而是在服从她自己的命令，那么她就不会因此感到被压迫，而是认识到这个行为本身恰恰是自由的体现。可惜，布谷还没有成熟到听懂这句话的深意，于是她开始跳脚大喊，于是我只有屈从于她的意志，到卧室取回了 iPad。

回到卢梭，在《社会契约论》中，他指出："人是生而自由的，但却无往不在枷锁之中。自以为是其他一切的主人的人，反而比其他一切更是奴隶。这种变化是怎样形成的？我不清楚。是什么才使得这种变化成为合法的？我自信能够解答这个问题。"

经过上面的解释，如何解答这个问题，答案其实已经呼之欲出了，就是"要寻找出一种结合的形式，使它能以全部共同的力量来卫护和保障每个结合者的人身和财富，并且由于这一结合而使得每一个与全体相联合的个人又只不过是在服从其本人，并且仍然像以往一样地自由"。

为什么这一结合会让每一个人"像以往一样地自由"？因为这种结合方式不是让个体服从他人的意志，而是让个体在服从联合体的意志的同时就像是在服从他自己，所以个体就没有失去自由，而是仍然像以往一样自由。现在，你是不是回想起了康德的那一讲标题——自律给我自由！只不过康德是在个体道德的意义上说这句话，而卢梭则是在社会全体的意义上说这句话。

这个时候，人们获得的自由就不再是野蛮人获得的"自然的自由"，而是被"公意"（general will）所约束着的"社会的自由"，或者说是一种"道德的自由"。卢梭指出："唯有道德的自由才使人类真正成为自己的主人……唯有服从人们为自己所规定的法律，才是自由。"

所以，卢梭说的"像以往一样地自由"，这句话并不确切，更加准确的说法是：这个时候，人们将比以前的自由更自由，因为社会的自由和道德的自由才是真正的自由，此时人类真正成为自己的主人。

公意：真正的共同体追求的目标

我们现在已经触及《社会契约论》中最核心的一个概念——公意。每一个人都有自己的个人意志，个体意志总是难以协调、充满冲突，小到生活，大到政治，莫不如此。比方说，跟朋友出门吃饭时，你想吃火锅，他想喝稀粥；跟家人相处时，我想让布谷拿 iPad，布谷偏不想拿 iPad；在政治问题上，我认为特朗普不靠谱，你认为特朗普特靠谱。有的分歧可以通过相互迁就来解决，有的分歧只能通过投票表决来解决。上个周末，我们教研室硕士论文答辩，在评选优秀毕业论文时出现了不同意见，通过匿名投票，3 : 2 决定了最终人选。但是这个结果在卢梭看来，只是体现出了众意（will of all）而不是公意。所谓众意，就是通过简单的加减来合并个别意志，最终得出一个结果。卢梭认为，这不应该是真正的共同体追求的目标，因为众意着眼的仍旧是私人的利益。3 : 2 的投票结果恰恰说明大家没有同心同德，对于结果各执己见，与其说那 40% 的人认同这个结果，不如说他们是无奈地接受了这个结果，他们只是尊重表决程序的合法性，而不一定认同表决结果的正当性。卢梭认为，真正的共同体应该追求公意而不是众意，因为只有公意才着眼于公众的利益和共同的善。

卢梭的公意是一个非常玄妙的东西，简单说，公意有如下三个特点：第一，全体参与，不得代表；第二，一体适用，人人平等；第三，无关票数，旨在符合公共利益。从这三个特点我们可以引申出以下几个结论：首先，卢梭不认同英国的代议制民主。在他看来，代议制民主是虚伪的自由，英国人误认为自己是自由的，他们"仅仅在选举议会代表时才是自由的，代表一经选出，平民就被奴役，一文不值"。其次，以公意为基础结合起来的共同体，将会彻底消除不平等，实现人人平等。最后，因为公意代表了共同利益（common goods），所以公意做出的决定是永远正确的，这让公意占据了道德制高点。

强迫自由观与积极自由、消极自由

2008 年北京奥运会有一个口号叫作"同一个世界，同一个梦想"，借用这个表述，我们可以说公意的意思就是"同一个国家，同一个意志"。中文里有大量类似的表述，比如万众一心、同心同德、协力同心、齐心协力、同舟共济，心往一处想，劲往一处使，都充分表达了这种令人心向往之的崇高境界。可是问题在于，如此伟大正确的公意到底是通过什么方式得出来的呢？很遗憾在这个关键问题上，卢梭始终语焉不详，他给后人画了一张无比美妙的蓝图，但没有告诉我们如何才能实现这张蓝图。卢梭只是斩钉截铁地告诉我们：因为公意永远正确，从不出错，所以只要有人拒绝服从公意，全体公民就要强迫他服从公意。而且，此时的强迫不同于支配—服从关系中的屈从，此时的强迫是正当的、合理的，因为人们是在迫使那个拒绝服从公意的人获得自由。

这就是卢梭著名的"强迫自由观"。关于这个论点，后世有不少哲学家提出了反对意见，最著名的莫过于英国哲学家以赛亚·伯林在 1960 年代发表的《两种自由概念》。在这篇也许是 20 世纪最著名的政治哲学论文中，伯林区分了"消极自由"和"积极自由"。所谓消极自由，就是免于干涉的自由（free from），如果用大白话来说，就是 leave me alone，别来打扰我的自由；而积极自由则是去做某事的自由（free to）。需要特别强调的是，伯林认为消极自由与积极自由在一开始的时候没有太大的不同，因为无论是免于干涉的自由，还是积极去做某事的自由，归根结底都是主体的自由，都离不开那个"我"。但是当我们进一步追问的时候，消极自由和积极自由的距离就开始拉大了。我想请你们仔细思考以下三个例句：

1. 这是我想要的东西！
2. 这是我真正想要的东西！
3. 这是"真正的我"想要的东西！

你有没有觉察出这三个例句之间的不同？打个比方，你正在节食减肥，可是每到半夜 12 点，你就躺在床上饥肠辘辘、百爪挠心、天人交战，一个声音告诉你说：吃吧吃吧不是罪！另一个声音告诉你说：不可以！再这么吃下去你就是一个彻头彻尾的 loser。很显然，第一个声音来自欲望的自我，也就是低级的自我，第二个声音来自理性的自我，也就是高级的自我。所谓积极自由，就是"高级"、"真实"、"理想"的自我去统治"低级"、"经验"或"心理学"的自我，这种统治的根据在于："唯当人们在做正确的事情时他才是真正自由的"。

如果这种天人交战仅仅局限于个体自身，通常来说都是利大于弊。比如，因为自律，你从学渣变成了学霸，从胖子变成了瘦子。在这个意义上，积极自由是有正面价值的，因为那个高级的自我提醒你认识到"什么东西对人的生活是重要的"。

可是伯林指出，纵观人类的历史，这种"高级的"自我往往会突破个体的边界，在政治层面上外化成为制度、教会、民族、种族、国家、阶级、文化、政党，并且和更加含糊不清的实体，比如公意、共同利益、社会的启蒙力量、最先进阶级的先锋队、神意的显露等相同一。这个时候，起初还是自由学说的东西就成了权威的学说和压迫的学说，最终成为专制主义的有力武器。

1778 年卢梭去世，11 年后法国大革命爆发，作为卢梭精神后裔的雅各宾派奉行积极自由的原则，认为"没有人有做坏事的自由。防止他做坏事就是给他自由"。在这种强迫自由观的指引下，应运而生的不是自由、平等与博爱的人间天堂，而是臭名昭著的雅各宾派恐怖统治。根据史学家的统计，在 1793—1794 年雅各宾派专政时期，在押的犯罪嫌疑人约 30 万人，被判处死刑者 16594 人，未经判决瘐死狱中者约 4 万人。

有一句网络流行语是这样说的：一切没有解决方案的头脑风暴都是耍流氓。我们不能说卢梭没有提供解决方案，可是他的解决方案太过抽象，而且极易产生误读和扭曲。如果思想的龙种总是会收获现实的跳蚤，那么我们就需要追问：在这个所谓的龙种里是不是原本就隐藏着跳蚤的基因？

与此相关的另一个问题是，在政治领域中，那些看起来不激动人心甚至是难登大雅之堂的庸俗观点，是不是反而会带来不那么糟糕的现实后果？比方说，比卢梭年轻一代的英国效益主义者边沁就曾经这样反问卢梭："做坏事的自由难道不是自由？如果不是，那它又是什么？……我们不会说因为他们会滥用它，就应该取消愚人、坏人的自由吧？"边沁所说的"做坏事的自由"就是消极自由的一种说法，人们到底应不应该拥有"做坏事的自由"或者"犯错的自由"？如果答案是肯定的，为什么？这个问题我想留给各位自己去思考。

如何评价卢梭？

如何评价卢梭是一件异常困难的事情。我不想斩钉截铁地把卢梭判定为专制主义的支持者，在我看来，卢梭首先是一个民主主义者，他的问题在于，希望通过民主的方式去实现至善和大同，而不是多元和谐，各美其美。这种手段和目标的错位，让卢梭心向往之的"完美的民主"不可避免地滑落成为独裁和专制。

卢梭无疑是热爱自由的，"对他来说，爱自由比爱什么都深切"。可是问题在于，卢梭爱的不是以个体为单位的自由，而是以共同体为单位的、不掺任何杂质的集体自由。卢梭无疑也是热爱人类的，可是他爱的是抽象的人类，而不是具体的个人。他爱的是没有面目的底层人民，而不是近在咫尺的朋友和亲人，越是关系亲密的人他越不爱，因为爱他们就意味着要承担起一地鸡毛的现实责任。相比之下，还是爱人类更能自我感动，也更轻巧方便。

卢梭开启了文人知识分子的批判传统，与霍布斯、洛克相比，卢梭的问题意识更加深刻也更能蛊惑人心。霍布斯写《利维坦》的最直接动机就是为了解决英国内战导致的秩序问题,洛克写《政府论》是为了反对君主专制,论证混合宪政的合法性,而卢梭则是将批判的矛头直指人类文明及其对人性的异化。

在法国启蒙运动的三个代表人物中,伏尔泰教导"自由",卢梭鼓吹"民主",而孟德斯鸠则阐述"法的精神"。有人说,如果要给法兰西的"启蒙三剑客"各自树块墓碑,他的建议是:伏尔泰和孟德斯鸠应用纯白色的大理石,因为他们曾全力引导人类要走向"自由、公正和法治";而卢梭的墓碑,则要像苏联总书记赫鲁晓夫的墓碑一样,一半用白色,一半用黑色,以此来揭示他的学说之中,既有光明的一面,也有阴暗模糊的一面。就像彼得·盖伊所说:"雅各宾派以他的名义建立起恐怖统治;德国浪漫主义者把他作为解放者歌颂;席勒将他描绘为殉身于智慧的烈士。"

卢梭的一生给我们留下了大量脍炙人口的名篇,伏尔泰的思想已经成为现代世界的背景知识,但卢梭却始终像幽灵一般盘桓在舞台的中央,他的个性和思想就像是午夜时分喝下的浓咖啡,它让我们消化不良,精神亢奋,辗转反侧。

在 21 世纪的今天,这个来自日内瓦小城的天才青年的奇幻之旅仍在继续。

答问 7
卢梭是一个真诚的人吗？

我在卢梭一讲中留了一道思考题：人有"做坏事"或者"犯错"的自由吗？不少朋友都给出了很棒的回答，比如尽简茶业李强、圆圆、小松、王立强、林戈等，在此，我愿意推荐林戈的回答。她认为，让每个人时时刻刻都做十分正确的事是很高的要求，既不可能也不必要。此外，对于"做坏事"和"犯错"需要做更细致的分析，如果是因为管不住嘴巴吃成了胖子，那就是个人自由，尽管对本人有害，但是对社会整体没什么大问题。如果对社会有极大不良影响，或者威胁到共同体的存亡，那可能就需要采取强制手段了。但是这种手段底线到底在哪里，以及怎样才算是有威胁，还是需要更具体化的、因地制宜的分析。而且，"强迫自由"不见得一定要诉诸恐怖暴力，也可以是教育和教化。

我认为以上分析都非常到位。原则上，我们都希望做正确的事情，成为更好的人，但是保不定我们有时候想偷个懒，或者有些无伤大雅的小癖好，只要不触犯法律的边界，不侵害他人的权利，那么我们就有权保留这块不受他人约束和社会控制的自留地。在《两种自由概念》中，以赛亚·伯林认为，哪怕这块领地非常小，它也是弥足珍贵的，因为归根结底，这是我的生活，"我想自己做决定，而不想被别人指引；我的言行有着不可替代的价值，这源自一个事实：它是我的，而不是别人强加于我的"。

　　接下来，我想简单讨论一下这个问题：卢梭是不是一个真诚的人？我相信对于很多年轻的朋友来说，真诚是一个特别能触动灵魂的字眼，我在二十多岁的时候甚至专门为此写了一篇长文，题目就叫作《学术、真诚、人生》。我认为，真诚是理解卢梭的思想和人生的关键词。

　　在这里我想向大家推荐一本书，作者是美国著名的文学评论家莱昂内尔·特里林，书名叫《诚与真》。特里林认为在 16、17 世纪之交，欧洲的道德生活出现了一个新的要素，即自我的真诚状态或品质。他认为，真诚主要是指"公开表示的感情和实际的感情之间的一致性"。需要特别注意的是，特里林不是从个人意识出发去研究真诚的，而是特别强调真诚与文化环境之间的相关性。他指出，真诚之所以成为问题，是与"社会"的出现、个人的社会流动性增强、个体"内空间意识"的生成及"自我"的形成息息相关。

　　我认为特里林的这个分析与卢梭是一致的。在《论人类不平等的起源》中，卢梭做过一个很精彩的分析，他说当私有制出现后，"一切天赋的性质都发挥了作用，每个人的等级和命运不仅是建立在财产的多寡以及每个人有利于人或有害于人的能力上，而且还建立在聪明、美丽、体力、技巧、功绩或才能等种种性质上。只有这些性质才能引起人的重视，所以，每个人都必须很快地具有这些性质或常常利用这些性质。自己实际上是一种样子，但为了本身的利益，不得不显出另一种样子。于是，'实际是'和'看来是'变成迥然不同的两回事"。

当"实际是"和"看来是"变成迥然不同的两回事时，真诚就成了问题！卢梭的分析当然还是延续他的基本思路，在他看来，这涉及人与人之间的支配—服从关系："从前本是自由、自主的人，如今由于无数新的需要，可以说已不得不受整个自然界的支配，特别是不得不受他的同类的支配。"

卢梭的结论是："总而言之，一方面是竞争和倾轧，另一方面是利害冲突，人们都时时隐藏着损人利己之心。这一切灾祸，都是私有财产的第一个后果，同时也是新产生的不平等的必然产物。"

我们在这里不去探讨私有制与真诚之间的关系。我想指出的是，卢梭终其一生就是想要做一个完完全全的、彻彻底底的"实际是"的人，拒绝成为"看来是"的人。卢梭相信内在的自我比外部的世界更可靠，也正因如此，他宁愿忠实于内在的自我，而不愿迁就外部的世界。当他在与朋友相处的时候，当他在记录自己对于这个世界的种种反应时，卢梭承认也许会弄错事实，"但是，我的感觉是不会出错的"。

这是一个非常值得我们回味的表述。一般来说，当你弄错了事实的时候，你对于事实的反应和感觉也就出错了。经济学家凯恩斯说，当事实改变之后，我的想法也随之改变——这是理性人的一般做法。可是卢梭不是这样的，相比于忠于事实，他更忠于内心和情感。那么这会造成什么样的后果呢？

在卢梭的传记里，经常会读到这样的场景：他一面流着眼泪，一面投入对方的怀抱，无论是休谟还是沃德琳夫人。卢梭自己也说："没有什么比两个人在一起抱头痛哭的快乐，更能将两颗心紧紧地联系在一起了！"紧紧地与朋友或者爱人相拥并且哭泣，这不仅不会让卢梭感到痛苦，反而会感到快乐，而且这让卢梭认为会把两颗心紧紧地联系在一起，这个表述告诉我们卢梭是多么渴望亲密关系，多么想要与他人毫无挂碍地、水乳交融地结合成一个整体。但是问题在于，这是一个太高的要求。首先，人与人之间一般很难达到这种心心相印的状态；其次，存在着社交礼仪和社会习俗的要求或者压迫，再加上卢梭与生俱来的善感、偏激和带有病态的猜忌，其结果就是卢梭虽然在文字世界里建立起了一个相濡以沫、亲密无间的小共同体，但是在现实生活中，他却不断地与爱人、朋友产生隔阂、分歧、争吵，最后以割袍断交而告终。

卢梭曾经的挚友狄德罗这样评价他："卢梭是一个魔鬼……他说过他憎恨所有他理当心怀感激之人，而他已证明了这一点。"卢梭自己也承认："我生来就不是为了社会的，在那里一切都是强人所难，都是沉重不堪的义务。……一旦我能自由行事，我便是善良的，而且只会去行善；但只要感到了别人的束缚，我便立刻长起反骨，随心所欲——于是我便什么也不是了。"

所以说，卢梭的问题不在于他是不是一个真诚的人，而在于他是一个过于真诚的人，他只遵循内心的呼唤、自我的情感，想要成为"实际是"的那个人，而绝不肯对他人和社会迁就和让步，哪怕只是在某一时刻、某一场景下成为"看来是"的那个人。

不久前，我跟一个朋友聊天，他说有很多人特别喜欢卢梭，正是因为他在《忏悔录》中充分体现出了真诚。我认为，这个现象恰恰说明真诚在今天是一个稀缺的品质。我们总是迫于社会习俗的压力，不得不去扮演"看来是"的那个人，而不是"实际是"的那个人。因为无法免俗，我给布谷报了一些课外班，但是我坚决反对布谷参加一个名叫"小小主持人"的课外班，因为我去观摩了一堂课后发现，所有的小孩子一上舞台拿起话筒，就变成了另外一个人，嗓子情不自禁地高了八度，脸上堆起塑料花一样的假笑。这就是典型的"实际是"和"看来是"变成了迥然不同的两回事。后来我给布谷报了一个英语话剧班，那就是一个解放天性的过程，外教老师反复强调的就是你可以释放个性，完全地彻底地表达自我。相比之下，但凡在主席台上做过报告，或者在舞台上当过主持人的人，都有类似的经验——那个我好像不是我！特里林说："真诚就是'对你自己忠实'，就是让社会中的'我'与内在的'自我'相一致。因此，唯有出现了社会需要我们扮演的'角色'之后，个体真诚与否才会成为一个值得追问的问题。"

特里林还说："英雄就是看上去像英雄的人，英雄是一个演员，他表演他自身的高贵感。"我们这个时代的悲剧不仅在于，英雄只是看上去像英雄的人，劳模只是看上去像劳模的人，校长只是看上去像校长的人。我们这个时代的悲剧还在于，他们的表演也非常不成功不敬业，英雄表演不出高贵感，劳模表演不出淳朴感，校长表演不出渊博感，只能变鸿鹄之志为鸿浩之志。

回到卢梭，我认为他是一个真诚的人，当他生下五个孩子，又相继把他们寄养在孤儿院，当他一个接着一个地与狄德罗、与伏尔泰、与休谟割袍断交，都是发乎本心地认为，这就是他此时此刻的真实所感所想和所为。你可以说卢梭做错了很多事情，但你不能说卢梭是虚伪的，他足够真诚，他的问题也正在于太真诚了，以至于丧失了外在的秩序或者法度。对卢梭来说，也许正应了那句老话：一个过度考察的人生是没法过的人生。但是对于我们来说，问题也许恰恰相反。我认为，我们需要反躬自问的是这样一个问题：为什么我们出生的时候乃是原创，而到了死的时候却成了拷贝？

077
启蒙运动的黑与白

　　在上一讲中，我们提到如果给卢梭立一块墓碑，应该用一半白、一半黑的大理石。其实在很多人看来，如果给启蒙运动立个墓碑，也应该是一半用白色，一半用黑色，因为启蒙运动带给后世的既有光明的一面，也有阴暗模糊的一面。

　　这好像是一件相当悖谬的事情，因为我们知道"启蒙"（Enlightenment）的意思就是光明、照亮，五四运动时期甚至有人把它翻译成"大光明时代"。这个翻译虽然没有流传下来，但却非常准确地点明了启蒙哲人的理想：只要我们肯定理性、肯定自由平等、肯定科学，就可以给人类社会带来光明、温暖和进步。然而，事情往往比我们想象的要复杂，早在启蒙运动时期，就有卢梭站出来反对这种进步主义的乐观精神，与此同时，也有人站出来反对卢梭，认为他才是启蒙运动大合唱的杂音，而且正是这个杂音造成了难以预料的破坏性后果。随着启蒙运动的影响逐渐展开，越来越多的人开始认识到启蒙在给人类带来光明和温暖的同时，也带来了一定程度的黑暗甚至严寒。

启蒙运动与平等

比方说，启蒙运动肯定自由，可是在法国大革命期间，当吉伦特党人的"女神"罗兰夫人被送上断头台的时候，她却给世人留下了这样一句名言："自由，自由，多少罪恶假汝之名以行！"这句话提醒我们，自由这个词虽然自带光环，但并非天然正确的好东西。恰恰相反，自由是一个本身充满歧义的超级概念，围绕自由产生的纷争远比共识更多，而以自由的名义导致的压迫和专制也并不少见。我们必须要更深入地探讨自由概念的内部区分，仔细梳理和澄清古代人的自由与现代人的自由、积极自由与消极自由、形式自由与实质自由的异同，才有可能摆脱以自由的名义带来的罪恶。

启蒙运动肯定平等，可是汉娜·阿伦特认为，法国大革命之所以会失败，原因正在于最初的"自由引导人民"变成了"平等引导人民"。德国作家毕希纳曾经写过一幕反思法国大革命的历史剧，题目叫作《丹东之死》。丹东是罗伯斯庇尔的亲密战友，法国大革命的领导人之一，因为主张宽容，反对雅各宾派的恐怖统治，最终被革命法庭送上了断头台。在剧中，毕希纳这样写道：

> 市民们纷纷高呼："谁衣服上没有洞，就打死谁。""谁能念书认字，就打死谁！""谁想溜走，就打死谁！""他有擤鼻涕的手帕！一个贵族！吊到灯柱上！吊到灯柱上！""什么？他不用手指头擤鼻涕！把他吊到灯柱上！"

这时候罗伯斯庇尔站了出来，试图制止民众的骚动和暴乱，他告诉市民们："你们要遵守法律。"市民们反问："法律是什么？"罗伯斯庇尔回答说："法律就是人民的意志。"然后，市民们这样正告罗伯斯庇尔："我们就是人民，我们不要什么法律，我们的意志就是法律，尊重法律就是不再有任何法律，我们就是要把他打死。"

毕希纳的这段文字虽然只是文学创作，但却非常传神，它让我们身临其境地体会到，当人民开始不受约束地追求平等价值时，事情会变得有多糟糕，以及当人民开始以人民的名义执行法律时，法律会变得有多任意。

当外敌入侵、法国大革命面临生死存亡的时候，丹东曾经号召所有革命者说："要想战胜敌人，我们必须勇敢、勇敢、再勇敢！这样，法国才能得救。"可是在丹东身上，除了有革命者的激情，还有普通人所具有的一切毛病。当革命的激情退去之后，丹东开始感到厌倦，他厌倦革命，厌倦以道德的名义杀人，厌倦像士兵一样每天早晨按时起床，厌倦可怜巴巴的乐器弹出来的永远只是一个调子。丹东说："我想把自己弄舒服些。"把自己弄得舒服一些，这个要求一点都不神圣，不革命，这是日常的伦理而不是圣人的道德，这是消极自由而不是积极自由。你可以说丹东很任性，同时也可以说丹东很人性，这与罗伯斯庇尔以及整个法国大革命的气质形成了鲜明的对比。

作为革命的"背叛者"，丹东被送上了断头台。三个月后，罗伯斯庇尔也站在了断头台前，在生命的最后时刻，罗伯斯庇尔终于明白过来，他说："我们将会逝去，不留下一抹烟痕，因为，在人类的历史长河中，我们错过了以自由立国的时刻。"阿伦特总结说，在错过了这个"历史性时刻"之后，"革命掉转了方向，它不再以自由为目的，革命的目标变成了人民的幸福"。

千万不要以为我在反对平等价值，恰恰相反，我一直坚持认为，如果把新文化运动和五四运动视为中国的启蒙运动，那么最大限度地激发中国人的政治想象力，同时也是最深刻地改变了中国政治现实的启蒙价值，不是德先生，不是赛先生，也不是自由、人权或者理性，而是平等。平等这个价值最深刻地塑造了我们今天的政治现实，也最深刻地影响了中国人近百年来的精神结构。与此同时，也恰恰因为我们对平等的价值理解不够到位，没有很好地澄清平等与自由、权利、公正等价值的关系，没有在制度层面恰当合理地落实平等价值，所以才造成了一系列的现实困难和问题。

启蒙运动与理性

除了肯定自由、肯定平等，启蒙运动还肯定理性。说到理性，就不得不提康德的那句名言："敢于知道！要有勇气运用你自己的理智！这就是启蒙的座右铭。"康德的这句话，关键词除了"理性"，还有"勇气"。有时候我问布谷问题，当她吃不准答案的时候，就会开始变得犹豫，然后小声地跟我说："爸爸，我不知道。"布谷的犹豫是可以被接受的，因为她的理性尚不完备，她还需要别人的引导，才能慢慢学会运用自己的理性。但是，当康德说"敢于运用你的理智"时，指的不是布谷这样的未成年人，而是每一个理性能力已经得到充分发展，但却仍然不敢使用理性的成年人。康德说：

> 启蒙运动就是人类脱离自己所加之于自己的不成熟状态。不成熟状态就是不经别人的引导，就对运用自己的理智无能为力。当其原因不在于缺乏理智，而在于不经别人的引导就缺乏勇气与决心去加以运用时，那么这种不成熟状态就是自己所加之于自己的了。

借用彼得·盖伊在《启蒙时代》这本书中的话说，18世纪是一个人类"重振勇气"的世纪："这是一个神秘主义没落的世纪，一个对生活越来越怀有希望、对人力越来越充满信心的世纪，一个执着于探索和批判的世纪，一个关注社会改革的世纪，一个世俗主义日益抬头、冒险之风日益盛行的世纪。"

这对于人类来说是一种全新的体验，因为在此之前的一千多年里，整个欧洲都笼罩在宗教和神秘主义的氛围中。在我小的时候，常常会把宗教、神话和迷信这几个词放在一块说，比如"宗教迷信"。那么什么叫作"迷信"呢？简单说就是"错误地相信某物是高贵的、超俗的，或者崇高的"。这种错误的相信可以体现在宗教、艺术、政治和历史等各个方面。启蒙运动归根结底就是一场颠覆一切迷信的运动，正如康德所说："摆脱迷信就是启蒙。"

怎样才能摆脱迷信？简单说，就是把"看似高等的东西（当作）仅仅是低等事物的一个特例"。换言之，摆脱迷信的方式就是"在崇高中发现了寻常，把神圣还原到了平凡，或者证明高贵者并不值得尊敬"。《圣经》中记载过很多耶稣的神迹，比方说把水变成酒，在海面上行走，等等，可是如果我们用魔术来解释把水变成酒，或者当看到"在海面上行走"的时候，联想起铁掌水上漂裘千仞的孪生兄弟裘千丈，那么这些神迹就变成了骗人的把戏。

这是一种剥落"金身"、暴露泥胎的暴力解释法。它几乎必然地导致拒绝崇高、解构神圣的结果。恩格斯曾经高度评价启蒙运动，他说，启蒙运动"不承认任何外界的权威，不管这种权威是什么样的。宗教、自然观、社会、国家制度，一切都受到了最无情的批判；一切都必须在理性的法庭面前为自己的存在做辩护或者放弃存在的权利。思维的悟性成了衡量一切的唯一尺度"。

可是在反对者看来，启蒙运动在反对一切权威和一切成见的同时，自身却立足于一个"根本的成见"，那就是一个"反对成见本身的成见"。事实上，从恩格斯的那段话中可以看出，启蒙运动者在反对迷信的过程中存在着三个阶段：起初人们反对一切"错误地相信"，接着人们有意无意地删去了错误二字，开始反对一切"相信"，最后人们重新建立起新的迷信。也就是说，启蒙在破除迷信的过程中自身成了迷信，在消解神话的过程中自身成了神话，在很多反对者看来，这恰恰体现出人类理性的独断专横和自以为是。

启蒙运动与多元

启蒙运动除了肯定自由、肯定平等、肯定理性，同时也肯定多元。正如麦克里兰所指出的，对多元主义的追求本身就隐含着节制和宽容。换句话说，没有哪种价值应该占据支配性的地位，哪怕自由也不行，所以我们必须要在具体的语境中小心谨慎地平衡各种价值的关系，努力保持一种互相制衡、多元共生的生态环境。当然，就像我们在古希腊那几讲中反复强调过的那样，真正的问题在于，人天生是一个僭越性的动物，"凡事勿过度"这句古希腊的德尔菲神庙上的箴言对于我们来说，也许是一个可望而不可即的理想目标。事实上也是如此，当生而自由变成强迫自由，当人人平等变成彻底的平均主义，当理性取代迷信成为新的迷信，当多元主义蜕变成为相对主义甚至虚无主义，启蒙运动就走向了自己的反面，启蒙运动的白就变成了启蒙运动的黑。

也许你会疑惑，为什么不可以用一两句话来介绍启蒙运动，简洁明快，一目了然，这样多好？对不起，我就是想要打破你们的刻板印象，告诉你们启蒙运动绝对不是一片光明，而是存在着阴暗、模糊甚至黑暗的一面。

说了启蒙运动这么多的坏话，我想要做一个特别的澄清：我不是一个反启蒙主义者，恰恰相反，我是一个坚定的启蒙主义者。尽管从思想史的角度出发，启蒙运动终结在19世纪的前三十年，可是我并不认为启蒙已经死了，恰恰相反，我完全认同康德在《什么是启蒙》一文中说的这句话："如果有人问：'我们现在生活在一个启蒙了的时代吗？'那么答案是：'非也，但我们确实生活在一个启蒙的时代。'"

即使是在21世纪的今天，我们仍然生活在一个启蒙的时代，而不是一个已经启蒙了的时代。因为归根结底，跟18世纪的欧洲人一样，我们每一个人都要担负起"摆脱自我招致的不成熟状态"的责任，在这个意义上，启蒙是自我启蒙，而不是被启蒙。

黑格尔肖像，平版印刷画，德国插画家 Julius Ludwig Sebbers（1804—1837）作于 1828 年。

078

自由的黑格尔，保守的黑格尔：
黑格尔的思想与人生

崇尚自由的黑格尔

1791 年，法国大革命爆发的第三年，德国图宾根大学的一群年轻人在校园里种下了一棵树，他们把它命名为"自由之树"。年轻的黑格尔（Georg Wilhelm Friedrich Hegel，1770—1831）和比他更年轻的谢林一起参与了这项活动。这个举动既是在致敬法国大革命，更是在憧憬和期许德国的未来。

有句话是这么说的：一个人在 25 岁之前不是自由主义者，那他就是没有良心的；一个人过了 25 岁之后不是保守主义者，那他就是没有大脑的。我对后半句话有保留意见，但是完全同意前半句话。1791 年，黑格尔年仅 21 岁，在大时代的浪潮前，他很难不感到内心的激情澎湃。在黑格尔当年的纪念册里，可以读到这样的字句：

反对暴君！

　　打倒妄想绝对统治心灵的暴君！

　　自由万岁！

　　卢梭万岁！

　　如果天使有个政府，那么这个政府也会实行民主管理的。

　　最后这句话不是黑格尔的独创，而是摘抄自卢梭的《社会契约论》。青年黑格尔对卢梭推崇备至，认为法国大革命就是在实践卢梭的思想。当时的他对哲学没有太多兴趣，对康德也不太感冒，为了读卢梭，他甚至拒绝参加康德的读书班。这是一个引人遐想的细节。德国古典哲学最伟大的两个人物——康德和黑格尔都曾经对卢梭如痴如醉。当年康德为了读卢梭，甚至错过了每天下午 3 点半的散步时间，在他的书房里，只挂着卢梭一个人的画像。

　　大学期间的黑格尔是一个政治青年，而不是一个哲学青年，在跟谢林最初交往的时候，他们的主要话题不是哲学，而是政治。他们激动地讨论法国大革命，也在激动地讨论德国的未来。当时的德国还没有实现统一，相比法国这个近邻，德国是一个封建的、落后的、保守的并且分裂的国家。作为有志青年，比如 1919 年五四运动时期的那些有志青年，很自然地会着迷于到底应该如何救国这个问题。自由、平等、民主、科学，到底谁能救我们的国？这是再自然不过的一个反应。

　　1793 年，黑格尔从图宾根大学神学院毕业，此时他对哲学的兴趣日渐浓厚起来。谢林曾经给黑格尔写信说："朝霞伴随着康德升起"，"自由贯彻全部哲学而始终"。而黑格尔的回复是："我期待康德体系及其圆满成就在德国引起一场革命。"

　　这个对话我觉得非常有意思。首先要请大家注意，康德在哲学史上是以革命者的姿态出现的，他不仅发动了一场哲学上的哥白尼式革命，更重要的是，他彻底否定了此前的形而上学体系，在为理性划界的同时，也把信仰逐出了理性和知识的地盘。所以德国诗人海涅评价康德是"德国的罗伯斯庇尔"，这当然是在赞颂和肯定康德的革命性。

但是法国的罗伯斯庇尔是在现实的政治领域发动的一场真实的革命，而德国的罗伯斯庇尔——康德，却是在思想领域和观念领域发动的革命。这是德国启蒙运动跟法国启蒙运动最大的不同。马克思后来批评说，从来的哲学都是在解释世界，但重要的是改造世界。这可以看成是对德国观念论的不满，但是康德与黑格尔也许会说，改变观念就是在改变世界，而且改变观念可能才是真正彻底地改变世界。

黑格尔的忘年之交，也是德国文坛的泰山北斗歌德曾经说过一句话：

> 我所以得天独厚，是因为我出生在世界大事纷至沓来、方兴未艾的年代，我一生躬逢其盛，有幸经历了七年战争，接着是美国脱离英国，后来是法国革命，最后又是整个拿破仑时代，直到这位英雄一败涂地，等等。

黑格尔比歌德年轻 21 岁，除了七年战争，他和歌德一样共同经历了这个"世界大事纷至沓来、方兴未艾的年代"。1806 年 10 月，法国皇帝拿破仑的铁骑横扫德国，迅速占领了黑格尔居住的耶拿，黑格尔在耶拿的大街上亲眼目睹拿破仑率领大军，骑着白马从面前走过。黑格尔激动地写信告诉朋友："我看见拿破仑皇帝——这个世界精神——在巡视全城。这位伟大人物……骑着马，驰骋全世界，主宰全世界……见他一面实在令人心旷神怡。"

《精神现象学》的中文译者贺麟先生在导言里评价道，黑格尔"幽默地和具有深意地称拿破仑为'马背上的世界精神'，这话包含有认为拿破仑这样的叱咤风云征服世界的英雄人物，也只不过是'世界精神的代理人'，他们的活动不只是完成他们的特殊意图，而是完成世界精神的目的。'当他们的目的达到以后，他们便凋谢零落，就像脱却果实的空壳一样。'另一方面也含有讽刺拿破仑的武力征服的意思，认为他只不过是'马背上的世界精神'。他暗示还有从别的方面体现世界精神的英雄人物"。

关于贺麟的这个评价我想多说两句。我们经常会问一个问题，历史是谁造就的？人民，还是少数几个英雄人物、伟大人物？对此每个人都有自己的不同解释。黑格尔的解释尤其特殊，他说：历史既不是人民造就的，也不是少数几个英雄人物造就的，历史是世界精神自身目的的实现。这个说法赋予了世界精神以超乎寻常的能动性，它不是一个死物，而是一个有着能动性的活物。而且当它展开自己的历史时，并不是随机的和偶然的，而是有逻辑必然性的，这就是所谓的"历史决定论"。拿破仑不仅是世界精神的代理人，而且是世界精神在马背上的代理人。换言之，世界精神还需要别的领域的代理人，比如与马背和武力相对应的思想和观念。就此而言，黑格尔其实对自己有一个期许，那就是：他要做观念世界里的拿破仑，到他这里整个哲学史就彻底地终结了。

我想请你们思考一个问题：拿破仑是法国人的皇帝，当拿破仑征服德国、攻陷耶拿的时候，按照常理，作为德国人的黑格尔应该作何反应？似乎应该是奋起反击才对，可是黑格尔的反应却恰恰相反，他希望法军获胜。初看起来黑格尔就是一个典型的"德奸"或者"精法"，但是问题并没有这么简单。黑格尔之所以会有这样的态度，一方面是因为当时的德国四分五裂，民族国家的观念还没有形成，黑格尔虽然希望统一，但是他的民族情绪也并不是那么强烈；另一方面，也是更重要的，黑格尔认为拿破仑是法国革命的继承者，是革命家，他代表着历史的方向，他将摧毁旧的秩序，为德国开辟新的道路。所以恩格斯后来有句评论说："对德国来说，拿破仑并不像他的敌人所说的那样是一个专横跋扈的暴君，他在德国是革命的代表，是革命原理的传播者，是旧的封建社会的摧毁人。"

1814 年 4 月拿破仑退位，黑格尔在信中写道："看到一位巨大的天才自己毁灭自己，真叫人触目惊心——这是天下最悲惨的事件。"毫无疑问，一直到这个时候，黑格尔还是衷心热爱着拿破仑和拿破仑所代表的自由、平等和民主的伟大事业。

但是变化也正在发生，事实上，自 1793 年开始，当法国大革命掉转方向，背弃自由，堕入雅各宾派的恐怖统治时，黑格尔就明确表达了反对意见。在 1794 年 12 月写给谢林的一封信中，黑格尔写道："你知道卡里耶被处死这回事吗？……它揭示出罗伯斯庇尔的全部厚颜无耻。"13 年后，黑格尔在《精神现象学》中把雅各宾派的革命恐怖称为"否定性行动"，是"制造毁灭的狂暴"。

转向保守的黑格尔

到 1814 年拿破仑退位的时候，黑格尔已经 44 岁，他很快就要经历从自由的黑格尔到保守的黑格尔的转变。1816 年，黑格尔任海德堡大学哲学系教授，1818 年开始任柏林大学哲学系教授。随着时局的变化及个人身份的改变，当然也可能是因为黑格尔早就过了 25 岁的年龄，总之这时的黑格尔变得越来越爱国，也越来越保守。事实上，动议邀请黑格尔去柏林大学任职的政府大臣就是认为，在这个人心思变的时代，哲学是安定人心的最好方法，而黑格尔哲学恰恰能够在这方面起到很好的作用。黑格尔也心领神会，投桃报李，在柏林大学的就职演说中强调，精神生活是这个国家的基本特征之一，在这个国家里，"人民同君主一起争取独立，争取消灭异族的残酷压迫，争取精神自由的伟大斗争，取得了良好的开端"。

应该如何解释黑格尔的这个转变？黑格尔在一封信中写道："我已年过半百，在这充满恐惧和希望的动荡岁月中度过了 30 年，唯愿这种恐惧和希望有朝一日了却掉。可（现在）我必须明白，这个局面还要拖下去，情况将越来越糟——的确，人们在这乱世不得不这样想。"

黑格尔所说的乱世，特指的是他身处的那个环境：不仅有严酷的书报审查制度，而且官方还对大学进行严密的监控，禁止一切秘密结社，黑格尔的不少学生为了争取自由而入狱。

在另一封信中，黑格尔写道："我一方面是一个容易兴奋的人，另一方面却又喜欢安静。成年累月面临暴风骤雨，毕竟不是件愉快的事情，尽管我相信，落在我身上的至多不过是几滴雨珠。"

这个时候的黑格尔在个人学术声誉上已经达到顶峰，1820年，在给普鲁士王国总理大臣的一封信中黑格尔这样写道：我所有的科学著作的宗旨就在于"证明哲学是同一般国家性质所要求的基本原则相和谐的，直截了当地说，是同普鲁士国家有幸在（国王陛下的）英明政府与阁下的贤能领导之下，已经取得的和将继续取得的一切成就相和谐的，而我本人作为这个国家的一员，为此感到无上光荣"。

从这段话可以非常明确地做出判断，黑格尔已经成为普鲁士王国的御用哲学家，他在同年出版的《法哲学原理》导言中的一句话更是坐实了这一指控，那就是"存在的就是合理的"。这个断言在当时的德国引起了轩然大波，保守派对此大加赞赏，而激进派则坚决反对，他们认为这"显然是把现存的一切神圣化，是在哲学上替专制制度，替警察国家，替王室司法，替书报检查制度祝福"（恩格斯语）。

按照这个解释，那个自由的黑格尔似乎彻头彻尾地变成了保守的黑格尔，事实真的有这么简单吗？"存在的就是合理的"这个论断真的就是黑格尔的原意吗？关于这个问题，我们下一讲接着说。

079
凡是存在的都是合理的？
——黑格尔的历史哲学

现实的与存在的

上一讲我们提到广为流传的那句黑格尔名言——存在的就是合理的。如果这个说法成立，那么所有存在的事情，从君主专制到书报审查制度，从各种连环杀人凶手到奥斯维辛集中营，就都是合理的了。很显然，这不仅让人反感，而且让人愤怒。可是问题在于，黑格尔真的有这么反动和糊涂吗？

所谓差之毫厘，谬以千里。如果我们仔细翻阅这句话的原始出处，就会发现黑格尔的准确说法是这样的："凡是合理的都是现实的，凡是现实的都是合理的。"注意！黑格尔说的是凡是"现实的"都是合理的，不是凡是"存在的"都是合理的。那么现实和存在这两个词有什么分别？在日常生活中，普通人是混用这两个词的，但是对于一个真正的哲学家来说，在选择词汇的时候一定是大有讲究的，他们绝不会随心所欲地乱用概念。事实上，黑格尔在《小逻辑》中就对"现实的"和"存在的"做出了区分，他说：

> 在日常生活中，任何幻想、错误、罪恶以及一切坏东西，一切腐败幻灭的存在，虽常有人随便叫做现实，但是，即使在平常的感觉里，也会觉得一个偶然的存在，不配享受现实的美名。

这句话的意思说得再明白不过：这个世界上存在着很多坏东西，它们只是偶然的存在，不配拥有现实的美名。换言之，在黑格尔看来，凡是配得上称作现实的东西都是必然的存在，把这个逻辑推到极致，放眼整个宇宙，谁最具有必然性？当然是上帝，所以黑格尔认为只有上帝才是真正现实的东西。总之，黑格尔认为，所有现实的东西都是存在的，但并不是所有存在的东西都是现实的。

恩格斯对黑格尔的用意体会得非常到位，他说："在黑格尔看来，凡是存在的决非无条件的也是现实的。在他看来，现实的属性仅仅属于那同时是必然的东西，'现实性在其展开过程中表明为必然性'，所以他绝不承认政府的任何一个措施都已经无条件的是现实的。但是必然的东西归根到底会表明自己也是合理的。"

再强调一遍，对黑格尔来说，很多存在的东西只是偶然的存在，只有必然的东西才能被称为现实。所以当黑格尔说"凡是现实的都是合理的"，他的真正意思是说，凡是"必然的都是合理的"。这么去理解黑格尔，我们就能明白，他并不是在为一切存在做辩护。

放任的误读

可是敏感的读者肯定会反驳：凡是必然的都是合理的，这话看起来是没错，可好像也没有说出什么真正的内容，它就是一个同义反复，就好像在说 A 就是 A，单身汉就是没有结婚的男子，说了等于没说。我们真正关心的是，哪些东西是现实的或者必然的，为什么它们是现实的或者必然的。

这个反驳显然是有道理的，黑格尔的确存在着同义反复的嫌疑。但是另一方面，我认为黑格尔这么说是有他的理由的。

先来说外在的理由，也可以说是外部的压力。我们知道黑格尔在当时已经成为官方哲学家，但这并不意味着他没有承受巨大的政治压力。举个例子，黑格尔早在 1819 年就写完了《法哲学原理》，但是这本书在检察官的手里搁置了一年之久才最后面世，这件事让黑格尔心有余悸。因为对于写作者来说，一旦被剥夺了写作和发表的权利，那就意味着他丧失了生命中最重要的那个部分。怎么办？有的人采取"宁鸣而死，不默而生"的抗争姿态，有的人选择"小舟从此逝，江海寄余生"的退隐姿态，更多的人则是委曲求全，为了出版发行自己的思想采取某种程度的自我审查。

康德在一封信中说："实际上，我相信许多我永远也不会有勇气去说的事情，我对他们确信无疑，不过，我永远也不会去说任何我不相信的事情。"这句话稍微有些绕，但康德的意思很明确：面对严酷的政治环境和审查制度，有些话我不会说也不敢说，但这不代表我不相信这些没有说出口的话，与此同时，作为一个有良知的哲学家，我一辈子也不会说我不相信的话。

康德此语并不完全适用于黑格尔，因为黑格尔的情况更加复杂一些。首先，他肯定对书报审查制度不满，但是他也一定会根据书报审查制度进行严格的自我审查，这意味着他一定不会说出所有确信无疑的话；其次，黑格尔的个人气质相对庸俗，比较在意功名利禄，作为官方哲学家，不排除黑格尔会说出一些自己不相信的话。所以我个人认为，当黑格尔说"凡是合理的都是现实的，凡是现实的都是合理的"时，他应该明白这句话的解释空间非常之大，极有可能就被解读成"凡是存在的都是合理的"。就像罗素所说，无论初衷如何，只要把现实的与合理的相等同，就不可避免地导致"凡是存在的都是正当的"（what is, is right）这一结论。如果有人认为黑格尔没有预见到这个结果，那一定是低估了黑格尔的智力和心机。那么黑格尔为什么还是要说"凡是现实的就是合理的"呢？一个更加合理的解释就是，他放任出现这样的误读。

但是，另一方面，我认为当黑格尔说"凡是现实的都是合理的"，甚至进一步公开地宣称哲学"主要是或者仅仅是为国家服务的"，他并不是完全在说违心的话，而是有他的内在理由。

黑格尔的历史哲学

按照黑格尔的历史哲学，"世界历史不过是自由观念的发展罢了"。从波斯帝国到古希腊城邦，再到罗马时期的基督教，经由日耳曼世界的宗教改革，来到法国大革命，对黑格尔来说，漫长的人类历史不过就是自由的观念发展和展开的过程。就以法国大革命为例，1789 年，当法国大革命刚刚爆发的时候，青年黑格尔对它表示衷心地拥护，喊出了"自由万岁！"、"卢梭万岁！"的口号，即使到晚年写作《历史哲学》时，黑格尔依然满怀激情地把法国大革命比作"一次壮丽的日出"。可是当时间来到 1793 年，当法国大革命背离了自由的初衷，出现雅各宾派的恐怖统治时，黑格尔开始激烈地反对和批评法国大革命。1794 年 12 月，黑格尔在信中告诉谢林："你知道卡里耶尔被处死这回事吗？……它揭示出罗伯斯庇尔的全部厚颜无耻。"厚颜无耻显然不是一个哲学上的判断，它表达的是一个衷心热爱法国大革命的年轻人的失望和痛心。到了 1807 年黑格尔出版《精神现象学》的时候，他把这种失望情绪上升到了哲学的高度，而且把它嵌入了历史哲学和辩证思维当中。《精神现象学》中有一节叫作"绝对自由与恐怖"，黑格尔指出："法国革命令人惊讶的结果，是它经历了一个向自身对立面的转变，让人获得自由的决心，演变为破坏自由的恐怖。"

　　如果你的中学政治学得足够好，一见到"向自身对立面的转变"，就应该立刻反应过来，这意味着正题正在变成反题。可是这个说法还是过于抽象了，一定会有读者觉得不满足，忍不住会问：绝对自由到底是因为什么才会转变成它的对立面——绝对恐怖呢？简单说，黑格尔认为，绝对自由是高度抽象的自由，它具有否定一切的狂热性，不仅会破坏一切宗教秩序和政治秩序，而且要铲除一切涉嫌支持某种秩序的个人，消灭一切企图重整旗鼓的组织。因为试图消灭一切差异性和规定性，所以绝对自由就是一种否定的自由。

　　我们在日常生活中经常会说"不破不立"这四个字，但是在黑格尔看来，法国大革命并不是有破有立，而是光破不立。它只能消灭旧的制度，却无法建立起新的制度，而且在旧的制度被消灭之后，这股"毁灭的狂热"在继续吞噬自己的孩子。黑格尔认为，这种绝对自由显然是对自由和理性的误用。那么怎样才称得上正确地使用自由和理性呢？一言以蔽之，就是要与一定的法律、秩序特别是国家相结合。只有这样，才有可能从正题、反题走向合题。

　　所以说，当黑格尔主张哲学"主要是或者仅仅是为国家服务的"，他并不是在说违心的话。进而言之，当他主张"凡是现实的都是合理的"时，他也的确是在替当时的普鲁士王国，或者说，替当时的普鲁士国王弗雷德里克·威廉的统治做辩护，因为黑格尔认为到了威廉三世的时代，整个人类历史就到达了自由的顶峰。这个判断显然非常主观，让人不由得怀疑他的动机，黑格尔的保守性也恰恰体现在这里。但是我要反复强调的是，从黑格尔历史哲学的内在逻辑来说，这个结论还是有它内在的理由的，不完全是出于外部的政治压力。

黑格尔：自由与保守的合题

说到这里，我想请各位回想一下上一讲的问题：黑格尔到底是自由的还是保守的？如果按照黑格尔本人的标准，仅仅说他是自由的，或者仅仅说他是保守的，这样的论断都是片面的，不够具备辩证思维的表现，因为对黑格尔来说，他想实现的是自由与保守的合题。

借用挪威哲学家希尔贝克的观点，如果把自由主义的观点当成正题，把保守主义的观点当成反题，那么黑格尔就是想实现合题，具体说来是这样的：

正题：自由主义主张理性高于传统，个人高于社会；

反题：保守主义主张传统高于理性，社会高于个人；

合题：黑格尔认为传统是合理的，个人是社会的。

总结一下，在我看来，黑格尔无疑是有保守的一面，特别是当他把当时的普鲁士王国视为自由的发展顶峰时，黑格尔就不仅是在说"凡是现实的就是合理的"，同时也是在说"凡是存在的就是合理的"。但是如果我们撇开现实的政治判断，从理论角度去看"凡是现实的就是合理的"，我们就会意识到，黑格尔这么说其实有他的内在道理。

在探讨自由和保守的关系时，按照辩证法的思维方式，必然要包含保守的一面，但有保守的一面并不等于就是保守主义者，只有把保守的一面彻底绝对化，黑格尔才会是真正意义上的保守主义者。而黑格尔之为黑格尔，就在于他一定不会将保守的一面绝对化，因为这是反辩证法的。或者用黑格尔本人的话说，这么做就是在抽象地思维，而黑格尔是反对抽象地思维的。你一定会感到好奇，黑格尔这么抽象的哲学家居然反对抽象地思维，他到底在什么意义上反对抽象地思维，他这么说到底有什么道理？关于这个问题我们下一讲接着说。

最后我想给各位留一道思考题，黑格尔曾经说，雅各宾派的暴政"是纯粹的恐怖统治，但这种恐怖统治却是必然的和正义的……"，请问黑格尔为什么会这么说？

答问 8
黑格尔为什么说雅各宾派暴政是
必然的和正义的？

在第 79 讲的结尾处，我给大家提了一个问题：为什么黑格尔说雅各宾派的暴政"是纯粹的恐怖统治，但这种恐怖统治却是必然的和正义的……"？

学友小松给出了非常棒的回答，他说："首先，法国大革命之所以走到自身的反面，内因是根本原因。革命的本性都是对秩序的仇恨以及对破坏的痴迷，希望与野心并存，贪婪和恐惧齐飞。雅各宾派的恐怖，正是革命与生俱来的本性自我发展的结果。其次，道路是曲折的，前途是光明的。法国大革命的结果是失败的、血腥的，但是它的影响却是不容置疑的，那就是激发了更多的人去追求自由的心，这个激励、影响的作用，正是推动历史前进的世界精神的需要。综上所述，法国大革命是自由观念发展到一定阶段的必然结果，而革命本身走到其反面，是革命这种追求自由的方式的必然结果。"

这个分析非常精彩，抓住了黑格尔历史哲学和辩证法的精髓，而且表述准确，富于文采。我想在学理上稍微做些补充说明。

让我们先来复习一下第79讲的内容。黑格尔区分了"现实的"与"存在的"这对概念:凡是现实的都是存在的,但并不是所有存在的都是现实的,因为"现实"这个词是与合理性和必然性相联系的,而有些"恶的存在"并不是必然的。但是,说到这里,我要再问一句:是不是所有"恶的存在"都不是必然的?

请允许我再强调一次,对于黑格尔来说,有些"恶的存在"不是必然的,但不是所有"恶的存在"都不是必然的,因为有些"恶的存在"是现实的,是必然的。例如,雅各宾派暴政就是恶的存在,因为它"是纯粹的恐怖统治",恐怖统治当然是恶的,但是为什么说它是"必然的"和"正义的"?其实道理很简单,只要这个"恶的存在"属于历史发展过程中的某一环节,比方说,它是正题、反题与合题中的反题,那么它就具有必然性。

黑格尔有个著名的观点认为"恶是历史发展的动力的表现形式"。请注意,千万不要忽视"表现形式"这四个字,黑格尔并不是在说"恶是历史发展的动力"。历史发展的动力不是恶,而是自由的观念的自我展开,但是在这个展开的过程中,正题却必然会倒向反题,在这个意义上,黑格尔说,恶是历史发展动力的"表现形式"。

那么另一方面,正像小松所说:道路是曲折的,前途是光明的,虽然存在着光明与黑暗、自由和强制的反复争夺,但按照黑格尔历史决定论的思路,最后获胜的还是光明和自由。

说到这里,我想再举一个例子。有一位哲学家叫费希特,他比黑格尔年长八岁,和谢林、黑格尔一道都是后康德时代德国古典哲学的代表人物。费希特曾经这样批评他的时代,他说这是一个"罪恶实现其自身的时代"。我想请大家仔细体会这句话。如果费希特说这是一个罪恶的时代,那么他就只是在做一个简单的道德控诉,当他说这是"罪恶实现自身的时代",他就是一个哲学家,而且还是一个有着辩证思维的哲学家。因为这里多出了"实现"二字,多了这两个字,费希特就不仅是在谴责"罪恶"的现象,而且还把"罪恶"

当成了历史发展过程中的必要环节，并且赋予了世界历史以某种能动性，进而他把"罪恶"当成了历史发展动力的表现形式。换句话说，费希特把整个历史当成正题、反题与合题的辩证发展过程，当它处于反题也就是罪恶的时代时，它也仍在发展，而且必须要充分地实现和完成这个反题（罪恶），只有这样才能够物极必反，否极泰来，迎来转向"合题"的时机，这就好像果子只有熟透了才能从枝头落下。所以，在这个意义上，雅各宾派的恐怖统治虽然是恶的存在，但根据黑格尔的观点，它是必然的。

现在我们来讨论黑格尔为什么把雅各宾派的恐怖统治称为"正义的"。如果说"必然的"还是一个比较客观的描述，那么在我们普通人的语感里，"正义的"无疑是一个正面的、积极的道德评价。但是黑格尔显然不是在歌颂雅各宾暴政，所以唯一的解释就是，至少在这个命题当中，黑格尔对正义一词做了非道德化的处理，也就是把它当成一个客观的描述。在这个语境下面，"正义的"应该与"合理的"是相近的意思。

接下来，我要说一些没有经过严谨地学术论证的内容，这只是我在学术上的一些个人推断。我认为马克思对正义概念的使用直接受到了黑格尔的影响，因为马克思曾经说过资本主义生产方式是"正义的"。这个说法初看起来非常不可思议，因为我们知道马克思曾经非常严厉地批判过资本主义制度，那么他到底在什么意义上主张资本主义生产方式是正义的呢？

我的理解是这样的：首先，马克思认为资本主义生产方式是"正义的"，与马克思认为资本主义生产方式是"道德的"，这是两个不同的判断。马克思从未说过资本主义生产方式是道德的，但他的确说过资本主义生产方式是正义的。他和黑格尔一样，都对正义这个概念做了去道德化的处理。

其次，马克思不认为存在抽象的、普遍的"自然正义"，只存在具体的、特殊的正义。也就是说，正义与否是跟特定制度、特定历史阶段相关的判断。这个区分非常类似于自然法与实证法的区分，如果只有实证法而无自然法，那么就只有合法性（legality）而无正当性（legitimacy）。同样的道理，在马克思看来，只要一种分配方式是符合资本主义生产方式和经济秩序的，那么按照资本主义的内部标准，它就是正义的。这是一个初看起来非常荒谬的结论，按照资本主义的标准资本主义是正义的，这就好比在说按照我的标准我是最棒的。很显然，这会进一步导致价值相对主义的难题。马克思不会没有意识到这个难题，所以当他仍然坚持说资本主义是正义的之时，唯一合理的解释就是，此时正义这个概念已经失去了道德评价的功能，它更接近于"合理的"、"合法的"这些表述。我们可以说正义这个概念对马克思来说是描述性的，而非规范性的。

第三，我认为，从马克思主义的内在逻辑出发，任何历史阶段都有一定的合理性，资本主义的生产方式同样有其合理性，特别是在资本主义往成熟期发展的过程中更是如此。所以从实证法的角度而非自然法的角度把资本主义描述为正义的，这是符合马克思的内在逻辑的。就好像把雅各宾派暴政描绘为正义的，这也是符合黑格尔哲学的内在逻辑的。

最后，我认为，马克思肯定也意识到了这么使用正义概念会造成理解上的混乱，所以他很少使用正义这个概念。有意思的是，黑格尔也很少使用正义概念，有人检索过20卷本的《黑格尔著作集》，结果发现，黑格尔只提到过133次"正义"（Gerechtigkeit）概念，这是一个非常小的比例。我认为这个现象表明，对黑格尔和马克思来说，正义不是一个称手的概念工具。关于这个问题的内在理由我在前面已经说了，还有一个可能的外在理由是，当时有很多学者和作家在不同意义上使用正义这个概念，黑格尔和马克思都不想再使用这张被用旧了的，沾满了口水、灰尘和细菌的钞票，这有点像我不太愿意用初心这个词一样。马克思更愿意直接用剩余价值、异化来描述资本主义的生产方式，或者用盗窃、抢劫这样的日常用语来谴责资本家对工人的剥削。只要当他偶然地使用正义一词时，就会出现资本主义是正义的这种在今天看来很奇怪的表述。

总结一下，黑格尔之所以主张雅各宾暴政是必然的与正义的，与他的历史哲学和辩证逻辑有着密不可分的关系，特别是当他在使用"正义"的时候，他是在非道德化的意义上使用，我们完全可以把它等同于"合理的"、"现实的"这样的表述。

这个答疑内容比较抽象和哲学，但我觉得这是一个非常有趣的问题，希望各位能有所收获。

080
谁在抽象地思维？——黑格尔观念论入门

黑格尔的"网红"文章

上一讲的结尾处，我们提到黑格尔反对抽象地思维。初看起来，有点贼喊捉贼的意思。因为黑格尔的抽象和晦涩可以说是举世无双，独孤求败。据说黑格尔临终前曾经不无懊恼地说"只有一个人真正理解我"，过了一会儿又说，"不，一个也没有"。

黑格尔不仅文章写得难懂，课也讲得糟糕，当年在耶拿大学求职的时候，他的首场演讲简直就是一场灾难。黑格尔在一封信中承认："我在耶拿的初次讲演给人们留下一个偏见，认为我讲课既不流利，也不清楚。"但是黑格尔认为自从到纽伦堡中学担任校长之后，自己的讲课技巧有了长足进步，他在信中接着说："在中学教书八年，至少使我能够讲课讲得流利些了。要达到这一点，任何别的办法都不及在中学教书来得可靠；同时，这也是使讲课讲得清楚些的一种适当办法。"

　　有趣的是，就是这样一个抽象思维的黑格尔，居然在 1807 年写了一篇题为《谁在抽象地思维》的文章，不仅举例生动，而且文字活泼，就像是出自微信公号的大 V 之手。海德格尔曾经力荐此文，认为这是德国观念论最好的入门读物，也是他能想到的向普通人说明如何才能进行哲学思考的最佳范本。

　　做了这么多的铺垫工作，你一定非常好奇黑格尔到底都说了些什么。我先把黑格尔的基本论点告诉你们，他认为，在现实生活中，往往不是有教养的人（the educated）喜欢进行抽象地思维，反倒是没有教养的人（the uneducated）最喜欢抽象地思维。"没教养"这个词在今天看来有些歧视的味道，我们不用管这些言外之意，关键是，黑格尔的这个文章立意就显得非常与众不同，可以说是在挑战人们的常识。

　　黑格尔说的到底有没有道理呢？还是让我们来看一下他举的例子吧。黑格尔说，当一个凶手被押往刑场的时候，在普通人眼里，他不过就是一个凶手。而有些太太小姐们也许会说，他还是个强壮的、俏皮的、逗趣的男子。普通人听了这个说法后，会觉得非常骇人听闻：什么？凶手俏皮？怎么能想入非非，说凶手俏皮呢？你们大概比凶手也好不了多少吧。深谙世道人心的牧师听了这个说法，会补上一句评论：看看，看看，这是上流社会道德败坏的表现！

　　请问，在前面提到的三种人里，到底谁在抽象地思维？普通人、牧师，还是那些太太小姐们？黑格尔认为，普通人和牧师都是在进行抽象地思维，因为他们仅仅用"凶手"这一个标签去理解这个人。黑格尔接着说：

　　　　研究人的专家则不然，他要考察一下这个人是怎样变成罪犯的，他会从他的生活经历和教养过程中，发现他的父母反目已久，发现他曾经为了轻微的过失而受到某种严厉的惩罚，于是他对社会怨怨不平，接着还发现他刚一有所反抗，便被社会所摒弃，以致如今只靠犯罪才能谋生。——大概有不少人听了这番话会说：他想替凶手辩护呀！我不禁想起年轻时候听人说过，一位市长发牢骚，说作家们搞得未免过分，竟然想挖基督教和淳厚风俗的墙脚；有位作家甚至写小说为自杀行为作辩护；可怕呀，真可怕！——经过进一步了解，原来他指的是《少年维特之烦恼》。

黑格尔这段话写得非常幽默俏皮，他的意思是说，发掘凶手的成长历程及其他品质，并不等于在为凶手辩护，而是在尝试理解凶手，用历史的眼光、发展的眼光和整体的眼光去理解他何以至此。反之，黑格尔指出，如果"在凶手身上，除了他是凶手这个抽象概念之外，再也看不到任何别的东西，并且拿这个简单的品质抹杀了他身上所有其他的人的本质……这就叫做抽象思维"。

为了支持他的论点，黑格尔还举了一个特别有趣的例子。一个女顾客对女商贩说："呀，老太婆，你卖的是臭蛋呀！"结果那个女商贩恼火了，说："什么，我的蛋是臭的？我看你才臭呢！你敢这样来说我的蛋？你？要是你爸爸没有在大路上给虱子吞掉，你妈妈没有跟法国人跑掉，你奶奶没有在医院里死掉——你就该为你花里胡哨的围脖买件称身的衬衫呀。谁不知道，这条围脖和你的帽子是打哪儿搞来的；要是没有军官，你们这些人现在才不会这样打扮呢；要是太太们多管管家务，你们这些人都该蹲班房了——还是补补你袜子上的窟窿去吧。"总而言之，她把那个女顾客骂得一钱不值。

黑格尔说，这个女商贩就是在抽象地思维，仅仅因为女顾客说了一句她的蛋是臭的，得罪了她，于是就把女顾客全身上下编派了一番——从围脖、帽子到衬衫，从头到脚，还有她爸爸和所有其他亲属，一切都沾上了那些臭蛋的气味。

看完这段对话，你是不是觉得特别眼熟？没错，在微博、微信以及一切公共平台上，我们常常见到的就是这种以偏概全的抽象思维。比方说，鹿晗是曼联的粉丝？他一定在炒作！什么，你居然喜欢日本文化，你这个精日分子！崔永元揭露阴阳合同，嗯，他是正义的化身。凡此种种判断，都是抽象思维的表现形式。可悲的是，多数人不仅没有意识到问题所在，反而自鸣得意地认为自己目光如炬，一针见血，能够透过现象看本质。可是按照黑格尔的观点，仅仅用一个词或者一句话去静态地、片面地总结概括一个人或者一件事，恰恰是没有教养的体现，是黑格尔所反对的抽象思维。

阿尔森·古留加在《黑格尔小传》中说："抽象地思维就是幼稚地思维。"什么是幼稚地思维？比方说，小时候看电影，我最喜欢问：爸爸，这是好人还是坏人？就像布谷现在最喜欢问：爸爸，他这样做到底对还是不对？对错好坏，这些评价当然都很重要，但是如果我们的字典里只有对错好坏这几个字，如果我们看待世界、理解他人的尺度只有这几个标准，那么我们就是在抽象地思维，就是在幼稚地思维。

有些读者可能会疑惑，这篇小杂文虽然很精彩，但凭什么说它是进入德国观念论的最佳入门读物呢？我的理解是这样的：首先，从写作时间上看，这篇小文章成稿于 1807 年前后，与《精神现象学》的出版时间正好同年；其次，当黑格尔反对"抽象地思维"时，我认为他一定想到了《精神现象学》中提到的意识发展的第一阶段，也就是所谓的"感性的确定性"，因为"感性的确定性"就是典型的"抽象地思维"或者"幼稚地思维"；第三，所谓"抽象地思维"，换个说法就是在追求"抽象的普遍性"，而这正是《精神现象学》着力批判的一种思维方式。

《精神现象学》：个体意识与人类精神的成长史

接下来，我会给大家简单介绍一下怎么阅读《精神现象学》。这本书是黑格尔早期的著作，非常有名，它与后期的《逻辑学》并列，都是黑格尔的代表著作。马克思把《精神现象学》看作"黑格尔哲学的真正诞生地和秘密"，意思是说，在这本书中，我们可以找到黑格尔哲学成熟期的所有胚胎和萌芽。

先来破题，《精神现象学》这个书名包含两个核心的概念——"精神"与"现象学"。"精神"译自德文 Geist，学术界通常把它译成精神（spirit），而不是心灵（mind），原因主要有两个：第一，心灵这个词更多地意味着某种内在的、个人的东西，而精神则包括了比个人心灵更广阔的内容，比如一个群体或一个民族的精神；第二，精神还包含了意志和欲望，而心灵更多的只是指思想与理智。

至于"现象学"这个词，按照贺麟先生的解释，就是指从现象去寻求本质，由普通意识达到绝对意识的过程和阶梯，所以，现象学是导入逻辑学或本体论的导言或阶梯。

其实这本书虽然深奥难懂，但主题却与我们每个人都息息相关，我们可以把它作为一本"成长小说"来阅读，小说的主人公不是别人，就是我们自己，也就是说，我们可以把它作为个体意识的成长史来看，另一方面，也可以把它作为人类整体的精神成长史来读。不过这毕竟是一本哲学著作，不是小说，所以肯定要舍弃掉偶然的、经验的事实，提纯出更为抽象的、本质的东西。比如，有的人在童年时期因为父母双亡而迅速地成熟起来，有的幸福快乐地度过了童年，但这并不妨碍他可以借助别的因缘成熟起来，每个人经历的事情不同，但是成长过程的逻辑结构是一致的。

在每个人的成长过程中，总是会遇到各种挫折和磨难。有学者认为，《精神现象学》好比是歌德的成长小说《威廉·迈斯特的学习时代》的哲学版本。这本小说里有一句流传甚广的金句——"未曾哭过长夜的人，不足以语人生"。为什么会在深夜里痛哭？借用挪威哲学家希尔贝克的说法，是因为在精神的成长过程中，我们时常会在特定时刻发现"基础动摇了"，"发现在意识中出现了这样一个内部张力：一方面是我们认为自己所是的，另一方面是我们实际所是的。天真状态被打破了，'否定性的力量'发挥了它的功效"。

坦白说，当我读到希尔贝克的这个解读时，立刻联想到了卢梭对于"实际是"和"看来是"的区分，以及他对人类天真状态不可避免地丧失的惋惜之情。黑格尔无疑深受卢梭的影响，但是不同于卢梭的是，黑格尔对于天真状态的被打破并不感到惋惜，在他看来，精神若要取得发展，恰恰就需要这种"决定性的否定"。正是通过不断地自我否定和克服，精神才能够得以成长，也就是所谓"未曾哭过长夜的人，不足以语人生"。

如果用旅程作为比喻，我们可以说这是一个非常漫长的、一个阶段接着另一个阶段的精神之旅，当它来到终点的时候，也就是黑格尔所谓的"真正的知识"或者说"绝对知识"。

薄概念与厚概念

现在，还是让我们先来到这个精神之旅的起点处，黑格尔把它称作"感性的确定性"，这是意识发展的最初阶段。什么叫感性的确定性？简单说，就是人们经由感官感受到的外部事物，但因为缺乏具体的概念对它们进行区分，于是只能用"这一个"或者"那一个"这样的表述。比方说在布谷牙牙学语的阶段，总是会非常着急，因为她无法用概念区分苹果和梨子、桌子和凳子，所以她只能焦急而无助地嚷嚷："我要这个，就是这一个，这一个！"仔细想一想，就会发现，她是在不同的语境中用"这一个"指称所有对象，比如苹果、梨子、桌子、凳子，在不同的场景中，"这一个"的具体内容一直在变化，时而指苹果，时而指梨子，时而指桌子，时而指凳子，唯一不变的是"这一个"本身，用哲学的术语来说，此时"这一个"就不是个别性的东西，而是一个共相。

但是，这个共相显然过于抽象了，它不能帮助我们去确定具体事物之间的差异，所以说这是一种"抽象的普遍性"。看到这里，你有没有意识到一个很有趣的问题——对黑格尔来说，有时候感性恰恰是抽象的和普遍的，概念反而可能是具体的、特殊的，这与我们日常的认知恰好形成鲜明的对比。

请允许我再举个例子，假设我们现在已经能够区分椅子和桌子，但还是无法很好地区分不同的椅子，比如交椅、官帽椅、太师椅、玫瑰椅、圈椅、靠背椅、宝座，等等。那么，当我们在给别人讲述椅子的时候，我们还是只能这么说："就是那一种椅子，那一种，你知道的！"此时，我们就仍然停留在抽象的普遍性中，还没有进入具体的普遍性。为什么出现这样的情况？因为我们缺乏通过具体的概念去把握对象的能力，所以我们无法有效地在同一性中区分差异性。这就好比我们说某人是好人，但是他到底好在哪里？是为人慷慨大方、忠厚老实、正义勇敢，还是优秀杰出？显然仅仅一个好字是无法帮助我们更深地理解的。在这个意义上，我们可以说好坏对错都是一些"薄概念"，而慷慨、勇敢、吝啬、懦弱则是一些"厚概念"。薄概念只能提供抽象的普遍性，而厚概念才能帮助我们把握具体的普遍性。

黑格尔有一句名言："黑夜中所有牛都是黑色的。"意思是说，原本有的牛是黑色的，有的牛是黄色的，有的牛是花色的，它们虽然都是牛，但存在着差异性，但是黑夜抹去了所有的差异性，只剩下虚假的同一性——它们看上去都是黑色的。而真正的哲学需要在差异性中把握同一性，同时在同一性中区分差异性。

我希望各位通过这一讲，能够了解黑格尔哲学的一个基本立场：他反对绝对的、片面的、静止的看问题的方式，主张辩证的、整体的、发展的看问题的方式，也就是说，要从"抽象的普遍性"发展到"具体的普遍性"，而这个辩证的历程正是从批判"抽象的普遍性"也即批判"抽象地思维"开始的。

081
为承认而斗争：黑格尔论主奴关系

上一讲我们介绍了黑格尔的短文《谁在抽象地思维》，在这篇文章中还有一个例子，也非常耐人寻味，这一次的主角是仆人。黑格尔说，当普通人遇到仆人的时候，通常会摆架子，把对方只当作仆人来看待，因为普通人只会抽象地思维。相比之下，法国的主人和仆人的关系要好很多，他们的关系非常亲密，就像知己一样，单独相处的时候，主要是仆人在说话，主人不过是抽抽烟然后看看表，其他的事情都让他的仆人做主。为什么会出现这么奇特的情况？黑格尔的解释是，法国的主人深知仆人不仅仅是仆人，深知仆人熟悉城里的消息，认识本地的姑娘，会深谋远虑，因此在法国的主人面前，仆人不仅有权回答问题，还有权提出话题，发表自己的观点，并为之辩护；而当主人想要什么东西的时候，他不是勒令仆人，而必须提出观点并用理由说服仆人，最后还得对仆人说几句好话，好让自己的观点被接受。

上述例子告诉我们不要抽象地思维，先入为主地认为仆人只是仆人。这个例子还隐含着人人平等的意思。当然，更重要的是，这个例子与《精神现象学》中最著名也最有趣的一个主题息息相关，那就是"主奴关系"。

为什么我们渴望被人需要

因为主奴关系的讨论出现在"自我意识"的阶段，所以我们先来探讨什么叫作自我意识。看电影的时候经常会遇到这样的桥段：某人因为车祸晕了过去，当他醒过来的时候，医生通常会问他两个问题："你叫什么名字？"然后再伸出两根手指比画着问："这是数字几？"如果回答都正确，那就意味着他恢复了意识，因为此时他不仅明确地意识到了自我，还能对自我和对象做出有效的区分。科学研究表明，人类婴儿大概在 18 个月后才产生自我意识，证据之一就是，当他照镜子的时候会意识到里面的那个人就是他自己。

对于黑格尔来说，自我意识同样需要通过照镜子来进行确证，只不过这面"镜子"不仅指物理意义上的镜子，还包括别的自我意识，黑格尔认为自我意识只有在另一个自我意识中才能得到满足。这句话的意思是说，只有通过与别的自我意识对峙，人们才能形成自我意识，也只有通过与别的自我意识的对峙，人们才能发展自我意识。

2018 年的高考作文题有些地区题目出得惨不忍睹，但是上海卷却非常棒，它是这样出的："生活中，人们不仅关注自身的需要，也时常渴望被别人需要，以体现自己的价值。这种'被需要'的心态普遍存在，对此你有怎样的认识？"如果有考生读过黑格尔的《精神现象学》，知道黑格尔关于"主奴关系"和"为承认而斗争"的学说，那么他极有可能会拿高分，除非批卷的老师看不懂。

为什么人们时常渴望被别人需要？为什么这种"被需要"可以体现自己的价值？关于这些问题，彼得·辛格举过一个特别棒的例子。他说从中国等一些国家为了获得外交承认所做的努力，以及其他一些国家为了阻碍其获得外交承认所做的努力可以看出，外交承认对于一个国家来说有多重要。外交承认有什么特点？首先，它显然是在承认某种已经存在的东西；其次，它又能使某种不够一个国家的东西变成一个完全的国家。所以你会发现，这些特征与自我意识需要得到别的自我意识的承认，在道理上是完全一致的。

从自我意识的对峙到主奴关系的确立

可是问题在于，按照黑格尔的观点，当两个自我意识相互对峙的时候，最初的冲动却是要打倒对方、消灭对方和摧毁对方，因为只有这样才能真正确立起自身的独立性。面对这种生死存亡的斗争，逻辑上只可能出现三个结果：

1. 两败俱伤，共同毁灭；

2. 你死我活，或者你活我死；

3. 一荣一损，但共同存活。

试问如果是你，你会倾向于选择哪个结果？显然，两败俱伤，共同毁灭是最糟糕的结局。第二个结果也不那么好，被毁灭的自我意识就不用说了，即使是存活下来的自我意识，也不会对这个结果感到满意，因为缺少了另一个自我意识，也就失去了被承认的机会。这样看来，第三个结果就成了最佳的结果。所谓狭路相逢勇者胜，有的自我意识因为勇敢而取得了胜利，另一些自我意识因为恐惧而败下阵来，选择俯首称臣。

我从小生长在浙西南的一家国防工厂，北边有一座村庄，南边也有一座村庄，两个村子的孩子都到我们的子弟小学来上课。工人子弟和农民子弟之间有着很深的隔阂，前者自觉高人一等，后者则为了承认而斗争。所以，每当下课铃声一响，我们就会不约而同跑到操场上打架。我的制敌之道就是，每当别人打我一拳的时候，我不仅不向后退，反而会向前再进一步。所以慢慢地，我就在学校里赢得了一个美誉：周濂打架不怕疼。一旦我赢得了这个美誉之后，我就无往而不利了。

回到为承认而斗争的过程当中，那些不畏惧死亡、勇往直前的人就成了主人，而那些害怕死亡、胆小怯懦的人，就成了奴隶。如此，主奴关系就算是形成了，但是这个故事并没有讲完。

我想请你们思考一个问题：对于主人来说，来自奴隶的承认会让他真正感到满足吗？换个说法，如果你是主人，你最希望得到谁的承认？

《中国新闻周刊》有个宣传口号，叫作"影响有影响力的人"。仔细琢磨一下这句话，虽然有浓厚的精英主义味道，但却道出了小至个人、大到国家的心声。尽管我们希望获得尽可能多的承认，但归根结底，我们希望得到我们真正在乎的人的承认，这样的人一定是与你地位平等的人，甚至是比你更优秀的人。所以，回到主奴之间的关系，很显然，来自奴隶的承认，并不能真的让主人感到满足。

另一方面，对于奴隶来说，他们也得不到来自主人的完整承认。所以主奴关系是一种不对等的承认关系：主人拥有承认，但并不满意，奴隶缺乏承认，所以总是试图为了承认而斗争。这种不对等构成了基本的"社会矛盾"，而"矛盾"则必然会推动主奴关系乃至于整个社会制度的演变。

说到这里，我想稍微岔开去说一说美国内战之前关于奴隶制的一些争论。大家一定都知道，南方各州的奴隶主们反对废奴，但是大家也许不知道，他们反对废奴的理由到底是什么。根据程映虹教授的介绍，当时反对废奴运动的主要观点之一是，奴隶制要比自由劳工雇佣制度更人道也更文明。比方说，奴隶制"对奴隶提供了从摇篮到坟墓的就业和生活保障，这种保障还惠及奴隶的家庭成员，让弱者免受自由市场经济竞争法则的无情支配"。再比如说，"正因为奴隶没有独立的人格，是奴隶主的财产，所以奴隶主会保障他们的生活条件，安排好他们的一切……这种包办被称为父权主义或父爱主义，根本不同于基于自由和权利的冷冰冰的契约关系。在契约关系下，资本家根本不会关心工人在自己工厂以外的生活。所以，实际上黑人奴隶的处境远比白人自由劳工强"。

有的读者也许会非常惊讶：周老师竟然在为奴隶制做辩护？如果你真这么认为，那你就是在进行"抽象地思维"。我当然不是在为奴隶制做辩护，我想说的是，奴隶制无疑是邪恶的，但是奴隶制自有其产生和发展的脉络，我们需要去深入地了解奴隶制的前因后果，而且按照黑格尔的逻辑，奴隶制也是具有某种历史的合理性和必然性的。我给大家介绍反对废奴的各种理由，绝不是在为奴隶制做辩护，而是告诉你们还有另一种理解奴隶制的思路。我在这门课中反复想传达的一个信息就是，我们要学会用一种更复杂的眼光去理解这个世界。当然，与此同时我们还要持守住最基本的价值立场，不堕落成相对主义者。这当然是一个很高的要求，希望我们能够共同努力。

回到主奴关系，黑格尔最富洞见的观点在于，奴隶虽然不获承认，而且只是被主人当成自己的财产和物品，每天当牛做马，辛苦劳动，但是奴隶却意外地获得了自我意识的成长机会：因为奴隶通过劳动可以节制自身的欲望，可以制作、发明各种产品，赋予外物以形式，在这个过程中，劳动塑造了奴隶的自为存在。反倒是主人因为不事生产，成了不劳而获的寄生虫。所以说，在主奴的辩证关系中，主人只是看似主动，实则被动，奴隶看似被动，实则主动。通过劳动，奴隶不仅获得了自我意识，而且进一步确立起人格独立和人人平等的意识。

超越主奴关系的自由意志

当主奴关系发展到这一阶段的时候，必然要走出超越主奴关系的那一步。有意思的是，黑格尔并没有说奴隶们从此决定要"翻身做主人"，他的观点是，在主奴的辩证关系中，无论主人还是奴隶，都意识到自由与否跟外在地位并无关系，于是他们选择退回到内心的城堡，去寻找内心的宁静，由此获得真正的意志自由。当我说到"内心的平静"时，我希望各位还能记得这是哪个学派的核心目标。没错，就是古罗马时期的斯多亚学派！

黑格尔认为斯多亚学派真正弥合了主人和奴隶之间的鸿沟。举个最具象征意义的例子，马可·奥勒留是皇帝，但是他信奉斯多亚学派，爱比克泰德是奴隶，他同样信奉斯多亚学派，因为在古罗马，无论是主人（皇帝）还是奴隶，都认识到这样一个道理："不论在宝座上还是在枷锁中，这个意识本质上都是自由的"。

黑格尔的主奴关系辩证法对后世哲学家产生了巨大影响，萨特、科耶夫、福山、霍耐特都从不同的角度去解释过这个问题，其中最著名的还是福山的"历史终结论"。很多人误以为福山在说历史将终结于自由民主制，其实福山的真正意思是说，历史将终结于自由民主理念，真正获胜的不是自由民主制，而是自由民主理念。福山认为，在等级制下的"承认"不能令人满足：首先，它不是相互的承认，奴隶主对奴隶、君主对臣民、贵族对农奴的承认远远不及反方向的承认，这种不对等、不均衡将构成"社会矛盾"，而"矛盾"将推动制度演变；其次，建立在强制和依赖基础上的承认，也是不能令人满足的。所以在人类为承认而斗争的过程中，只有自由民主理念才能够为所有人提供一种平等的、真正的相互承认。福山的"历史终结论"引发了很多争议，有人认为他的观点过于天真，请问你们怎么理解和评价福山的观点？

回到黑格尔的《精神现象学》，让我们删繁就简，直接来到人类精神发展的终点处。在经过了意识、自我意识、理性的漫长历程之后，黑格尔认为，人类精神的终点是"绝对知识"。所谓绝对知识，就是精神对绝对实在（absolute reality）的把握。《精神现象学》从"现象"入手，最终实现了对"物自身"的把握，从而克服了康德的二元论与不可知论，也正是在这个意义上，黑格尔自称是"绝对的观念论"。关于这个问题，我们下一讲还会继续探讨。

082
"是什么"与"是起来":
黑格尔的"实体即主体"

这一讲的主题是"实体即主体"。先给大家打一针预防针,本讲内容会比较抽象,我会尽我所能把它讲得浅显易懂一些。

什么是实体?

第一个问题,什么是实体(substance)?我们已经多次探讨过这个概念,为了帮助理解,我想请各位回忆一下在第 9 讲中提到的那个观点,在所有的主谓判断句"S is P"中,无论主词和谓词怎么变化,总有一个词是不变的,比方说天是蓝的,花是红的,水是纯净的,女孩是可爱的,或者女孩是老虎,你会发现,在这些判断句中,都有一个永恒不变的"是"。

这个"是"字在德文中叫作"Sein",英文中是"Being",中文有时候把它翻译成"存在",有时候翻译成"是"或者"有"。不管怎么翻译,哲学家们发现,所有的"存在者"必须首先要"存在",

才可能是特殊的"存在者"。换句话说，一切"是者"首先要"是"，然后才"是什么"。

从古希腊发展起来的"本体论"（ontology）就是在研究古希腊文中的"on"，也就是存在、是或者有。这当然是一个高度抽象的学问。亚里士多德说其他的学科都是截取存在中的某一段，研究特殊的存在者，只有形而上学或者本体论是在研究"作为存在的存在"。

关于如何理解亚里士多德的形而上学，赵敦华老师说过一句非常漂亮的话："亚里士多德形而上学的全部秘密在于他的逻辑学"。亚里士多德的逻辑学探讨的正是"S is P"这个主谓判断形式。

在第34讲中，我们曾经以姚明为例，造了很多句子：姚明是上海人；姚明的妻子是叶莉；姚明是CBA公司董事长，等等。你会发现，在所有这些判断中，除了那个永恒不变的"是"，还有一个非常特殊的范畴，就是主词（subject）——"姚明"，亚里士多德又把它称作"实体"（substance），而其他的九大范畴都是用来述说主词的，换句话说，它们是属性，属性是用来描述实体的。

做完以上的复习功课之后，现在我要问你们一个问题：英文中的"Being"或者"is"到底是系词还是动词？请迅速地调动一下你们在中学英语课上学到的知识。没错，它是系动词，也就是说它既是系词，也是动词。我们可以这样去理解：当它是系词的时候，表示的是主词和谓词之间静止的关联性；当它是动词的时候，表示的是主词和谓词之间动态的关联性。说得再明确一些，"is"这个词不仅表示"是什么"，还在表示"是起来"的过程。一个东西只有"是起来"的时候，它才会从"不是什么"成为"是什么"。邓晓芒老师在解释黑格尔的《逻辑学》时，特别强调要从"是起来"的角度出发才能把握黑格尔的精髓，我认为这个说法非常准确和巧妙。

如果你觉得还是太抽象了，那我就再举一个例子。据说当年歌德在阅读《精神现象学》的时候，翻开导言读到下面这段话，一怒之下就放弃阅读了。这段话是这么说的：

花朵开放的时候花蕾消逝，人们会说花蕾是被花朵否定了的；同样地，当结果的时候花朵又被解释为植物的一种虚假的存在形式，而果实是作为植物的真实形式出而代替花朵的。这些形式不但彼此不同，并且互相排斥互不相容。

这段话的意思是，花蕾、花朵和果实是三种不同的存在形式，它们彼此不同，互相排斥。如果只读到这里，我们会认为黑格尔只是在片面地、静止地、割裂地探讨"是什么"，这也正是我们中学政治课本上常说的形而上学家干的事情。歌德读到这里非常生气，决定不看了。但是歌德不知道，如果他再多翻一页，就会发现黑格尔的话还没说完呢。黑格尔接下来是这么说的：

但是，它们的流动性却使它们同时成为有机统一体的环节，它们在有机统一体中不但不互相抵触，而且彼此都同样是必要的；而正是这种同样的必要性才构成整体的生命。

在前一页里，黑格尔只讲了正题和反题，但是翻过这一页之后，他讲了合题，如此一来，就是辩证法的完整论述。歌德误以为黑格尔在讲彼此割裂的"是什么"，但其实黑格尔讲的是"是起来"的完整过程。

从1812年到1816年，黑格尔投入《逻辑学》的写作之中，他的整个逻辑学的起点就是"Sein"，也就是英文中的"Being"，中文里的"是"、"存在"或者"有"。黑格尔说：

照我看来——我的这种看法的正确性只能由体系的陈述本身来予以证明——一切问题的关键在于：不仅把真实的东西或真理理解和表述为实体，而且同样理解和表述为主体。

　　我来稍微做些解释。首先，在这段话里，黑格尔把真实的东西理解为实体，我在第 3 讲中曾经提过一个问题：假定外部世界是存在的，那么什么东西是最真实的存在？然后我列举了各种事物，请你们打分，最真实的东西打 10 分，最不真实的东西打 0 分。所谓最真实的东西，就是那种其余事物都要依赖于它而它本身不依赖于其余任何事物的东西。这个最真实的存在，在哲学上就被称作"实体"。黑格尔也是这么理解的。

　　其次，黑格尔特别强调要把实体理解为主体。道理我们在前面已经反复说过了，因为黑格尔不仅要解释"是什么"，还要解释"是起来"的整个过程。主体的特点是什么？主体的特点就是具有能动性。请回想一下，我们从小学习政治课，是不是常常会读到"主观能动性"这个说法？现在黑格尔认为实体即主体，这就意味着实体本身也具有能动性，它是运动的、发展的"活的实体"。《逻辑学》整本著作就是要展示"是"这个最初的起点如何展开成为"绝对理念"的完整过程。

实体的运动发展：有—无—变

　　那么实体到底是如何运动发展的呢？按照黑格尔的辩证法，实体不是无差别的同一性，而是自身内部就蕴含着否定性和矛盾性，通过否定之否定，不断地展开和发展自己。

　　还是让我举一个例子。在看美剧的时候，当主人公遭遇人生重大挫折的时候，常常会说这样一句话：I am nothing。翻译成中文就是"我什么都不是"。我猜想，在人生的某一特殊时刻，每个人都会经历这样痛彻心扉的时刻，感到"我什么都不是"。这个时候就是你的"基础发生动摇"的时刻，就是你在长夜里痛哭的时刻。

　　为什么会觉得自己什么都不是？因为你想要成为一个"什么样"的人，但你没有成为那样的人。所以，这是对"现在之所是"的一个否定。在痛哭了整整一个长夜之后，你开始慢慢地积攒力量，暗暗地下定决心，我要"是起来"——这就是对"未来之所是"的一种意向和肯定。

分析到这里，我们可以做一个小结，当你说"我什么都不是"的时候，既是在表达无（nothing），也是在表达否定。但是你肯定先是什么，然后才会说我什么都不是，所以这是一个从"有"到"无"的过程。然后当你决心去"是起来"的时候，这就是在寻求变化，所以，这是一个从"有"到"无"再到"变"的辩证过程。

我们无法深入地探讨黑格尔的《逻辑学》，总而言之，通过有—无—变、质—量—度这样的正反合的辩证逻辑，黑格尔建立起一个无所不包的哲学体系。最终，黑格尔认为概念的自我发展会通向对"绝对精神"的把握。

黑格尔哲学的基本特征

现在我们可以来总结一下黑格尔哲学的几个基本特征。

第一，他把历史主义的维度引入哲学。我们曾经说过亚里士多德哲学的原型是生物学，柏拉图哲学的原型是数学，二者的区别在于，生物学强调运动和变化，潜能和实现，研究事物何以至此的过程，而数学的对象则是静止不变的。黑格尔与康德的关系有点像亚里士多德与柏拉图，康德哲学反对辩证法，不讲矛盾的对立统一，在黑格尔看来这是一种静止的哲学，而黑格尔特别强调发展、运动和变化，只不过他的哲学原型不是生物学，而是历史学。正如恩格斯所言，"伟大的历史感"是"黑格尔思想方法……的基础"。

黑格尔哲学的第二个特点是对逻辑必然性的强调。虽然引入了历史的维度，但是黑格尔所说的历史不是经验的、偶然的历史，而是有着逻辑必然性的历史。如果单看经验的历史，我们常常会认为其中充满了各种偶然性和阴差阳错。比如，人们经常会想，如果当年奥地利皇储斐迪南大公没有被刺杀，那么第一次世界大战也许就不会爆发；或者，如果希特勒与维特根斯坦在中学做同学的时候，因为一个偶然的事件，发生了争吵斗殴，然后两败俱伤、一命呜呼，那么整个 20 世纪的历史就彻底改写了。但是在黑格尔看来，经验的历史看似纯属偶然，实则隐藏着逻辑的必然性，即便伟大如拿破仑，也不过是世界精神在马背上的一个代言人。

古希腊历史学家希罗多德记载说，伟大的波斯王薛西斯(Xerxes)在看到自己统率的浩浩荡荡的大军向希腊进攻时，不禁潸然泪下，感慨道："当我想到人生的短暂，想到再过一百年后，这支浩荡的大军中没有一个人还能活在世间，便感到一阵突然的悲哀。"这当然是对突如其来的历史无意义、人生无价值之感的一种喟叹。但是黑格尔眼中看到的却是另外一幅景象——无论是这支大军中的小卒，还是薛西斯本人，其实都是在不知不觉地服从"理性的狡计"，他们是理性实现自身目的的工具和手段，理性必将实现其目的，因为历史具有必然性。

黑格尔哲学的第三个特点是，真理就是整体。他打过一个比方："真理不是一块铸成了的硬币，可以现成拿过来就用。"这句话的意思是说，若想真正把握真理，就必须把握它的整体发展过程，真理不是一个现成之物，而是不断发展变化的过程。自笛卡尔以降，近代哲学的核心特征就是对主体性的强调，从笛卡尔的"我思故我在"到康德的"知性为自然立法"、"人为道德立法"，莫不如此。他们一方面高扬了人的主体性原则，另一方面则进一步加深了二元论的格局，比如现象与本体、主体与客体、自然与精神、感性与知性、知性与理性、理论理性与实践理性、有限与无限、知识与信仰，等等。与此相对，黑格尔强调思维与存在的同一，他把逻辑学、认识论和本体论这三门学科合而为一，强调概念的自身运动将最终把握绝对精神，凡此种种，都是在力图克服主体性哲学带来的分裂，追求整体性和统一性。

黑格尔：概念王国里的世界精神

黑格尔把哲学史形象地比喻为一个"厮杀的战场"，上面"堆满着死人的骨骸"。可是，在这片尸骨遍地的战场上，却挺立着一个伟岸的身影，这个最后的武士就是黑格尔本人。黑格尔自认为终结了整个哲学史，因为他把握到了绝对真理。不仅如此，黑格尔甚至认为，"整个自然界、人类精神和社会的发展，包括人类的全部艺术、宗教和哲学这些精神活动，都是为了产生出他的哲学所做的准备"（邓晓芒语）。如果说拿破仑是马背上的世界精神，那么他就是概念王国里的世界精神。

1831 年黑格尔因病去世，这位生前一统江山的老王，死后却没有赢得该有的尊敬。马克思这样评论道："今天在德国知识界发号施令的、愤懑的、自负的、平庸的模仿者们，已经高兴地……把他当作一条'死狗'了。"其实反对的声音一直存在，同时代的叔本华批评黑格尔哲学是"赤裸裸的胡说、拼凑的空话、无意义的疯狂的词组"，是"只有在疯人院里听到过的最大的狂妄"。罗素在《西方哲学史》中直言不讳地指出"黑格尔的学说几乎全部是错误的"。卡尔·波普尔痛批黑格尔含糊和艰涩的文风，认为他败坏和污染了德国的语言和思想。相比之下，维特根斯坦的口气稍微缓和一些，他承认自己读不了黑格尔，因为两人的哲学气质相差太远。维特根斯坦说："黑格尔似乎一直想说，那些看上去不同的事物其实是相同的。而我的兴趣在于指出那些看上去相同的东西其实是不同的。"

我曾经一度也认为黑格尔是一条死狗。但是最近这些年来，我渐渐认识到黑格尔哲学死而不僵，甚至于大有借尸还魂、死而复生的趋势。比方说，1980 年代以来，在政治哲学中兴起了"社群主义"（communitarianism）的思潮，它的核心主张是重视共同体（community）的价值，反对自由主义对个体自由和平等的过度强调。正如加拿大哲学家威尔·金里卡所说，社群主义对现代自由主义的批判与黑格尔当年对古典自由主义的批判，有着许多相似之处。而更加有趣的是，社群主义和共产主义（communism）一样都重视共同体，区别在于：共产主义者——也就是"老的"社群主义者——立足于马克思及其改造世界的愿望，想要砸烂旧世界，建立一个崭新的共同体；而 20 世纪的社群主义者，也就是"新的"社群主义者，却立足于黑格尔的愿望——"使人安心接纳自己的世界"。但你要注意的是，即便是共产主义者，也即老的"社群主义"，其实也从黑格尔那里汲取了大量的养分。

黑格尔被公认为最后一个严格意义上的形而上学家，在《逻辑学》的第一版序言里，黑格尔指出："那种被叫做形而上学的东西，可以说已经连根拔掉，从科学的行列里消失了"，"科学和常识这样携手协作，导致了形而上学的崩溃，于是便出现了一个很奇特的景象，即：一个有文化的民族竟没有形而上学——就像一座庙，其他各方面都装饰得富丽堂皇，却没有至圣的神那样"。

为了拯救形而上学的命运，同时也是为了拯救人类的命运，黑格尔亲手盖起了一座神庙，而且一厢情愿地认为后来人将会络绎不绝地前来朝圣，把他的思想万世不易地供奉在神坛上。然而事与愿违，这座神庙得到的赞美远少于遭到的诋毁，有人不仅想要拆掉黑格尔的神牌，甚至试图纵火烧毁整座神庙。随着时间的推移，这座被废弃多年的神庙再次回到人们的视野，尽管进入神庙朝圣的人依旧不多，定居下来的人更少，但不断有人开始临摹和学习它的风格，甚至偷拆梁木和砖瓦，到别处去修建新的庙宇和房屋。或许这才是每一个哲人的命运，他们更像是散落在大地上的建筑，而不是倒毙在战场上的尸骸。这些建筑风格各异，大多年久失修，但却是人类思想旅途中不可或缺的风景，并且总会在不经意的时刻重新激发起现代人的灵感。

答问 9
历史真的终结了吗？

在第 81 讲中，我们提到了福山的历史终结论，特别指出福山认为，与其说是自由主义实践获得了胜利，不如说是自由主义理念获得了胜利，因为相比起以往的等级制，自由主义理念能更好地实现平等人之间的相互承认。然后我给大家留了一道思考题：如何去看待和评价福山的这个论断？一位朋友问道："如果自由民主也发展出它们的对立面，并被对立面否定了呢？这是否表示历史并未终结？"还有朋友提到了新技术给人带来的异化问题。我想沿着这些追问再给你们介绍一下福山的观点。

首先，福山认为，虽然自由主义理念获得了胜利，但这不意味着在具体实践中，自由主义的政治体制不会遇到阻碍、挑战或者反复。

其次，虽然自由主义理念获得了胜利，但是这并不意味着人们的欲望结构发生了改变。福山认为，人类具有两种被承认的欲望：第一种是优越意识，也就是"获得自己比别人优越这种承认的欲望"，另一种是平等意识，也就是"获得与其他人平等的承认的欲望"。

即使是在自由民主社会里，也存在着这两种相互冲突的被承认的欲望。

第三，事实证明，在自由民主制内部，左派和右派各有各的不满。福山指出，左派批评自由民主制的理由是，普遍的相互承认这一承诺基本上仍没有实现，理由之一就是，资本主义事实上造成了巨大的经济不平等，这个现象本身就意味着不平等的承认。右派同样不满意自由民主制，他们批评说，自由社会的问题不在于承认不够普遍化，而在于"平等承认"这个目标本身就是成问题的，因为人天生就是不平等的，所以右派认为平等地对待每一个人恰恰不是在肯定人性，而是在否定人性。

福山的上述论断写于二十多年前，我认为非常有前瞻性。举例来说，特朗普当选美国总统的原因非常之多，其中之一就是右派对于自由民主制过于平等化的趋势非常不满，甚至到了忍无可忍的地步；同样，从风起云涌的各种平权运动中，我们也能清晰地看到左派人士在坚定不移地继续深入平等的相互承认这个理想。

福山认为："长期来看，自由民主制之所以被从内部颠覆，要么由于过度的优越意识，要么由于过度的平等意识。"而福山在当时的直觉是，"最终来说，对民主构成最大威胁的是前者"，也就是过度的优越意识。请注意，福山说的是自由民主制的内患，也就是前面所说的，自由民主制有可能发展出它的对立面。

那么从外忧的角度看，福山曾经预言说，历史是否终结，要取决于以下几个条件能否实现：

1. 伊斯兰教会否成为民主的障碍；

2. 全球民主是否可能；

3. 如何在贫穷国家建立强有力的民主政治。

今天看来，这些条件不仅没有实现，反而变得更加问题深重。但是我不打算深入讨论它们，而是想从现代科技的角度出发，谈一谈过度的优越意识到底会以什么方式颠覆自由民主制。

在 2002 年出版的《我们的后人类未来》的序言中,福山提出:"除非科学终结,否则历史不会终结。"福山这样警告世人:"生物技术会让人类失去人性……但我们却丝毫没有意识到我们失去了多么有价值的东西。也许,我们站在了人类与后人类历史这一巨大分水岭的另一边,但我们却没意识到分水岭业已形成,因为我们再也看不见人性中最为根本的部分。"福山的这个忧虑跟前面提到的问题非常类似,也就是新技术有可能对人性造成异化。

2016 年 4 月,《人类简史》的作者尤瓦尔·赫拉利在清华大学做了一个演讲,题目是"21 世纪会是史上最不平等的时期吗?",他的核心论点是:"在 21 世纪,新技术将赋予人们前所未有的能力,使得富人和穷人之间有可能产生生物学意义上的鸿沟:富有的精英将能够设计他们自身或者他们的后代,使其成为生理和心理能力都更为高等的'超人',人类将因此分裂为不同的生物阶层,先前的社会经济阶层系统可能会转化为生物阶层系统。"

在这个问题上,赫拉利和福山可以说是英雄所见略同,只不过福山比赫拉利至少早说了 14 年。现代科技的发展——无论是生物工程、仿生工程还是无机生命工程——为少数人提供这种优越意识创造了技术上的可能性,这将在根本上动摇福山《历史的终结》的论点。这也正是福山写作《我们的后人类未来》的动机所在,因为"除非科学终结,否则历史不会终结"。

在福山的笔下,后人类的未来一点都不令人向往:"后人类的世界也许更为等级森严,比现在的世界更富有竞争性,结果社会矛盾丛生。它也许是一个任何'共享的人性'已经消失的世界,因为我们将人类基因与如此多其他的物种相结合,以至于我们已经不再清楚什么是人类。"

也正因如此,福山才会把尼采在《权力意志》中的一句话作为《我们的后人类未来》的题词,这句话是这么说的:"够了:政治将被赋予不同意义的时代正在到来。"

现代科技到底会更好地服务于多数人的平等意识，还是会更好地为少数人的优越意识提供支持，这是值得我们每一个人都深入思考的问题。

尼采肖像，布面油画，挪威画家爱德华·蒙克（Edvard Munch，1863—1944）绘于 1906 年。

083
瞧，这个人！
——"名叫尼采的人"和"名叫尼采的角色"

尼采的死亡和出生

从这一讲开始，我们将进入尼采的专题。

让我们从尼采（Friedrich Nietzsche，1844—1900）的"死亡"开始说起。1889 年 1 月 3 日，在意大利都灵的卡尔洛·阿尔弗贝尔托广场上，刚刚离开住所的尼采，看见一个马车夫正在虐待自己的马。他冲上前去，热泪盈眶地紧紧抱住马脖子，高呼道："我的兄弟！"尼采疯了。医生的诊断说明书上赫然写着：精神错乱症和渐进性麻痹。

作为肉身的尼采此后继续苟活了 11 年，直到 1900 年 8 月 25 日才真正离世，但是作为思想者的尼采在 1889 年 1 月 3 日那一天就已经死亡了。在他精神失常前的一年中，尼采一口气写下了五本小册子，分别是《偶像的黄昏》、《瓦格纳事件》、《尼采反瓦格纳》、《敌基督者》和《瞧，这个人》——就好像是超新星在归入沉寂之前的最后爆发。

　　《瞧，这个人》是一本个人自传。仅看书中小标题——"我为什么如此智慧？""我为什么如此聪明？""我为什么能写出如此好书？""我为什么是命运？"——你就知道，此时的尼采已经一脚踩在了疯狂的边缘。令人大感不解的是，这本书的书名出自罗马总督彼拉多指认耶稣基督时说的名言："瞧，这个人！"把这句话作为个人自传的标题，尼采绝不是无意为之。要知道在同一年，尼采还写出了《敌基督者》，作为有史以来最著名的基督教的反对者，尼采竟然像指认耶稣基督一样来指认自己，其中的反讽和紧张非常耐人寻味。我们会在尼采专题的最后再回到这个问题。

　　现在让我们先来看看尼采的出生。1844 年尼采出生在德国东部的一个小村庄，五岁的时候父亲因病去世，同年，两岁的弟弟也因病去世。这两件事情给他造成了巨大的心理阴影。可以说，命运女神从一开始就给尼采的人生涂抹上了浓厚的悲剧色彩。

　　六岁的时候，尼采与母亲和妹妹一道去瑙姆堡投奔祖母和两个姑姑。尼采从小在女性的环境中成长，但他却是历史上非常著名的厌女症患者。关于女性，他说过最著名的一句话是：你到女人那里去吗，不要忘了带上鞭子。但是有趣的是，在他与红颜知己莎乐美摆拍的一张合影中，手拿鞭子的恰恰不是尼采，而是莎乐美。很多解释者认为，这再一次证明世人对于尼采存在着太多的误解。

　　虽然成年之后的尼采反复强调甚至炫耀自己的破坏性，比方说："让个体感到不快，这就是我的使命。"再比如："我不是人，我是炸药！"可是年少的尼采却是一个特别安静羞涩的人，因为父亲和祖父都是牧师，所以尼采儿时的绰号是"小牧师"。事实上，即使成年之后，生活中的尼采依然是一个安静羞涩的人。然而在他的内心深处，却好像隐藏了一座休眠火山，当它爆发的时候，不仅可以摧毁基督教的千年传统，同时也可以摧毁整个理性主义的千年传统。所以在读尼采的时候，一定要把他的哲学跟人生结合在一起读，他的哲学就是他的人生，他的人生就是他的哲学。如果你不能体验他的

摄于 1882 年，左一持鞭者为莎乐美，右一为尼采

体验，不能设想他的狂想，那就很难真正进入他的哲学。

病态的人生和健康的哲学

尼采无疑是一个病人。他的病态首先体现在生理上，他有很严重的头痛症，他的胃肠功能不好，眼睛也有问题。24 岁的时候尼采就成为巴塞尔大学的古典学教授，但是到 35 岁的时候，他却不得不离职，原因之一就是他的眼睛几乎失明，读不了任何著作。尼采不仅有很严重的生理疾病，同时也有很严重的心理疾病和社交障碍症。第一次见到莎乐美的时候，尼采用蹩脚的幽默感说道："尊敬的莎乐美小姐，我们是从哪个星球上降落到一起的呢？"想象一下，如果你是莎乐美，听到这句话该作何反应呢？很显然，这样的尬聊是无法进行下去的。

但是如果你不去近距离地接触尼采，而是远远地阅读他的哲学和人生，就会被他深深地感动。因为这个病态的人一直在渴望一种健康的哲学。"健康"这个词几乎是尼采评判人生和哲学的终极标准。比如，他之所以批评苏格拉底的哲学，理由正在于它不健康，他之所以批评基督教的道德，理由也在于它不健康。

什么是健康？我在课堂上跟人大同学们说：你们是早晨八九点钟的太阳，充满希望，你们的两腿结实，身体充满力量，更重要的是，用尼采的说法，你们的消化系统非常好，可以吃各种东西，睡很香甜的觉，你们可以大笑，开怀大笑，充满了对生命的肯定、憧憬和渴望。这些对于健康的人来说，都是理所当然的事情，但是对于体弱多病的人来说，却是可望而不可即的。更重要的是，尼采在 28 岁的时候，不知出于何种原因染上了梅毒，这在当时的欧洲是不治之症，即使可以延缓病情的发展，但却终身难愈，而且最终病毒会侵袭大脑，导致精神失常。我们没有这样的人生体验，但是我们可以想象这种万蚁噬骨的病痛感，它挥之不去，如影随形，让你时时刻刻都在反观自己的身体和灵魂。

写出《追忆逝水年华》的法国作家普鲁斯特，就是这样通过病痛来接近自己的灵魂的。他说："病人，更多地觉得接近自己的灵魂。"普鲁斯特还说："生活是一样贴得太近的东西，它不断地使我们的灵魂受到伤害。一旦感到它的镣铐有片刻的放松，人们便可以体验到隽永的乐趣。"

我在 18 年前读到这段话的时候，写下了这样的读后感：

　　　生活贴得太近会伤害灵魂，灵魂贴得太近会疏远生活。反正没法过！！！但是时间不会戛然而止，时间在灵魂低眉举目之间轻轻跃过，把状态拉长成生活，历史就是这样完成的，生活就是这样展开的，然而灵魂还在丛林的月光下沉思，想着没有出路的出路。怎么办？于是我们决定不用理性去规划生活。我们用意志力，用极大的轻蔑力去贬低生活，贬低一切来自生活幻想和幻象帷幕之下的幸福、快乐、温馨、亲近等等一切美好的词汇，在这种大轻蔑中体会另一种力量，一种源自生命底层的力量，它狂飙突进，荡涤一切。于是我们终于把握住生活的本质，我们手指前方，说道："喏，这就是生活的本来面目，你们这些可怜的被蒙蔽的蝼蚁。"——尼采就是这么生活的，但是尼采首先摧毁的就是他自己的生活。

可是尼采并不因此感到沮丧，相反，他在这样的病痛中找到了自我救赎的道路。在《瞧，这个人》中，尼采写道：

> 36 岁时，我的生命力降到了最低点——我还活着，但却看不到离我三步远的东西。……在我身上，精神的完全明亮和喜悦，乃至于精神的繁茂兴旺，不仅与最深刻的生理虚弱相一致，而且甚至与一种极端的痛苦感相一致。……从病人的透镜出发去看比较健康的概念和价值，又反过来根据丰富生命的充盈和自信来探视颓废本能的隐秘工作——这乃是我最长久的训练，是我最本真的经验，如果说是某个方面的训练和经验，那我在这方面就是大师了。

我认为这段话非常好地传达出病态的人生和健康的哲学之间的关系。用心体会尼采的用语，他用明亮、喜悦、繁茂兴旺去刻画精神的健康，这些词汇最初是用来刻画身体的健康，这对于尼采来说是可望而不可即的状态。尼采告诉我们，恰恰是从病人的视角出发，才能真正体会和理解什么叫作"健康的概念和价值"，恰恰是通过虚弱和颓废，才能真正地体会和理解什么叫作"生命的充盈和自信"。这是一种自我克服的过程。

热爱命运就是尼采最终的自我嘲讽

除了健康，"颓废"是理解尼采哲学的又一个关键词。颓废是健康的反义词，它不仅是生理性的，更是精神性的。什么是颓废？就是体会到生命的无意义，人生的虚幻感，以及自我的无能为力感。我们可以做一个区分，就是那个"名叫尼采的人"和那个"名叫尼采的角色"。那个名叫尼采的人分明体会到了虚弱和颓废，生命的无意义和人生的虚幻感，但是那个名叫尼采的角色却是要肯定生命，热爱命运，去赢得一种完全明亮、喜悦，乃至于繁茂兴旺的精神生活。

美国学者罗伯特·所罗门在《与尼采一起生活》中告诉我们："尼采主要关切的是理解他自己的那个遭受疾病折磨的、孤独而又不幸福的人生，并由此肯定这个人生。"这里的重点在于，在理解如此这般的悲惨人生之后，仍要"肯定"这个人生。我认为所罗门对尼采的总结，特别像一句流传甚广的人生鸡汤："看破这个世界，然后爱它。"这句话之所以像是人生鸡汤，是因为你，现实生活中的每一个平凡而普通的你，不能够用自己的意志力、生命力去丰富和填充这个句式，于是这句话就成为一个徒有其表的表述，一个稀汤寡水、没有实质内容的空洞形式。就好像我们衷心地热爱 C 罗和梅西，因为衷心地热爱，就误以为我们也共同参与了他们的卓越和不凡，但其实我们只是英雄的影子，英雄们过真正的人生，我们喝影子里的鸡汤。

尼采说："我怎么能不感谢我的整个人生？"这句话真是让人动容。它让我想起我另外一个无比钟爱的哲学家维特根斯坦，他在临终前的遗言是："告诉他们，我度过了极好的一生。"从凡人的角度看，维特根斯坦的人生经历说不上好，但是他就像尼采一样，在经历了"遭受疾病折磨的、孤独而又不幸福的人生"之后，肯定了自己的人生。为什么可以这么做？因为他们都坦然接受了命运女神交付在他们身上的必然性，所以尼采说："热爱命运！"

1889 年，尼采陷入疯狂，病历记载："这个病人喜欢拥抱和亲吻街上的任何一个行人。"罗伯特·C. 所罗门说，"热爱命运就是尼采最终的自我嘲讽"，"他的人生就是对'热爱命运'的检验。他没有成功地通过这个检验"。

我并不认为尼采没有成功地通过这个检验。我认为我们每一个人都需要反问自己：你有没有打算通过这个检验？你是不是能够成功通过这个检验？

084

在自己的身上克服他的时代：尼采反对瓦格纳

无时代的人

终其一生，尼采有两个本可以成为毕生挚友乃至爱人的人：理查德·瓦格纳和露·莎乐美。瓦格纳比尼采年长 31 岁，是当时德国最负盛名也最具争议性的音乐家；莎乐美是一个充满灵气的俄罗斯女孩，尼采对她一见钟情，甚至鼓足勇气向她求婚。但是最终，尼采与这两个人都分道扬镳了。

尼采说："我飞向未来，飞得太远了：恐怖攫取住我，当我张望四周，看！时间是我唯一的伴侣。"也许这就是天才的宿命。在1888 年完稿的《瓦格纳事件》中，尼采写道："一个哲学家对自己的起码要求和最高要求是什么？在自己身上克服他的时代，成为'无时代的人'。"

作为一个"无时代的人"，尼采必须跟一切局限于时代的人和事决裂，尤其是瓦格纳。因为，瓦格纳跟他一样，都是"这个时代的产儿，

084 在自己的身上克服他的时代：尼采反对瓦格纳　　619

也就是说，是颓废者"。不同的是，尼采承认这一点，并且与之斗争，而瓦格纳则浑然不觉，因此成为现代病患的"难得的案例"。所以尼采说"瓦格纳纯粹是我的病患"，与瓦格纳决裂，正是尼采自我疗治的必经阶段。

细心的读者一定发现了，尼采再一次使用了"颓废"这个关键词，在他看来，"颓废"代表了现代病症的典型特征："蜕化的生命、求毁灭的意志、极度的疲惫。"尼采不仅用"颓废"来形容瓦格纳和他自己，也用"颓废"来形容苏格拉底。也许有人会问：可是苏格拉底是古希腊人啊，他怎么会患上现代人的病症呢？

要想解释这个问题，就必须把时间调回到 1872 年，这一年，28 岁的尼采出版了一本惊世骇俗的著作——《悲剧的诞生》。在这本书中，尼采提出了两个重要的观点：第一，针对日神精神，提出了酒神精神，认为后者才是古希腊艺术的典范和基础；第二，反对苏格拉底开创的理性主义传统，认为这是现代病症的古希腊根源。

日神精神 vs. 酒神精神

让我们先来探讨日神精神。什么是日神精神？这么说吧，当我们想起古希腊的时候，首先映入脑海的那些词都属于日神精神，比方光明、理性、逻辑、和谐、秩序这样的字眼儿。德国学者萨弗兰斯基指出，雕塑、建筑艺术、荷马的众神世界、史诗的精神，这些艺术形式体现的都是日神精神。就以雕塑为例，2013 年我去巴黎卢浮宫参观，当我看到古希腊展区的时候，尤其是当我看到胜利女神和断臂的维纳斯雕像时，立刻明白了为什么有人会把古希腊的艺术风格总结为"高贵的单纯和静穆的伟大"（温克尔曼语）。

但是尼采挑战的正是这种传统的理解。在《悲剧的诞生》中，尼采直言不讳地指出："我们必须把太阳神阿波罗文化的艺术大厦一块石头一块石头地拆除，直至见到它所凭借的基础。"这个基础不是别的，正是酒神精神。与日神精神强调逻辑、理性和秩序不同，酒神精神推崇的是自由、情感和混乱，酒神是一个"解体、迷醉、狂喜和恣意纵欲的狂野之神"。

《诗经》"毛诗序"中写道："情动于中而形于言。言之不足，故嗟叹之。嗟叹之不足，故咏歌之。咏歌之不足，不知手之舞之，足之蹈之也。"这句话的大概意思是说，当人们发现仅凭语言无法表达内心的情感时，就会诉诸歌咏和舞蹈。人们在什么时候能够最自由地"手之舞之，足之蹈之"？当然是在酒醉之后。事实上，古希腊的戏剧就诞生于庆祝酒神狄奥尼索斯的节日狂欢之中。而酒神精神的艺术表现形式就是音乐、舞蹈和戏剧。

在酒精的刺激和夜幕的掩护之下，古希腊人放下一切理性的束缚，在舞台上尽情地表现"心醉神迷和狂喜无度"。与光明和理性一同消退的还有个体意识，醉过酒的人都有体会，酒能让人与人之间的界线消弭于无形，人们开始勾肩搭背，称兄道弟，掏心掏肺。而当黎明来临，阳光普照大地，恢复理性的人们会再一次"回落到他的个体中"。也正是在这个意义上，萨弗兰斯基总结说：日神阿波罗面向个体，酒神狄奥尼索斯致力于消除边界。

尼采抬高酒神、贬低日神的理由之一也在于此。他说："在酒神的魔力下，不但人与人之间的团结再次得以巩固，甚至那被疏远、被敌视、被屈服的大自然也再次庆贺她与她的浪子人类言归于好。"

这句话的关键词是"团结"，团结的反义词是什么？是"分裂"！尼采虽然讨厌黑格尔，但是他们都热爱古希腊生活的完整性，反对现代生活的分裂性。我在1990年代末刚学会上网的时候，北大的主页上总是会跳出一行字："小心别把饭粒掉到键盘上。"我一直认为，这句话是对分裂的现代生活的最佳表述，我们不仅时常一心二用、一心三用，而且要不停地切换各种不同的角色与身份。不仅作为个体的人是分裂的，人与人之间也是分裂的，人与自然更是分裂的。但是在古希腊，情况却正好相反，借用威廉·巴雷特的说法，那个时候，"哲学不是一门特殊的理论学科，而是一种具体的生活方式，是对人和宇宙的总体看法，个体的人据此度过他的一生"。尼采与黑格尔的区别在于，黑格尔用理性和逻辑去追求整体性，而尼采则用情感和意志去实现整体性，这也正是叔本华带给尼采的影响。

悲剧精神 vs. 悲观主义

需要特别注意的是，尼采探讨悲剧精神，但并不接受悲观主义。这个区别直接导致尼采跟叔本华的分道扬镳，叔本华有句名言是这样说的：

> 欲求和挣扎是人的全部本质……所以，人从来就是痛苦的……人生是在痛苦和无聊之间像钟摆一样地来回摆动着。

作为一个彻底的悲观主义者，叔本华从希腊悲剧当中读出的是对人生意义的彻底否定。而尼采呢？他从希腊悲剧中读到的不是悲观主义，而是悲剧精神，是以更积极的肯定的姿态去拥抱人生，热爱命运。

在《瞧，这个人》中，尼采说："肯定生命本身，哪怕是处于最殊异和最艰难的难题中的生命；求生命的意志在其最高类型的牺牲中欢欣于自己的不可穷尽性——这一点，我称之为狄奥尼索斯的，我把它理解为通向悲剧诗人之心理学的桥梁。"

尼采在苏格拉底身上的人格投射

尼采不仅反对日神精神，而且攻击苏格拉底，因为苏格拉底是一个理性主义者，而"'理性'反对本能……是埋葬生命的暴力"。

尼采把苏格拉底视为"希腊解体和消亡的工具，是一个典型的颓废者"。

但是耐人寻味的是，关于苏格拉底，尼采后来还说过这样一句话：

> 作为须眉男子，苏格拉底在众人眼前犹如猛士，活得潇洒、快乐，可谁料到，他竟然是个悲观主义者呢？他直面人生，强颜欢笑，而把自己最深层的情愫、最重要的评价隐藏，隐藏了一生呀！苏格拉底啊，苏格拉底深受生活的磨难！

读到这里，你有没有这样的感觉，尼采似乎不是在描述苏格拉底，而是在描述他自己，他把自己的人格形象投射到苏格拉底的身上？尼采之所以能够看透苏格拉底，是因为他看透了自己。他与苏格拉底一样，也是一个颓废者，直面人生，强颜欢笑。深受生活磨难的人不是苏格拉底，而是尼采自己。唯一的不同在于，尼采不是悲观主义者，他借助悲剧精神克服了悲观主义，最终克服了颓废这个现代性的病症。

其实，尼采集中火力攻击过的人物——苏格拉底、叔本华、瓦格纳——都对他的思想和人生产生过重大影响。尼采在他们身上看到了自己的投影，所以当尼采攻击他们的时候，他其实是在进行自我克服和治疗。

瓦格纳是尼采最纯粹的病症

就像我们一开始所说的，瓦格纳是尼采最纯粹的病症。尼采曾说："与瓦格纳决裂，对于我乃是一种命运；此后重又喜欢上什么，对于我乃是一种胜利。"但是在决裂之前，尼采与瓦格纳却有过一段非同寻常的蜜月期。《悲剧的诞生》的前言清清楚楚地写着"献给理查德·瓦格纳"，瓦格纳收到著作后也立即回信说："我从未读过比你的书更精彩的书！真是美妙！现在我是匆匆写信给您，因为这本书使我激动万分，我必须等待自己冷静下来才能正式读它。"

尼采与瓦格纳联手，是为了用艺术代替宗教，在那个贫困的时代拯救岌岌可危的现代精神。尼采与瓦格纳决裂，是因为瓦格纳背叛了他们之间的盟约。尼采不无激愤地说道：自从瓦格纳回到德国，"他就向着我所蔑视的一切堕落了"。

1876 年 8 月 13 日，在巴伐利亚国王路德维希二世的领地拜罗伊特，举办了为期数日的音乐庆典，只上演瓦格纳一个人的歌剧，这是瓦格纳人生的顶峰，但是对于尼采来说，却是他与瓦格纳决裂的开端。尼采冷眼旁观整个庆典，发现它与艺术毫无关系，不过是一场"不惜一切代价的娱乐"，一次对"生命贫乏者"的精神喂食。人们来到拜罗伊特，不是为了享受艺术，而是为了附庸风雅、广结人脉，比起演出，他们更关心出席活动的君王将相和社会名流的八卦消息。而瓦格纳所做的一切，无非就是投其所好，用华而不实的布景、高亢激越的音乐、目眩神摇的舞台效果，迎合那些时刻准备着被感动的观众。我猜想，在基本的原理上，拜罗伊特音乐节与我们所熟知的迪士尼乐园、拉斯维加斯的表演秀，以及张艺谋导演的"印象系列"是一致的。它们旨在为普通人"造梦"，看似瑰丽实则虚幻，看似雄伟实则浮夸，这是一种"有意识的妄想"，或者说集体性的自欺欺人。尼采知道，其实瓦格纳也知道，它在骨子里与艺术毫无关系，只是一件精打细算、人工装配起来的人造制品。只是尼采选择揭露假象，而瓦格纳选择继续自欺欺人。

尼采与瓦格纳决裂，不仅因为瓦格纳败坏了艺术，更因为瓦格纳选择向基督教投降。《帕西法尔》是瓦格纳创作的最后一部歌剧，其中充斥着基督教的元素。作为史上最著名的"敌基督者"，尼采绝不能容忍自己的盟友倒在基督的十字架前。

在《瞧，这个人》中，尼采用最明快的方式说明了基督教与酒神精神之间的对立："基督教既不是阿波罗的，也不是狄奥尼索斯的；

基督教否定一切审美的价值——那是《悲剧的诞生》唯一承认的价值：基督教在最深刻的意义上是虚无主义的，而狄奥尼索斯象征却达到了肯定的极端界限。"

《悲剧的诞生》虽然是尼采的第一部正式著作，但它的作用恰如黑格尔的《精神现象学》，是他的哲学思想的真正诞生地和全部秘密所在。最后，我想借助周国平老师的一段话来结束这一讲：

尼采在论希腊悲剧时说，希腊悲剧的唯一主角是酒神狄奥尼索斯。埃斯库罗斯笔下的普罗米修斯，索福克勒斯笔下的俄狄浦斯都只是酒神的化身。我们同样可以说，尼采哲学的唯一主角是酒神精神，权力意志、超人、查拉图斯特拉都只是酒神精神的化身。在他的哲学舞台上，一开始就出场的酒神后来再也没有退场，只是变换了面具而已。

答问 10
为什么悲剧比喜剧更深刻？

　　这一次的问答，我选择了几个与悲剧有关的问题。大家应该还记得俄狄浦斯王的故事，学友"2500 风景"问道："俄狄浦斯的错是不是在于他不相信自己就是那个杀父娶母的人？"

　　关于这个问题，我认为另一位学友"Spring1126"的回答抓住了问题的根本，她说："我觉得俄狄浦斯的错或许是某种自负带来的不谨慎。"我同意这个判断。俄狄浦斯的自负源自他的理性和知识，自从得到神谕，知道自己有可能杀父娶母，他就一直在试图逃避神的旨意，但是恰恰因为他自作聪明离开了科林斯王国，才狭路相逢自己的父亲并杀死了他，也恰恰因为他破解了斯芬克斯之谜，成为忒拜城的国王，才会迎娶自己的亲生母亲。而破解斯芬克斯之谜对俄狄浦斯来说，是人生的巅峰，让他从此以为自己是最聪明的人。所以说，从这个角度看，在俄狄浦斯的身上突出体现了人类理性和知识的有限性，他每做出一个自以为正确的决定，其实都是在向命运的深渊多迈进一步。

学友"雨虎2000"问道：为什么对古希腊悲剧的评价要比喜剧高很多？是否因为悲剧的悲怆比喜剧的讽喻更加深刻，更接近存在的本质？

如果泛泛而论，我完全接受这个判断。我们可以这么认为：喜剧调动的是人的感官，悲剧触碰的是人的思想；喜剧描绘人生的表象，悲剧揭示人生的真相；喜剧是人生的偶然，悲剧是人生的必然。

但是话说到这里，我们还是没有说清楚什么是悲剧，而且当我们这么来描述悲剧的时候，很容易就把悲剧精神与悲观主义等同了起来。

尼采在《悲剧的诞生》中讲述了古希腊神话中的一个故事，弥达斯国王想要洞悉人生的真相，于是找到酒神的老师西勒诺斯问道：对于人来说，什么是最好最妙的东西？没想到西勒诺斯的回答竟然是这样的："可怜的浮生呵，无常与苦难之子，你为什么逼我说出你最好不要听到的话呢？那最好的东西是你根本得不到的，这就是不要降生，不要存在，成为虚无。不过对于你还有次好的东西——立刻就死。"

这段话是不是特别的动人心魄？我记得当年读到这里，忍不住做了一件有悖公德的事情——把这句话誊写在书桌上，期待有人能够与我产生共鸣。

然而我当时并没有认识到，这句话传达的是叔本华式的悲观主义情绪，而不是尼采所主张的悲剧精神。

在《作为意志和表象的世界》里，叔本华引用了一句非常类似的话："人的最大罪恶就是：他诞生了。"叔本华解释说，悲剧的真正意义是一种深刻的认识，认识到悲剧主角要赎的不是他个人特有的罪，而是原罪，也就是"生存本身之罪"。叔本华说，一旦人们认识到这一点，就对世界的本质有了完整的认识，由此带来的不只是"清心寡欲"，还有"生命的放弃"，直至"整个生命意志的放弃"。

所以说，叔本华是从悲观主义的角度去解释悲剧的，他的观点只是西勒诺斯的一个自然延续。他的基本态度是，既然人最好的事是从未出生，次好的是尽快去死，那就让我们坦坦荡荡从从容容地接受死亡和命运的安排吧！

可是尼采不一样，他不打算接受放弃的人生。他认为真正的悲剧精神恰恰在于，在体悟到了存在的恐怖和荒诞之后，既不是像叔本华那样，选择放弃一切生命的意志，也不是像日神精神那样，借助于理性和光明，用"高贵的单纯和静穆的伟大"去战胜存在的"可怕深渊"和人性的"多愁善感"，而是要更深地投入酒神精神中，在悲剧中去体会一种"形而上的慰藉"。这种形而上的慰藉会让我们深深地体会到"一种极强烈的统一感"，人与自身的统一，人与人之间的统一，以及人与自然的统一。

说到这里，我想说一下我自己的理解。尼采显然是反对日神精神的"个体化"原则，为什么要反对个体化原则？因为它造成了无所不在的分裂。人与自我，人与人，人与自然，到处都是深不可测的鸿沟和界限，这种分裂感是建立在人类理性的基础之上的，外化成日常生活的界限感和规则意识，其结果则是造成了对人的生命力和创造力的压制。

这么说有些抽象，其实我们只要放眼看看自己的生活状态，就会意识到尼采对于现代生活的诊断是无比正确的。不久前我去日本旅行，发现整个社会高度理性化，所有的事情都安排得井井有条，但是人与人之间有着极深的界限感，整个社会缺乏足够的活力，即使是在摩肩接踵的新宿车站，你体会到的也不是人声鼎沸和生气勃勃，而是强烈的疏离感和压抑的情绪。

也许有读者会不解：老师你在讲19世纪的尼采，为什么一竿子捅到了21世纪的日本？因为尼采的哲学是超前的，他曾经说过："我的时代还没有到来。有的人死后方生。""总有一天我会如愿以偿。这将是很远的一天，我不能亲眼看到了，那时候人们会打开我的书，我会有读者。我应该为他们写作。"尼采不仅预言了未来两百年的人类历史,而且指出了此前两千年的古希腊根源,在《悲剧的诞生》中,尼采说:"一旦日常的现实重新进入意识,就会令人生厌;一种弃志禁欲的心情便油然而生。"所以尼采才寄希望于真正的悲剧精神,也即酒神精神,通过它,可以认识到"万物根本上浑然一体,个体化是灾祸的始因,艺术是可喜的希望,由个体化魅惑的破除而预感到统一将得以重建"。

最后,让我们回到"雨虎2000"关于悲剧和喜剧的对比。巧合的是,尼采在《悲剧的诞生》中也谈到了喜剧,他认为当悲剧死亡之后,随之兴起的就是阿提卡的新喜剧。观众在喜剧舞台上看到的和听到的不再是伟大人物或者高尚人物,而就是他们自己的化身,观众"为这化身如此能说会道而沾沾自喜",尼采把这种喜剧称作"希腊的乐天",而且是"奴隶的乐天",因为"奴隶毫无对重大事物的责任心,毫无对伟大事物的憧憬,丝毫不懂得给予过去和未来比现在更高的尊重"。他们最喜欢的就是"得过且过,插科打诨,粗心大意,喜怒无常"。

再一次,我们从尼采的描述中看到了21世纪的现代生活。如果尼采亲眼目睹现在流行的各种娱乐节目和选秀节目,他一定会再一次感慨自己的高瞻远瞩、一语成谶。

085
幸福就是感到权力在增长：尼采反对基督教

say no vs. say yes

在上一讲的结尾处，我引用了尼采的一段话，他认为基督教否定一切审美的价值，而狄奥尼索斯却恰恰相反，他象征着肯定的极端界限。"审美"这个词在西文中也有"感性"、"情感"的意思，所以这句话的意思是说，在面对情感、感性这些价值时，基督教与酒神精神表现出完全不同的态度，一个说不（say no），一个说是（say yes）。

说到这里，我想起不久前读过的一篇文章。日本有一个综艺节目，情窦初开的少男少女们站在天台上，对着围观群众和心爱的人，大声地说出关于喜欢、关于爱，以及一切人类的美好情感。有一家中国电视台 copy 了这档节目，然后整个画风立刻就变了，如果说"日本节目里的青春是爱的初体验，大家都学会温柔和尊重"，那么国内节目里的青春则是同辈的压力、学习的压力，尤其是亲子关系的压力。最常见的桥段是孩子向妈妈喊话："请不要总拿别人家的孩子来要求我！""请不要因为我学习成绩下滑就不让我跳拉丁舞了！"可是，站在天台下面的妈妈总是会斩钉截铁地说："不可以！"要么，就是加上很多的附加条件，比如："你必须考进全校前 100 名才可以跳拉丁舞。"当女儿说："我做不到，考进 200 名可以吗？"妈妈接着大声砍价："不行，至少 150 名！"

这真是一个再典型不过的中国亲子关系，在这个关系里，家长代表着理性、权威和道德。当家长们完全不顾及孩子的情感，傲慢地说出不可以时，不正是在否定一切审美的和感性的价值吗？孩子们的生命力和创造力被五花大绑，到处都是禁区和雷区，满耳听到的都是 no no no，这让他们不知道怎么去 say yes，尤其是对自己的人生 say yes。

回到尼采的语境，他认为，酒神精神所提倡的生命力与创造力，先是遭受到了以苏格拉底为代表的理性主义的压制，而后又被基督教的道德所固化。理性和道德都在对蓬勃生长的生命力 say no。

什么是好？什么是坏？

在这一讲中，我们将主要来分析《敌基督者》这本书的第 2 节，因为在我看来，这段话虽然很短，但却浓缩了尼采批判基督教的核心观点。先来看前两句话：

> 什么是好？——一切提高人类的权力感、权力意志、权力本身的东西。
> 什么是坏？——一切源于软弱的东西。

需要特别强调的是，这里的"权力"就是"power"，"权力意志"就是"the will to power"，但我们不要把它仅仅理解成政治上的权力，而要更多地理解成动能、动力和能力的意思。陈鼓应先生说，"the will to power"更好的译名是"冲创意志"，因为这种意志是"创造生命的意志"。我也认为"冲创意志"这个译法更好，它与五四时期"冲决一切网罗"的说法非常类似。事实上清末民初时期，尼采思想对于梁启超、王国维、鲁迅、陈独秀这些思想大家都产生过非常深远的影响，比如陈独秀就借用尼采对主人道德和奴隶道德的区分，来抨击儒家的忠孝节义是奴隶的道德。不过，虽然"冲创意志"这个译法更好，但因为"权力意志"已经是一个通行的译名，所以接下来我们还会使用这个译名。

尼采认为"好"这个词最初就是对一切人类的可贵品质的肯定和赞美，这些品质包括健康、力量、身体的魅力，以及各种天赋、才能，还有恣意汪洋的激情和坚忍不拔的耐力。比方说，在 2018 年世界杯首场比赛中，葡萄牙队 2∶3 落后于西班牙，最后时刻葡萄牙获得了任意球的机会，C 罗站了出来，有一个网友这样描述彼时彼刻的 C 罗："当镜头长时间定格在他的脸上时，他的眼神里既有平静又有杀戮，有节奏的呼吸带出一种必胜的信念，眼波流转之间好像既微及昆虫草木又大至宇宙人生……"当 C 罗最终用一记世界波破门，3∶3 逼平强大的西班牙时，坐在电视机前的你，除了赞叹"真好"还能说些什么呢？这就是尼采所理解的"好"的最原初的含义。尼采说："什么是幸福——感到权力在增长，感到一种阻力被克服。"

其实，作为普通人，我们也能体会到类似的幸福感。比方说，经过一段时间的努力，你终于做出了一道超难的数学难题，或者你终于可以完成 20 个引体向上，这些事情虽小，但只要它让你感到能力在增长、阻力被克服，你就会感受到欣喜、骄傲和幸福。与此相反，所谓"坏"，就是缺乏这些优秀的品质，因为缺乏这些品质，所以感受到虚弱和匮乏。

不是德性，而是卓越

很自然，接着上面的话尼采会继续这么说：

> 不是满足，而是更多的权力；根本不是和平，而是战争；不是德性，而是卓越。（文艺复兴风格的德性，非道德的德性）

"不是德性，而是卓越"——读到这八个字，我们会立刻回想起古希腊人对于德性的理解。他们推崇的不是道德意义上的德性（virtue），而是"生命的力量在生活赋予的广阔空间中的卓异表现"，也就是卓越（excellence）。尼采无疑是接受这个区分的，他憧憬的德性正是最纯正的古希腊意义上的卓越，它与能力有关，与道德无关，与强者有关，与柔弱者和失败者无关。

再来看"不是和平，而是战争"——读到这八个字，会让我们想起古希腊哲人赫拉克利特，他说："战争是万物之父，又是万物之王。"为什么那个毁灭万物的战争竟然会是万物之父？因为矛盾、冲突和战争在毁灭万物的同时又在创造和产生万物，并且正是在这个过程中，才真正体现出无限旺盛的生命力和创造力。

赫拉克利特是尼采非常欣赏的古希腊哲人，在《希腊悲剧时代的哲学》中，尼采以赞美的语气评论赫拉克利特的哲学：

> 生成和消逝，建设和破坏，对之不可作任何道德评定，它们永远同样无罪，在这世界上仅仅属于艺术家和孩子的游戏。……只有审美的人才能这样看世界。

潜伏在河中的鳄鱼捕食涉水的角马，从角马的角度看，是毁灭，从鳄鱼的角度看，是创生，这只是生命生生不息、周而复始的一个过程，就像潮起和潮落，无法用对错好坏去评判它。

孩子在海边筑沙堆，堆起一个沙堆，然后推倒它，然后再堆起一个沙堆，再推倒它，如此循环往复，你站在一边不解地问孩子："这么做到底有什么意义？"尼采说，世界就像这个游戏，毫无意义可言。

也许有人会反驳说：可是鳄鱼捕杀角马的场景真的很残忍啊！对不起，尼采告诉我们，所谓的残忍与血腥，只是你把自我的情感投射其上的结果，所谓的意义和价值，也是如此。所以不要入戏太深，一切都是自然之理。

也许有人会认为，尼采的立场与《理想国》里的智者色拉叙霍斯一样，都在强调"力量即正义"。这是典型的误解。尼采不是反道德主义者，尼采是非道德主义者，在他看来，力量就是力量，它无关乎道德的正义与不正义，他所谓的好不是道德意义上的好。鳄鱼捕杀角马，狮子捕杀羚羊，马基雅维利的君主绞杀敌人，一切都是权力意志的体现，是生命本身求生长、求延续的体现，所以不要入戏太深，一切都是自然之理。

柔弱者和失败者当灭亡

正因如此，尼采才会接着说：

> 柔弱者和失败者当灭亡：我们的人类之爱的第一原则。为此还当助他们一臂之力。

从这句话中可以看出尼采思想中黑暗的一面，以及被误读的巨大可能。柔弱者和失败者应该灭亡，为此还当助他们一臂之力——人们会因此认为，尼采是德国法西斯主义的精神教父，因为在这里他似乎已经赤裸裸地支持了种族歧视，并且暗示出种族灭绝的后果。关于尼采与法西斯主义的关系，我们会在最后一讲再做讨论，这里我只想指出一点：尼采的确不接受人人平等的原则，但他并不是一个种族主义者和反犹主义者。他在区分人与人之间的高低贵贱时，更多的不是从种族的角度出发，而是从教育和文化的角度出发，在这个意义上，他更像是一个贵族激进主义者。

在做了这么多的铺垫之后，尼采终于在《敌基督者》第 2 节的结尾处，亮出了他的底牌：

> 比任何一种恶习都更有害的是什么？——行为上对于所有失败者和柔弱者的同情——基督教……

这句话再明白不过地表明了尼采的立场：失败者和柔弱者是不值得同情的，基督教的根本问题就在于站在"所有软弱者、卑贱者和失败者"的一边，向更高类型的人发动了"生死之战"。这场战争的武器就是"道德"，基督教把失败者和柔弱者美化成善人和好人，而那些更高类型的人也即贵族与主人，在基督教的道德词典里却变成了"道德败坏的人"。需要特别指出的是，尼采所谓的奴隶不是指阶级分析意义上的奴隶，而是指没有天赋才能、缺乏精力、体力和活力，因为生活乏味、压力巨大但又无能力反抗的失败者和柔弱者。

按照现代世界尤其是自由主义的伦理观，同情弱者是尊重生命的体现，但是对尼采来说，同情弱者恰恰是在否定生命。同情会使人失去力量，让痛苦变得富有传染性，甚至会带来"生命和生命能量的整体损失"。总之，同情是虚无主义的实践，它是颓废的、病态的和不健康的。而基督教正是一种同情的宗教。

到底应该怎么理解尼采对同情的批评？尼采的主人道德和奴隶道德究竟在说些什么？关于这些问题，我们将在下一讲接着说。

在结束本讲之前，我想简单谈一下尼采的写作风格和思考风格。尼采自称："我在处理较为深奥的问题时，就像洗冷水澡一样：快进快出。"尼采的文字风格和思考风格就是这样，他不喜欢做长篇累牍的逻辑论证，而是惯用短小精悍的格言体，或者风格诡异的寓言体，常常出人意表，一针见血。阅读尼采的体验也像是在洗冷水澡，只有先屏住呼吸，绷紧身体，才可以鼓足勇气进入尼采的世界，阅读的过程亢奋紧张，时而有浑身一激灵的感觉。可是冷水澡的问题在于，它虽然很刺激爽快，但不一定能洗得干净彻底，而我们在享受尼采给我们带来的心灵冲击时，也要时刻提醒自己，不要沉溺太久，要快进快出。

086

"自然力量，天生要强"：
尼采论主人道德与奴隶道德

主人道德与奴隶道德

这一讲我们继续来讲主人道德和奴隶道德的区分。所谓主人道德，就是强者的道德。在爱与和平成为主旋律的今天，当我们想起强者的时候，最先映入脑海的是体育明星，虽然这与尼采所设想的强者形象并不完全一致，但也可以用来做个分析。

仍旧以C罗为例，他在球场上是绝对意义上的强者，他的强不仅反映在技术层面上，更反映在精神层面上。有位网友说得好："自然力量，天生要强"这句广告词不是写给梅西的，而是写给C罗的剧本。每每在球队陷入困境的时候，C罗总会在场上不断地挥舞手臂给队友加油打气，并且屡屡上演孤胆英雄的好戏，他是狼群里的头狼，更是个人英雄主义的典范。

强调个体，崇尚力量，权力意志，这就是主人道德的精髓。相比之下，奴隶道德则把个人隐身在群体之中，推崇爱与同情，遇到困境的时候垂头丧气，遭遇失败的时候会自我安慰："可是，我是一个好人啊！"进而，这些人会说："没错，你是一个赢家，但是你傲慢自大，你目中无人，你虚骄浮夸，你把自己的快乐建立在别人的痛苦之上，你不是一个好人，而是一个坏人！"

当弱者开始这样使用好与坏的时候，尼采认为，这就颠倒了原有的价值体系。在上一讲中我们介绍过，尼采认为好就是"一切提高人类的权力感、权力意志、权力本身的东西"。但是奴隶道德不一样，他们把毒药投入"生命的所有源泉"，把温顺、谦卑、节制、无能、虚弱当成善良、美好、仁慈、爱与同情，在这个过程中，尼采认为基督教扮演了关键性的角色，是基督教让奴隶道德真正落地生根。

怨恨之人的灵魂是歪的

当弱者面对强者的时候，因为无力抵抗就会产生一种怨恨的情绪。这种情绪的最基本特征就是，想要反抗但又深深地体会到自己的无能，于是只好将报复的情绪深埋在心底。尼采说：

> 当高尚的人自信开朗地自己面对自己而生活的时候，怨恨之人却既不率直，也不天真，自己对自己也不开诚布公。他的灵魂是歪的。

有的人从小就是学霸，有的人从小就生活在学霸的影子里面。你有没有发现一个现象：真正的学霸不仅学习好，而且体育好，人缘好，吹拉弹唱无所不精，最重要的是，他们目中无人。我不是说他们傲慢自大，而是说他们不跟别人比较，他只跟自己较劲。而剩下的所有其他人则会在每次月考发榜的时候，心里暗暗地盘算自己跟学霸之间的分数差距。正是在这个比较的过程中，尼采说，你的灵魂就变歪了。

尼采指出，怨恨之人的精神"喜爱蛰藏的暗角，潜逃的暗道和后门，一切阴匿之物都让他满心感到，这是他的世界，他的安全，他的乐土所在。他擅长沉默，不忘怀，等待，暂时将自己渺小化，暂时地侮辱自己……"

怨恨之人擅长沉默，可是尼采说："一切沉默者都是消化不良的。"而鲁迅则说："沉默啊沉默，不在沉默中爆发，就在沉默中灭亡。"其实，无论是爆发还是灭亡，都不是一个好的结局。

尼采举过一个名叫"俄罗斯式的宿命论"的例子，因为远征太艰苦，疲惫不堪的俄罗斯士兵就怀着宿命论的想法躺在雪地上，不再动弹，他们把身体的新陈代谢降到最低程度，让自己的意志开始冬眠。这是一种彻底的自我放弃。

这个例子让我想起黄立行的一首流行歌曲，名叫《最后只好躺下来》，歌词是这么唱的：

> 醒来刷牙 早晨来不及
> 塞车算什么 扣薪水 老板了不起
> 又是加班下班搞得好累
> 根本没时间了只能睡
> ……
> Hey！给我一分钟的快乐吧
> 给我个办法来发泄吧
> 给我 自由
> 让我 生活不再没有意义
> ……
> 看不到原来的出口
> 最后只好躺下来

"最后只好躺下来"——这句歌词非常精准地刻画出现代人的基

本生活状况：面对无处不在的生活压力，无能反抗，充满怨恨，最后选择放弃，接受"俄罗斯式的宿命"。

弱者的报复，强者的爆发

爆发又能怎样呢？有一位著名的德国哲学家名叫马克斯·舍勒，按照他的观点，怨恨的出发点是"报复冲动"。什么是报复冲动？当别人扇了你一记耳光，你二话不说就扇了回去，这不是报复，而是反击与防卫。报复冲动的本质特征在于时间上的滞后与延宕，别人扇了你一记耳光，你内心汹涌澎湃，但却硬生生地把一触即发的对抗情绪给遏制住，自我安慰说："君子报仇，十年不晚！"在经过如此这般的心理过程后，怨恨就在你的心里扎下了根。为什么会在冲突的当下关头选择隐忍而不是爆发？舍勒说，这是因为担心直接反抗会导致更大的失败，更多的羞辱。显然，这种担心与意识到自己的"无能"和"软弱"是有关系的。多数人会在隐忍和沉默中灭亡，少数人则会选择爆发。我们读社会新闻，常常会看到一些看似没有任何来由的报复社会的暴力案件，在最一般的意义上讲，都是尼采所说的"从无能中生长出来的仇恨"，它们既暴烈又可怕，既富有才智又最为阴毒，是"最危险的爆炸材料"。

说到这里，也许有读者会问：难道强者就不会怨恨吗？对此尼采的回答是：强者（高尚的人）也有怨恨，但是强者与弱者的区别在于，当感受到怨恨的时候，强者会立即表现出来，把怨恨的情绪充分地发作出来、消散开去，因此就不会对自己产生任何的毒害。我认为尼采的这个分析特别正确。你看乔丹或者C罗，他们在球场上每球必争，任何人挑衅他们，都会立刻被打脸，他们绝不会隐忍自己的怨恨，更不会像基督教所宣扬的那样——打我的右脸，把左脸也送过去。作为旁观者，我们也许会觉得C罗睚眦必报甚至心胸狭隘，但是从另一个角度看，正像尼采所指出的那样，这是强者才有的气质，他们不会"长久地耿耿于怀，能做到这点——是强健饱满的天性的标志"。

肤浅的同情是一种粗暴的无所顾忌

虽然奴隶道德和怨恨情绪是基督教的底色，但是尼采认为，基督教的狡猾之处在于，他们用爱与同情这样的积极情感来掩饰和取代怨恨这样的消极情感，从而发展出"信"、"望"、"爱"的基督教德性。尼采说，这正是基督教有别于其他宗教的"最巧妙的诡计"。

你也许会说，同情有什么不好的？同情难道不正是这个世界上最稀缺的品质吗？同情心可以让我们成为更好的人，可以让我们去帮助弱者，可以让这个世界充满爱。可是尼采这位伟大的道德心理学家却一针戳破了这个美丽的脓包。

让我们来读一读《快乐的科学》的第 338 节。尼采说："别人几乎不了解我们所受的剧痛，即使吃同一锅饭的人，我们也会对他们隐瞒。"每个人都有一些不足为外人道的痛苦，哪怕是面对最亲近的人，也不愿意轻易敞开胸怀。可是同情者对别人的剧痛一无所知也毫不在意，他们并不了解也不想了解别人为何痛苦、因何痛苦，他们只是因为看到别人有痛苦，就同情心泛滥地扑了上去，试图"轻飘飘地祛除别人的痛苦"。尼采认为，这样的同情不仅肤浅，而且是对他人生活的横加干涉，是一种粗暴的无所顾忌。

说到这里，我想起小时候听过的一首歌，有几句歌词是这样唱的："请让我来帮助你，就像帮助我们自己，请让我来关心你，就像关心我们自己。"如果尼采听到这首歌，一定会说：没错，同情者根本不是在帮助别人，而是像歌词所说的那样，就是在帮助自己。所以同情心不仅肤浅而且自私，它给同情者本人带来巨大的心理满足感和优越感：多么好！我是一个富于同情心的人！

米兰·昆德拉在《生命中不能承受之轻》中写过一段非常著名

的话，他指出，当人们看到小孩在草地上奔跑的时候，通常会流出两种眼泪："第一种眼泪说：看到孩子在草地上奔跑，这有多好啊！第二种眼泪说：和所有人类在一起，被草地上奔跑的孩子所感动，这有多好啊！"米兰·昆德拉认为，"正是第二种眼泪让媚俗更加媚俗"。按照罗伯特·C.所罗门的解释，尼采会认为第一种眼泪让人意识到了自己是一个同情者，这是一种"情感操控"的策略，因此是虚伪的和自欺的，第二种眼泪则是一种"平庸的伪善"。我认为，第二种眼泪更加值得警惕，因为它不仅让你自我感动，还上升到同体大悲的高度，产生出"人生多么美丽，就让我们一起荡漾在爱与同情的波浪里吧"这样的幻觉。这种粉红色的场景会让你丧失真实感，忘了世界本来的面目有多冷酷。

事实上，这首歌在唱完"请让我来关心你，就像关心我们自己"之后，紧接着就是总结陈词——"这世界会变得更美丽"。如果尼采听到这里，一定会用《快乐的科学》里的这句话作为回应："你们这些善良和舒适的人啊，怎么对人的幸福几乎是一窍不通呢！须知幸与不幸原本是一对孪生兄弟，它们共生共长；可是，它们在你们身上总也长不大！"

如何阅读尼采

我相信很多人在读完尼采对同情心的批判之后，一方面会觉得他一针见血，戳中了许多要害之处，另一方面又会觉得尼采未免过于尖酸刻薄、愤世嫉俗。生活需要伪装，人生需要假面，这些伪装和假面并不一定都会带来恶果。我曾经写过一篇小文章，题目叫作《装装文明人》，里面有这样一句话："'人性本恶，其善者伪'。装是文明开始的第一步，装啊装啊就信以为真了，就深入人心了，就大道通行了。"

所以说，在读尼采的时候，一定要小心留意，快进快出。很多人在读的时候，酣畅淋漓，藐视一切，但是读完之后却不知所措，一声叹息。为什么会这样？因为尼采就像炸药，他炸毁一切现成的和虚伪的东西，把生命中最肮脏、最丑陋、最鲜血淋漓的一面展露给你，他的哲学可爱但不可信，一旦你信了，就必须要承受生命中不能承受之重。

最后，请允许我用尼采的一句话来结束这一讲的内容："世间存在不幸对个人来说是完全必要的……你我需要恐惧、匮乏、贫困、黑夜、冒险、鲁莽、失误"，因为"通往个人的天堂之路总需穿越个人的地狱"。

这段话毫无疑问与尼采本人的生活体验息息相关，就像我在第83讲中所说的那样，读尼采，一定要把他的哲学跟他的人生结合在一起读，他的哲学就是他的人生，他的人生就是他的哲学。如果你不能体验他的体验，不能设想他的狂想，那就很难真正进入他的哲学。

087
上帝死了，超人诞生：
尼采的《查拉图斯特拉如是说》

《查拉图斯特拉如是说》的诞生

尼采在《查拉图斯特拉如是说》中写道："在我心中，只有生命为我所爱！——尤其是我最恨它的时候，也正是我最爱它的时候。"正如这句话所说的，这本书的诞生，再一次证明了他的观点："一切决定性的东西都从逆境中产生。"

按照尼采的自述，此书构思于 1881 年 8 月初，"在海拔六千五百英尺以上并更高地超越一切人类之上的西尔斯—马利亚"。此后他酝酿了整整 18 个月之久。在经历了身体的病痛、朋友的背叛和失恋的打击之后，尼采却以更加积极的姿态肯定生命，终于在 1883 年 3 月写完此书的第一卷。在接下来的两年时间里，尼采分不同阶段写成剩下的三卷，每一卷的真正写作时间都只有十天左右。尼采就像是一座火山，时而喷发出滚烫的岩浆，时而又归于沉寂。当灵感来袭的时候，尼采说："我感到仿佛受到了闪电的触发，眼前一片光明。"

尽管写作无法代替生活，但是它的确能够给尼采带来"通透明亮"的心情，尼采说："冬天，在尼斯晴朗的天空下，我发现了第三个查拉图斯特拉；我可以在山岗上走七八个小时，我睡得很好，笑得很好……"

成稿之后，尼采迫不及待地付诸印刷，但是仅仅售出四十本，另外赠送了七本，只有一个人回复说收到了赠书。尽管销量惨不忍睹，尼采对这本书所达到的高度却毫不怀疑，他自信满满地说：德语写作"在路德和歌德之后，还有待于跨出第三步……我想，我已经通过查拉图斯特拉让德语达到了尽善尽美的境界"。

上帝死了

那么这本书到底都说了些什么呢？首先，我们要问的是，查拉图斯特拉是何许人也？查拉图斯特拉是生活在公元前 7—前 6 世纪的波斯人，是拜火教的创始人，主张光明与黑暗的对立，善与恶的对立。这个教派后来成为波斯帝国的国教，并于 6 世纪传入中国，金庸小说《倚天屠龙记》里的明教就是脱胎自拜火教。

接下来我们要问的是，尼采为什么要以查拉图斯特拉的名义写作？尼采的理由是，正因为查拉图斯特拉错误地把世界理解成为善与恶斗争的战场，所以才把他作为主人公，因为始作俑者必须首先承认错误。为什么把世界理解成善与恶的斗争场所是不正确的？因为尼采自称是第一个非道德主义者，主张超越善与恶，用非道德的眼光来看世界。你发现了没有，尼采本人的观点与历史中的查拉图斯特拉可以说是正好相反，在这个意义上，这本书与其说是"查拉图斯特拉如是说"，不如说是"尼采如是说"。

那么尼采到底说了些什么？为了便于理解，我把他的核心论点总结为八个字：上帝死了，超人诞生！

"上帝死了！"——对于这个论断，我相信你们并不陌生，这也许是尼采最广为人知的一句名言。其实早在《快乐的科学》中，尼采就借一个疯子之口昭告天下——上帝死了！尼采是这么写的：

> 你们是否听说有个疯子，他在大白天手提灯笼，跑到市场上，一个劲儿地呼喊："我找上帝！我找上帝！"那里恰巧聚集着一群不信上帝的人，于是他招来一阵哄笑。……疯子跃入他们之中，瞪着双眼，死死盯着他们看，嚷道："上帝哪儿去了？让我们告诉你们吧！是我们把他杀了！是你们和我杀的！咱们大伙儿全是凶手！"

按照这个说法，杀死上帝的不是疯子，也不是尼采本人，而是我们每一个人。可是问题在于，按照上帝的定义，他不仅全知全能全善，而且应该是永恒不死的。所以，关于"上帝之死"的第一个问题是：上帝的软肋在哪里，他究竟是怎么死的？

在《查拉图斯特拉如是说》中，尼采继续借查拉图斯特拉之口向世人昭告"上帝死了"的讯息，查拉图斯特拉这样说道：

> 从前魔鬼这样对我说过："连上帝也有它的地狱，那就是他对人类的爱。"
> 最近我又听到这样的话："上帝死了；上帝死于他对人类的同情。"

我们知道尼采反对基督教的爱和同情，现在他进一步说，上帝对人类的爱成了他的地狱，并最后导致了他的死亡。为什么会这样？因为"一切创造者都是铁石心肠"。铁石心肠的意思就是超越善与恶，所以上帝的软肋就在于他没有超越善与恶，反而深爱着人类，为了拯救人类甚至把自己的儿子送上了十字架。

可是按照常理，人们不是应该为此对上帝感恩戴德吗？人们为什么还要恩将仇报，杀死上帝呢？尼采的回答是："上帝洞察一切，也洞察人类：这个上帝必须死去（dieser Gott musste sterben）！人类是无法忍受这样一个见证人的。"人类为什么无法忍受这样一个见证人？因为人类犯下太多的罪行，而罪恶是不希望有见证人的，所以必须杀死上帝。

说了这么多，也许有读者会说：上帝死了，so what？的确如此，对于没有信仰的人来说，上帝活着或者死了，都无所谓，生活还是照常继续。可是对于深浸在基督教传统里的西方人来说，"上帝死了"就意味着秩序的崩溃，价值体系的坍塌。因为上帝是整个西方文明的最重要基石之一，抽去了这座大厦最重要的基石，一切就变得岌岌可危了。所以海德格尔说："'上帝死了'，这句话蕴含着如下的规定：这种虚无（dieses Nichts）展现出来了。在这里，虚无意味着：一个超感性的、约束性的世界已经不在场了。"

上帝死了，就意味着没有彼岸世界，只有此岸世界；没有物自身，只有现象界；没有超越感性、居高临下、说一不二的那个约束者，只有我们这些不知所往不知所终、朝生暮死、及时行乐的偶然存在者。这就好像是老师离开了教室，孩子们突然陷入莫名的狂欢，但是这种狂欢却蕴含着巨大的危机，因为它意味着怎么都行（anything goes），意味着彻底的失序状态。

尼采说，虚无主义这个所有客人中最阴森可怕的客人，已经站在门口了。可是陷入狂欢的庸众对于即将到来的危机却毫不知情。在《快乐的科学》里，当疯子发表过关于上帝已死的长篇大论之后，人们对他的警告毫无反应，他们用异样的眼神看着疯子，终于，疯子把灯笼摔在地上，灯破火熄，继而又说："我来得太早，来得不是时候，这件惊人的大事还在半途上走着哩，他还没有灌进人的耳朵哩。……即使完成了大事，人们听到和看到大事也需假以时日。这件大事还远着呢！比最远的星球还远，但是，总有一天会大功告成的！"

超人诞生

这幕场景简直就是惊悚电影里的经典桥段。现在的问题在于，当虚无主义这个最阴森可怕的客人终于按下门铃，我们究竟应该作何反应呢？普通人会从狂欢中惊醒过来，进而因为过度的惊恐而四肢瘫软，陷入彻底的悲观主义和颓废主义之中，这是一种"卑劣"的虚无主义。尼采不一样，他虽然预言了虚无主义的必将到来，但他绝不甘心坐以待毙，而是要成就一种"高贵"的虚无主义，通过权力意志和超人理想去直面虚无，战胜虚无，最终成为人生和世界的主宰。

按照尼采的思路，上帝死了这个事实，恰恰为超人诞生提供了机会。如果说上帝是旧的创造者，那么超人就是新的创造者。如果说上帝曾经建立起善恶的标准，那么超人首先打破各种价值，重估一切价值，然后再创立新的价值。

关于超人，尼采说过很多话：

> 我教你们何谓超人：人是应被超越的某种东西。你们为了超越自己，干过什么呢？

> 你们走过了从虫到人的道路，你们内心中有许多还是虫。

> 人是联结在动物与超人之间的一根绳索——悬在深渊上的绳索。

> 人之所以伟大，乃在于他是桥梁而不是目的；人之所以可爱，乃在于他是过渡和没落。

应该怎么去理解这些段落？借用特纳的观点："能够给生活赋予

肯定道德的存在者，就是超人。"另一个学者查尔斯·拉莫尔也说过类似的话："超人并不是一个不同的物种或一个更高级的种族，超人就是人自己——一旦他学会了肯认他真正所是的那个人。"

到目前为止，我们所说的都只是理念意义上的超人，可是真正的问题在于，我们可以在现实世界里指认出谁是超人吗？超人到底是谁？他是基因突变意义上的超人，种族优越意义上的超人，还是别的什么东西？他是尼采本人，是拿破仑这个马背上的世界精神，还是希特勒或者墨索里尼？

关于这个问题，我们留到下一讲接着说。

088
一个人如何成其所是？
——与尼采一起生活

尼采与纳粹

上一讲我们结束在尼采的超人到底是谁这个问题。在探讨这个问题之前，我们需要先来澄清一下尼采与纳粹的关系。

尼采自从 1889 年陷入疯狂之后，他的妹妹伊丽莎白一直在照顾他的生活起居，并且负责尼采书稿的整理出版。1900 年 8 月 25 日，迎着新世纪的曙光和朝霞，尼采溘然长逝。这个先于时代而生的尼采，这个已经沉默不语、无法自辨的尼采，终于迎来了属于他的世纪，可是他最初的名声却与反犹主义和法西斯主义有着剪不断理还乱的关系。他的遗著《权力意志》被视为第三帝国的圣经，希特勒本人甚至专程前往尼采档案馆参观，并与尼采塑像合影。但是"二战"之后，越来越多的学者试图为尼采洗清"罪行"，认为他与法西斯主义的关系是被伊丽莎白精心制造出来的假象。一个最突出的证据在于，《权力意志》的成稿是由伊丽莎白精心剪裁和拼贴而成的，里面充斥着反犹主义和法西斯主义的言论，但是如果我们仔细阅读尼采的著作，特别是他的自传《瞧，这个人》，就会发现尼采并不认同这些观点。可是伊丽莎白为了塑造尼采的反犹形象，直到 1908 年才出版《瞧，这个人》，并且故意定了很高的价格，以此来阻止这本书的传播和阅读。

总而言之，虽然尼采的思想存在着危险性，但是越来越多的学者反对把尼采直接等同于反犹主义和法西斯主义。以尼采的"超人"为例，当代学者普遍认为它"与人种学上的进化毫无关联，不是进化成某种'更高级的'形态"（罗宾·斯马尔语）。就此而言，希特勒和墨索里尼显然不是尼采心目中的超人，拿破仑也不是，因为尼采曾经明确说过，拿破仑是"非人和超人的综合体"。

超人 vs. 末人

学者威廉·巴雷特认为，歌德或许最符合尼采的超人形象，因为尼采曾经盛赞歌德"追求的是整体性；他反对理性、感性、情感和意志的分裂，他使自己契合整体性，他创造了他自己"。从以上说法不难看出，尼采心中的超人是文化和教养意义上的，而不是种族进化意义上的。

按照这一解释，尼采的超人看似横空出世，实则其来有自，它的形象深深植根于启蒙运动以来的一个核心问题——"个人如何滋养自己以图生长"。说得再明确一些，就是如何"塑造个人的问题"。

巴雷特指出，歌德的《浮士德》与尼采的《查拉图斯特拉如是说》算得上是"兄弟作品"，因为"这两部作品都力图以象征方式精心阐述超人——完整无缺、体魄健壮——形成的过程"。《浮士德》也是在挑战所有的传统道德，也是在超越善与恶，只不过尼采的非道德主义表述得更为激烈。但究其根本，尼采其实不过是在发挥歌德的论点："人必须把他的恶魔与自己融为一体，或者如他（尼采）所说，人必须变得更善些和更恶些；树要长得更高，它的根就必须向下扎得更深。"

中文里有一个词叫作"天人交战"，今天已经失去了它原本该有的分量，因为我们早已经把心中的恶魔给彻底地驯服了。我们只是在百事可乐和可口可乐之间，在半夜看球应不应该喝啤酒、光棍节该买多少单的时候，才会产生天人交战的感觉。可是在尼采这里，天人交战不仅无时无刻不在进行，而且每一次都是生死存亡的斗争。

在《查拉图斯特拉如是说》当中，心中的恶魔以不同的面目出现，它如影随形，无处不在。有些情节如此的诡谲惊悚，只有在最可怕的噩梦里才会出现类似的场景。比方说，书中有一个小丑，在别人走钢丝的时候，突然跳过他的头顶，走钢丝的人受到惊吓，直接从绳索上面掉了下来，摔死了。比如说，书中还出现过一个侏儒，在查拉图斯特拉向上攀登高峰的时候，一直骑在他的肩膀上，在他耳边不停地嘲笑说："哦，查拉图斯特拉，你这智慧的石头！你把你自己抛得很高，可是每一块被抛上去的石头都得——掉下来！"再比如说，查拉图斯特拉梦见一个牧童在痛苦地翻滚，从他的嘴里爬进一条又黑又粗的黑蛇，查拉图斯特拉大声喊道：咬断它！牧童于是狠狠咬下蛇头，把它吐得老远。

我们可以将这些场景视为寓言。比如，这里的牧童就是尼采本人，而黑蛇则是一直与他纠缠不清的心中的恶魔。小丑和侏儒同样如此，请允许我说一句不那么政治正确的话，在尼采的语境里，他们都是"非人"的存在，它们形容丑陋，是人心当中的恶魔化身。你想要做一个健康的、饱满的、向上的人，可是小丑和侏儒却一直在把你往下拉，他们在感官上让你产生恶心感和呕吐感，在精神上让你厌世、虚无和褊狭，每当你想振翅高飞，把自己抛得更高，这些"重压之魔"就会让你坠落得更狠。

查拉图斯特拉怒不可遏，对侏儒大声说道："侏儒！有你就没有我！"——这是超人才会有的勇气，只有超人才能认清自己身上最黑暗最沉重的东西，克服它，战胜它，超越它。

可是这样的决斗时刻在普通人的日常生活中并不经常出现，因为我们缺乏勇气决斗，甚至意识不到心中的恶魔，我们安于下降和沉沦，在下降和沉沦的过程中，甚至还体会到某种满足感和幸福感。所以在尼采的笔下，除了超人，还有与之相对的末人（the last man）。末人的特征是，他们不关心超人所关心的任何问题，他们眨巴着眼问："什么是爱情？什么是创造？什么是渴望？什么是星辰？"他们问这些问题，是因为他们对这些问题一无所知也毫不关心，这些问题在他们眼中毫无价值。所以尼采说：

> 大地在他的眼里变小了，最后的人使一切都变小了，他在大地上蹦蹦跳跳。他的族类不会灭绝，犹如跳蚤；最后的人寿命最长。
>
> "我们发明了幸福。"——最后的人说，并眨巴着眼。

巴雷特认为，尼采不肯承认心中的恶魔就是他自己，他选择与侏儒决斗，而不是与之和解，这是查拉图斯特拉的致命失败，也是尼采在生活中的致命失败，进而还是作为思想家的尼采的失败。巴雷特认为，如果尼采不是说"侏儒！有你就没有我"，而是说"你和我（自我）本是同一个自我"，想必会更加明智，甚至显得更有勇气。

巴雷特的说法的确有其道理，可是，与自我和解，向心中的那个恶魔妥协，这样一来，尼采就不是尼采了！虽然这样会换回内心的平静和平衡。事实上，尼采之所以反对末人道德，就是因为他们太容易妥协、太容易和解了。尼采说：

> 对他们来说，美德就是变得谦虚和温顺：因此他们把狼变成狗，把人本身变成人们的最善良的家畜。
>
> "我们把我们的座椅放在正当中"——他们怡然自得地微

笑着对我这样说——"以同样的距离远离殊死的斗剑者和满足的母猪。"

这段话里的"他们"指的就是末人。对于末人的自鸣得意，尼采尖酸刻薄地评论说："这可是——凡庸；尽管被称为适中。"

所以，尼采是不会选择与小丑和侏儒妥协的。相反，他一直在强调说："我必须是斗争、生成、目标、各种目标之间的矛盾。"尽管这样的生活常常会让尼采透不过气来，让他被自己的思想灼伤，但正是在这个过程中，尼采才能体会到真正意义上的幸福，因为只有此刻才能体会"力量在生长"！

可问题在于，我们可以像尼采一样生活吗？对于绝大多数人来说，答案显然是否定的。我们既无法像尼采那样生活，又不愿成为"随时可以出卖自己，随时准备感动，绝不想死也不知所终，开始感觉到撑的"（见张楚的歌曲《上苍保佑吃完了饭的人民》）末人，那该如何是好呢？

还是让我们回到拉莫尔的观点，什么是超人？拉莫尔说："超人就是人自己——一旦他学会了肯认他真正所是的那个人。"这个解释给我们带来莫大的安慰，原来，我们每个人都可以成为超人！可是，另一方面我又始终对这个解释感到不满，因为这样一来，尼采的超人就被软体化和庸俗化了。按照尼采的观点，超人卓尔不群，是极稀少的一小撮，他们是真正意义上的贵族，而按照拉莫尔的解释，自由民主社会中的每一个独立个体都是超人。

认识你自己，发现你自己，成为你自己，这些曾经动人心魄的话语已经成为商业时代、娱乐时代的陈词滥调。当每个人都可以毫无障碍地说出这些话，并且一经说出就自以为已经做到，这些话也就失去了它最本真的含义。可是，在这样一个诸神隐退、上帝已死的时代，我们还能怎样呢？我们还能对这个时代要求什么，还能对深陷于这个时代的自己要求什么呢？

尼采说：我是太阳，只是给予，不想取得。可是作为凡人，我们却必须要在给予和取得之间找到平衡。所以在这个意义上，我们只能向巴雷特和拉莫尔的观点投降。昂山素季曾经说过：真正的改变是经历理解、同情、正义、爱心后的内在变化。我认同这个说法，我认为只有经历了如此这般的内在变化，一个人才会和自己停战，才能够学会"不自负、不迟疑，也不骄慢"地与世界讲和。小至个体，大到国家，概莫能外。

将自己视作耶稣基督

关于尼采我们就说到这里。虽然可说的还有很多，但是限于篇幅，我打算就把尼采的环节终结在这里。我不认为我展示的就是尼采的真实想法，也许根本就不存在真实的尼采想法。尼采说过，没有永恒的事实，正如没有绝对的真理。他又说，没有事实，只有解释。因此，这只是从我的视角出发理解的尼采，你完全可以通过阅读原著，读出另一个尼采。

最后，让我们回到尼采系列第 83 讲中遗留的那个问题——《瞧，这个人》的书名出自罗马总督彼拉多指认耶稣基督时说的话，作为史上最著名的敌基督者，用这句话来指认自身，尼采到底意欲何为？要想解释这个问题，我们有必要再引入两个线索。第一个线索是《瞧，这个人》这本书的最后一句话："人们理解我了吗？——狄奥尼索斯反对被钉十字架者……"第二个线索是 1889 年 1 月 4 日，尼采致信丹麦文学家、犹太人格奥尔格·勃兰兑斯时的落款——"被钉在十字架上的人"（the crossed man）。

这两条线索告诉我们，尼采虽然在口头上自认是酒神狄奥尼索斯的传人，但在内心深处却把自己视作耶稣基督。你可以说，这是因为尼采疯了，但是我认为在这表面的疯狂背后，尼采自有其道理。尼采认为自己与耶稣基督一样，都是规则的制定者和道德的创立者，在这个意义上，耶稣基督是一个超人，尼采也是一个超人。

《瞧，这个人》这本书的副标题是"一个人如何成其所是"。这是尼采留给每一个人的终极追问。我们无法像尼采那样生活，但至少可以像尼采那样发问。当我们回首往事的时候，我们可以对着镜中的自己说：瞧，这个人，他在这一生中是如此这般成其所是的！

路德维希·维特根斯坦

089
天才之为责任：维特根斯坦的生平与思想

天才的最完美范例

从这一讲开始我们将进入维特根斯坦的专题。路德维希·维特根斯坦（Ludwig Wittgenstein，1889—1951）或许是 20 世纪最伟大的哲学家，没有之一。罗素说维特根斯坦是他见过的"传统观念里的天才的最完美范例，激情、深刻、强烈和强势"。我不认为罗素在夸大其词，因为只有天才人物才有资格和眼力去品评另一个天才人物的纯度和高度。

1889 年 4 月 26 日，维特根斯坦出生在维也纳的一个犹太人家庭。世纪末的维也纳是欧洲文明的中心，而维特根斯坦家族堪称维也纳的文明中心，维特根斯坦的父亲是奥匈帝国的钢铁大王，母亲则有着深厚的艺术素养，家庭音乐会的客人名单里常常出现著名音乐家勃拉姆斯和马勒的大名，可以说是"谈笑有鸿儒，往来无白丁"。维特根斯坦和他的七个兄弟姐妹从小耳濡目染，在性格和才艺方面都有着极高的天赋。

　　然而，或许木秀于林风必摧之，这个家族的成员在精神上高度的不稳定——他的三个哥哥因为各种原因自杀身亡，维特根斯坦本人也一直"生活在精神病态的边缘，终生都害怕被推过这个界线"（马尔康姆语）。

　　在很长一段时间里，维特根斯坦不知道自己应该做什么，因为他能做的事情太多。他在十岁的时候就制作了一台缝纫机，稍大一些对工程技术产生了兴趣，他在曼彻斯特大学读书期间专攻航空工程，申请到了螺旋桨改进技术的专利。他毕生热爱音乐，成年后自学单簧管。他还盖过房子，这座房子至今仍是保加利亚大使馆文化处的所在地。当然，维特根斯坦最突出的才华体现在哲学上，凭借一己之力，他推动了两次哲学运动的发展：1920 年代的逻辑实证主义和 1940 年代以降的日常语言分析学派。虽然同属于语言哲学的大家庭，但这两个运动在根本取向上非常不同，可以说是维特根斯坦反对维特根斯坦的产物。有人这样评论维特根斯坦，他最突出的天赋就在于总是用全新的眼光在看问题——我认为这正是哲学天才才会有的独特品质。

　　有意思的是，即使对于自己的哲学天赋，维特根斯坦也始终抱有怀疑。有时候，他会显得非常傲慢，比如在 1920 年代写完《逻辑哲学论》之后，他认为所有的哲学问题已经解决，于是跑到奥地利的一个乡村小学去教书；但是更多的时候，他是在自我怀疑，他在剑桥授课的时候，经常沮丧地对学生哀叹道：你们的老师真是太蠢了。

　　罗素是第一个确认维特根斯坦哲学天赋的人。1911 年的秋天，维特根斯坦离开曼彻斯特大学，来到剑桥大学，追随罗素学习数理逻辑。有迹象表明，维特根斯坦来找罗素的主要目的，就是为了求证自己有没有真正的哲学天赋。为此他纠缠了罗素整整一个学期。

　　在私人信件中，罗素多次谈及维特根斯坦。在一封信中，他说：

"我的德国朋友有成为负担的危险，他在课后跟着我回去，争论到晚饭时间——顽固，执拗，但我觉得不蠢。"在另外一封信中，罗素又说："我的德国工程师，我觉得，是个笨蛋。他认为经验的东西都不可认识——我要他承认这屋子里没有一头犀牛，但他不肯。"

这一年的 11 月 27 日，维特根斯坦径直找到罗素，开门见山地问："你看我是不是一个十足的白痴？"维特根斯坦继续说："如果我是，我就去当一个飞艇驾驶员，但如果我不是，我将成为一个哲学家。"罗素吃不准他到底是天才还是笨蛋，无奈之下让他来年写一篇论文再来见他。读完论文，罗素笃定无疑地告诉维特根斯坦：你是一个天才。维特根斯坦后来告诉他的朋友，正是罗素的肯定拯救了他，让他结束了长达九年的孤独和痛苦。

在维特根斯坦与罗素的交往过程中，最富戏剧性的一幕是这样的：一天晚上，维特根斯坦再次敲开罗素的房门，然后在罗素的家里像头野兽一样一语不发地来回奔走。三个小时过去了，站在一旁的罗素终于忍不住打断他："你到底是在思考逻辑，还是在思考你的罪？"

"两者皆是！"维特根斯坦回答道，然后继续他的奔走。

"逻辑"是最抽象、最明晰、最不沾人间烟火色的东西，而"罪"则与我们最黑暗、最隐晦、最沉重的灵魂相关，同时思考这两个看似毫无交集的主题，这如何可能？这种思考对于维特根斯坦的哲学和人生到底意味着什么？这是我们接下来要探讨的核心主题。

必须成为天才，否则去死

为了帮助你们进入这个问题，请允许我选取维特根斯坦生命中的几个片段作为理解的枢纽。

在八九岁的时候，维特根斯坦和哥哥一道参加一个俱乐部，当时欧洲的反犹氛围已经非常浓厚，到底应不应该向小伙伴们交代自己的犹太人身份，对此维特根斯坦烦恼不已。他把这个问题上升到更高的哲学问题："如果撒谎对自己有利，为什么要说实话？"我认为这既是维特根斯坦最初的哲学思考，也是终其一生的焦虑所在——如何做一个对自己彻底真诚的人？

十四岁的时候，维特根斯坦读到魏宁格的《性与性格》。这是一本充满魅惑力的邪恶之书，充斥着各种反犹言论和厌女症的观点，对现代的衰败大加鞭笞，反对科学和商业的兴起，哀叹艺术与音乐的没落。其中，最让维特根斯坦心动的莫过于这句话："逻辑与伦理根本上是一回事，它们无非是对自己的责任。"——我认为这是理解维特根斯坦的关键所在。什么叫"对自己的责任"？就是在自己的身上发掘和绽放天才的因子。什么是天才？就是"具备最强、最清澈的明确和清晰"，在物质上尽可能简朴地生活，但在精神生活中则要完全地发展。

这种完全发展的精神生活反映在逻辑上，就是要求彻底的清晰性——"彻底清晰，或者死——没有中间道路。如果不能解决'全部逻辑的根本问题'，他无权——至少没有欲望活着。不妥协"。这种完全发展的精神生活反映在伦理生活中，则是必须不断地彻底清算自己，做一个彻头彻尾诚实的人。维特根斯坦常说的一句话是"就改善你自己好了，那是你为改善世界能做的一切"。

必须成为天才，否则去死——这条康德式的绝对命令纠缠了维特根斯坦整整九年，自杀的念头反复出现，直到罗素向他确认他的天才，才让维特根斯坦稍微平复一些。即便如此，"一战"期间维特根斯坦仍有多次自杀的企图。说到这里，就必须提到他1914—1916年的战时笔记，这是把握"逻辑"和"罪"的同一性的重要线索。

"一战"爆发之后，因为健康原因，维特根斯坦原本无须服役，但他还是以志愿兵的身份参了军。正如他的姐姐所说，这不是出于什么爱国热情，而是因为他热切地希望承担一些艰难的任务，从事一些纯粹智力活动之外的工作。

　　然而，真实的生活远比想象中要更艰难。维特根斯坦很快发现自己极难与来自底层的士兵相处，他在日记里抱怨自己"几乎总是被恨我的人包围着"，这些人"恶毒"又"无情"，"几乎不可能在他们中找到一丝人性的痕迹"。除了抱怨同伴的愚蠢和邪恶，这本日记还记录了他对托尔斯泰《福音书简释》的理解，对《尼采全集》第8卷的阅读心得，以及每隔一段时间的手淫。当然，更多的内容是关于《逻辑哲学论》的思考，这是维特根斯坦生前唯一出版的著作，绝大部分内容正是在战争期间构思并写作完成的。

　　可想而知，在那种环境下，工作进展得并不顺利，日记里经常出现这样的字句："工作了相当长时间，但是非常没有希望。"有的时候，他深信自己"已经走在通向伟大发现的路上"，有的时候又哀叹，所有概念对我来说都变得完全"生疏"了——"我看不到任何东西"。维特根斯坦说："我并不害怕被击中，只是害怕不能像样地完成我的责任。"什么责任？当然是在自己的身上发掘和绽放天才的因子的责任。

　　在即将与敌人正面交锋的前一天，维特根斯坦写下这样的话："愿上帝保佑我！现在我终于有机会做一个正派的人了，因为我直接面对死亡。愿精神照亮我！"

　　如果不是因为这场战争，如果不是亲身体验到人性的丑陋和褊狭，如果没有通过"直面死亡"去感受"某种宗教经验"，如果没有阅读《福音书简释》和《圣经》，那么《逻辑哲学论》很可能只会包含逻辑的部分，而缺乏关于伦理、美、灵魂和生活意义的思考。

　　决定性的时刻发生在 1916 年 6 月 11 日这一天，一个问题打断了维特根斯坦对逻辑基础的思索："对上帝和生命的目的我知道些什么？"

　　在随后的日子里，围绕这个问题他写了很多笔记，其中包括：

　　　　我们可以将人生的意义，即世界的意义，称作上帝。

实现了生存的目标的人是幸福的。

幸福的人不应怀有任何恐惧。甚至在面对死亡时也是这样。

伦理学不处理世界。正如逻辑一样，伦理学必定是世界的一个条件。

伦理学是超验的。

这些思考意味着《逻辑哲学论》中最关键的部分正在成形。而且，正像传记作者瑞·蒙克所指出的那样，对于此时的维特根斯坦来说，"个人的事和哲学的事融合起来了。伦理和逻辑——'对自己的责任'的两个方面——终于走到了一起，不只是同一个人目标的两方面，而是同一哲学工作的两个部分"。

跟自己清算

我们将在下一讲中探讨《逻辑哲学论》的具体内容，现在我们追问的问题是：逻辑和罪，哪一个对于维特根斯坦更加重要？

瑞·蒙克认为，维特根斯坦对此想得很清楚：伦理生活的重要性要远远高于逻辑，改善自己是为改善世界所能做的一切。越是在逻辑研究上突飞猛进，他就越是痛苦地意识到，相比起在逻辑方面获得的彻底清晰性，在个人生活里他还差得很远。

在信中，维特根斯坦告诉罗素："或许你认为这种对我自己的考虑是浪费时间——但我怎么能在是一个人之前是一个逻辑学家！最最重要的是跟自己清算！"

那么他最终想要清算的罪究竟是什么？我认为除了品性上的缺点，比如愚蠢、褊狭、骄傲，对维特根斯坦而言，最重要的"罪行"

来自两个身体性的"原罪"——身为犹太人与疑似同性恋。关于维特根斯坦是否有过同性滥交的经历，不同的传记作者给出了不同的回答。我倾向于接受蒙克的判断：维特根斯坦并没有这种经历，对他来说，最最困扰的问题不是同性恋，而是性欲本身，因为那种不受控制的、狂野的性欲会让他失去正派的人品，这是他所不能接受的事实。

有的人天生纯良，终身保持孩童般的单纯，维特根斯坦的剑桥同事、著名哲学家 G. E. 摩尔据说就是这样的人。但是维特根斯坦认为，这种品质一点儿都不值得夸耀，因为与生俱来的、天然免于诱惑的单纯是毫无价值的，只有通过斗争、通过努力赢得的单纯才值得赞美。我相信这是维特根斯坦基于自我认知得出的结论，对他来说，人生就是一场彻底的自我清算，一场与自己的本性进行的战斗。终其一生，他一直在努力承担起成就其天赋的责任，一直在与自身的褊狭、软弱、伪善及绝望做永恒的斗争。

我们在上一讲中曾经提到，尼采的著作《瞧，这个人》的副标题就是"一个人如何成其所是"。耐人寻味的是，在评价维特根斯坦的一生时，蒙克也用了类似的一句话，他说：维特根斯坦总体人生态度的核心，就是成为"自己之所是"，这意味着"真实于自己是不容违背的责任"。

对维特根斯坦而言，最重要的是成为一个卓越的人，而不是设法表现成一个卓越的人。

090

对于不可说的东西我们必须保持沉默：
维特根斯坦的《逻辑哲学论》

《逻辑哲学论》的写作风格

关于维特根斯坦的《逻辑哲学论》，流传最广的一句话莫过于："凡是可说的都可以说清楚，不能说的则必须付诸沉默。"中国人听在耳里，会觉得特别亲切，因为会忍不住想起庄子的名言："筌者所以在鱼，得鱼而忘筌……言者所以在意，得意而忘言。"更有意思的是，维特根斯坦做过一个"登楼撤梯"的比喻，梯子的作用是帮助我们登到高处，一旦爬上去了，就可以把梯子给撤掉了，是不是跟得鱼忘筌、得意忘言的说法非常类似？

但是，我认为这种联想是危险的，因为我们在讲得鱼忘筌和得意忘言时，几乎是一步到位的，我们甚至都不用费力爬楼梯，而是借助直觉和顿悟就可以直接飞升上楼，然后就徜徉在恍兮惚兮、窈兮冥兮的玄妙境界了。但是《逻辑哲学论》全然不是这样的，在登楼撤梯之前，你必须付出非常艰苦的努力才有可能爬完梯子。

维特根斯坦的梯子到底有多难爬？让我们先来看看《逻辑哲学论》的整体写作风格，全书共分七章，每一章都有一个总标题，用十进位计数法来标记每一段论述，比方说，"1"下面分为"1.1"、"1.2"、"1.3"，在"1.1"下面又会继续分为"1.1.1"、"1.1.2"，诸如此类。我们通过全书开头几句话，就可以直观感受到它的基本面貌：

1 世界是一切实际情况。

  1.1 世界是事实的总和，不是物的总和。

    1.1.1 世界由全部事实所确定，由它们即是全部事实所确定。

    1.1.2 因为事实的总和既确定了实际情况，也确定了所有非实际情况。

    1.1.3 在逻辑空间中的全部事实是世界。

  1.2 世界分解为诸事实。

从以上表述我们能直观地感受到，至少在外观上，这本书极具逻辑性。然而这只是表象而已，事实上，整本书很少进行论证，大多是一些高度浓缩性的论断，这为理解这本书增添了巨大的难度。据说罗素曾经告诫维特根斯坦，不应该只是简单地说出自己的想法，而应该为之提供论证，维特根斯坦回答说：论证将会玷污思想的美丽。他会感觉好像用一只脏手脏了一朵花。

那么维特根斯坦为什么要给这本书取名为"逻辑哲学论"？它的逻辑性到底体现在哪里呢？为了说明以上问题，我会先来介绍罗素的"特称描述语"理论，由此引出语言哲学转向的根本宗旨，然后，再给你们介绍著名的"图像理论"，点明维特根斯坦的核心观点——语言与世界具有逻辑同构性。

特称描述语理论与语言哲学转向

先来看罗素的特称描述语理论。请问各位，"当今的法国国王是个秃子"这句话是真的还是假的？我猜想多数读者的回答都是：假的！因为当今法国就没有国王。可是进一步思考，你会发现，正因为当今法国没有国王，所以当你说"当今法国国王是个秃子"这句话是假的之时，你已经预设了"当今法国是有国王的"。因此，这个问题本身就是一个陷阱。因为对于一个压根就不存在的人，我们既无法说他是个秃子，也无法说他不是个秃子。

那么，怎么才能避免发生既不能说"是"也不能说"不是"的尴尬呢？罗素告诉我们，最好的办法就是把这个句子进一步分析为三个命题：

命题1，有或者说存在一个法国国王；

命题2，只有一个法国国王；

命题3，不管谁是法国国王，他都是秃子。

需要强调说明的是，在具体分析的时候，罗素并不是像我这样使用日常语言，而是用了看起来非常吓唬人的逻辑符号。不管怎么样，经过这样的分析，当有人再说"当今法国国王是个秃子"时，我们就可以回答说：因为这个命题可以被分析为相互合取的三个小命题，又因为命题1是错误的——不存在一个法国国王，所以整个命题也是错误的。

这就是罗素"特称描述语"理论的经典案例。这时，你是否在暗想：这就是一个脑筋急转弯，罗素的想法的确有那么点意思，可是意思也不是那么大，从这个理论出发，到底可以引申出什么样的哲学道理呢？

简单说，"特称描述语理论"在哲学上的最大贡献在于，它告诉我们，日常语言、日常表达是意义不明、逻辑不清的，通过逻辑分析可以帮助我们澄清日常语言背后的深层逻辑结构。维特根斯坦高度赞扬罗素的工作，他在《逻辑哲学论》中指出："全部哲学都是'语言批判'——正是罗素完成了表明一个命题的表面逻辑形式未必就是它的真正逻辑形式这项任务。"这里的关键词是"表面逻辑"与"真正逻辑"的对立，或者说是"表面语法"与"深层语法"之间的对立。

说到这里，我们可以暂时做个小结：

第一，西方哲学史可以被划分为三个阶段：古希腊哲人开启的本体论阶段，笛卡尔导致的认识论转向，以及19世纪末20世纪初的语言哲学转向。维特根斯坦无疑是语言哲学转向的重要代表人物，但是奠基者并不是他，而是德国哲学家戈特洛布·弗雷格和英国哲学家罗素。"特称描述语"理论可以说是语言哲学转向的典范之作，它有助于我们"通过分析找出深层语法从而消解表层语法造成的迷惑"（陈嘉映语）。

第二，语言哲学的转向意味着哲学不再关注真理问题，而是关注意义问题。借用逻辑实证主义的领军人物莫里茨·石里克的观点："哲学阐释命题，科学证实它们。在科学中我们关注命题的真，在哲学中我们关注它们实际上意味着什么。"

你一定意识到了，这里涉及"哲学是什么"这个根本性的问题。

在《逻辑哲学论》"4.11"节中，维特根斯坦说："真命题的总和是全部自然科学（或各门自然科学的总和）。""4.111"补充说明："哲学不是自然科学之一。"从这两句话中可以很自然地推论得出，哲学的命题不是真命题。什么是真命题？地球是圆的，这就是真命题。什么是假命题？地球是方的，这就是假命题。真命题的总和就是全部自然科学，假命题虽然不属于自然科学，但假命题依然是有意义的命题，因为可以判断它的真和假。

那么什么是哲学命题呢？请看一段黑格尔的话就都明白了：

　　　　可是精神是什么呢？它便是"一"，是自身均一的无限，是纯粹的同一性，这同一性其次把自己同自己分离开，作为自己的另一个东西，作为和共相对立的"向自有"及"内自有"。

　　是不是有些不知所云？对于绝大多数普通读者来说，这就是哲学命题的典型例子，深奥难懂，让人望而却步。如果维特根斯坦读到这段话，一定会说，这个命题无所谓真也无所谓假，而是毫无意义（nonsense）。维特根斯坦语带嘲讽地说："哲学家们的大多数命题和问题，都植根于我们不理解我们的语言逻辑。无怪乎最深刻的问题实际上根本不是问题。"

　　在《逻辑哲学论》中，维特根斯坦明确指出："哲学的目的是从逻辑上澄清思想。哲学不是一门学问，而是一项活动。……哲学的成果不是'哲学命题'，而是命题的澄清。"也正是在这个意义上，维特根斯坦喊出了"全部哲学都是语言批判"这句革命性的口号。

图像理论：语言与世界具有相同的逻辑形式

　　接下来我们介绍一下著名的"图像理论"，这是理解《逻辑哲学论》的关键所在。"一战"期间，维特根斯坦偶然读到一篇文章，报道了巴黎交通法院的判案过程，在裁决汽车事故时，法官经常用玩具模型来模拟现场发生的一切。读到这里，维特根斯坦灵光一现，意识到模型发挥的作用与命题是一样的，都是在刻画和表现现实世界里的事实。也就是说，语言和世界存在着对应关系。打个比方，当我们说"一辆轿车在左转时与迎面而来的卡车相撞"，这句话与现场发生的车祸具备逻辑上的同构性，用维特根斯坦的原话说就是："语言与世界具有通过图像映示关系相联系的平行结构。"

　　在"4.014"节中，维特根斯坦说："唱片、音乐主题、乐谱和音波之间的关系正同语言与世界之间的内在描绘关系一样。它们都是按照一个共同的逻辑图样构造出来的。"

　　这个比喻非常妙。最近我正好带布谷上乐理课，音乐老师经常让学生一边用手指着乐谱，一边听老师弹的钢琴。按照维特根斯坦的说法，这么做的深层原因正是在于，乐谱和琴声之间存在着逻辑的同构性。

维特根斯坦认为，语言与世界之间同样存在着逻辑同构性——复合语句对应着复合事态，原子语句对应着原子事实，名称对应着简单对象。而复合语句、原子语句与名称彼此之间则是一个充分分析直到最终无法分析的关系。同样，复合事态、原子事实和简单对象之间也是这样的关系。

语言	世界
复合语句	复合事态
原子语句	原子事实
名称	简单对象

说到这里，我们可以再做一个小结：

首先，乍看上去，维特根斯坦是在主张某种符合论的观点，也就是语言反映事实，就像镜子反映世界。但实际上他的观点要比符合论更神秘，他认为语言和事实具有某种逻辑的同构性，用维特根斯坦的话说就是具有相同的"逻辑形式"。

其次，维特根斯坦在这里体现出一种充分分析的态度。我刚才说了，任何复合的语句都可以充分分析成最小单位也即名称，同样，任何复合的事态都可以充分分析成最小单位也即简单对象。

可是，什么叫逻辑形式？什么叫充分分析？为什么要进行充分分析？

我们先来看对于"充分分析"的质疑。后期维特根斯坦在《哲学研究》中举过一个例子，"我的扫帚在墙角那里"——这句话的意思明明白白、清清楚楚，你一听到就直接理解了。可是如果有人进一步分析说，这是一个关于扫帚把和扫帚头的命题，并且说道："给我把扫帚把和插在扫帚把上的扫帚头拿来！"你会作何反应？你一定会说："你是要扫帚吗？你干吗把话说得这么别扭？"这是维特根斯坦反对维特根斯坦的典型案例，正如陈嘉映所指出的，隐藏其后的基本道理是自然理解与充分分析之间的对立。

语言的功能是交流和理解，"我的扫帚在墙角那里"这句话，任何有常识的人听到就自然理解了。相反，当我们开始分析，并且是所谓的充分分析时，反而会让人不知所谓。

此外，在这个例子中，到底谁是简单对象？扫帚把还是扫帚头？如果都不是，那么就需要再做进一步分析，是不是可以把扫帚把进一步分析成分子和原子呢？事实上，早在1914—1916年的战时笔记中，维特根斯坦就意识到了这个问题，他说："我们的困难是，我们总说到简单对象，却举不出一个实例来。"思来想去，他的结论是："简单对象的存在是一种先天的逻辑的必然性。"这话实在有些让人费解，这么说吧，简单对象在维特根斯坦这里不是物理意义上的不可还原之点，也就是说，它不是分子、原子这样的物理的点，而是逻辑分析意义上的不可还原之点。

那么究竟什么叫作逻辑形式？这又是一个非常难以理解的概念，虽然就乐谱和琴声的例子而言，我们可以体会到二者之间存在着某种共同的逻辑形式，但是这种逻辑形式到底是什么，似乎依旧无法给出进一步的说明。事实上，维特根斯坦就是这样认为的，在他看来，逻辑形式只能显现，无法说出。后来他批评罗素犯下的错误就是相信自己能描述和说出逻辑形式。

《逻辑哲学论》中不可说的神秘之物

在《逻辑哲学论》这本书中，存在着很多只能显现但不能说出的神秘之物。借助陈嘉映的总结，这些不可说的东西包括：逻辑形式，哲学问题，伦理学、美学等学科，以及包括以上三类在内的所有神秘的东西。

　　为什么这些东西是不可说的？不可说的东西就是不重要的吗？对此最简单的回答就是，它们之所以不可说，是因为它们不是实证科学，它们谈论的是事实之外的东西。但是这绝不意味着不可说的东西是不重要的，恰恰相反，维特根斯坦曾经说过，那些在《逻辑哲学论》中没有正面处理的内容，比方说美、生活的意义、死亡，等等，恰恰是最重要的。

　　为什么不可说的是最重要的？上一讲中我曾经引用战时笔记中的一句话："伦理学不处理世界。正如逻辑一样，伦理学必定是世界的一个条件。"所谓条件的意思是，如果没有它，世界将不成其为世界，你说它重要不重要？

　　维特根斯坦身在分析哲学阵营，内心却无限向往神圣乃至神秘的东西；他没有明确的宗教信仰，但却禁不住从宗教的角度看待每一个问题。也正因如此，虽然他与 20 世纪另外一位伟大的哲学家海德格尔从无交道，但是他自认为能够想象海德格尔为什么要用"畏"和"存在"这些概念，自认为知道他在用这些概念说些什么。

　　在这个意义上我们甚至可以说，《逻辑哲学论》并非一本关于逻辑的著作，而是一本关于罪及与之相关的伦理、美、生活的意义的著作。虽然维特根斯坦谈论最多的是逻辑，但逻辑只是梯子，真正重要的东西在楼上，一旦登上了楼，就可以撤掉梯子了。

　　在"6.52"这一节中，维特根斯坦说："我们觉得，即使一切可能的科学问题都已得到解答，人生问题也还完全未被触及。"

　　全书第七章只有一句话："对于不可说的东西我们必须保持沉默。"

　　这一讲就到这里。关于《逻辑哲学论》在哲学史中的地位，它与逻辑实证主义的异同，维特根斯坦后来为什么要推翻《逻辑哲学论》的观点，我们留到下一讲再说。

091
完美但不适合人居住的概念大厦：
维特根斯坦反对维特根斯坦

　　1924 年，第一次世界大战刚刚结束六年，整个欧洲还沉浸在劫后余生、文明没落的情绪中。或许是为了给自己打气，英国数学家弗兰克·拉姆塞这样写道："就思考而言，我们确实生活在一个伟大的时代，爱因斯坦、弗洛伊德和维特根斯坦都活着！"

　　那个时候，爱因斯坦已经发表了狭义相对论和广义相对论，并于 1921 年获得诺贝尔物理学奖；弗洛伊德作为精神分析学派的创始人，正如日中天；相比之下，时年 35 岁的维特根斯坦却是籍籍无名，他正在奥地利一个贫穷的乡村小学教书，这个"古怪的贵族"住在学校的厨房里，他吹单簧管，坐在窗前连着几小时地看星星，带领学生在乡间漫步辨认各种植物，搭起猫的骨架教授解剖学，偶尔体罚学生并与村民发生冲突……除了圈子里的少数人，普通的欧洲公民压根就没有听说过维特根斯坦这个名字，但是这一点儿都不重要，因为熟悉他思想的人都明白，维特根斯坦就等于未来哲学的方向。

逻辑实证主义者与"证实"原则

在这些人当中就包括维也纳学派的创始人莫里茨·石里克。1922 年石里克来到维也纳，读到《逻辑哲学论》后，对维特根斯坦惊为天人，多次去信要求面谈。这个愿望终于在 1927 年实现，石里克夫人回忆说，"我再一次强烈地感受到了他对维特根斯坦的崇拜"。

石里克才华横溢，为人正派，在他身边集结了一批志同道合的青年哲学家，他们自称"维也纳学派"，学术界也称他们为逻辑实证主义者。我认为后者更清晰易懂，因为直接点出了"证实"原则的重要性。有意思的是，这条原则最初由维特根斯坦提出，意思是"一个命题的意义就是证实它的方法"。然而维特根斯坦很快就放弃了这条原则，逻辑实证主义者却如获至宝，把它作为建立新的"科学世界观"的基本原则。

为了说明可证实性原则，请允许我举两个例子：

例 1：苏格拉底要么是天才，要么不是天才。

例 2：苏格拉底活到了 90 岁。

很显然，例 1 符合形式逻辑中的排中律，它是永恒为真的。例 2 则是假的，因为事实证明苏格拉底只活到了 71 岁。有的读者可能已经意识到了，前者就是我们以前介绍过的分析命题，后者则是综合命题。分析命题无须证实，根据逻辑形式就可以判断它的真假。综合命题则必须要诉诸经验才可以确定正确还是错误。

有的综合命题是"实际上可证实"的，比如"周濂的女儿叫布谷"，有的综合命题是"原则上可证实"的，比如石里克在 1932 年举的例子："月球的背面有一座 3000 米高的山"。当时人类还无法证实这个命题，但是随着绕月飞行器的发明，这个命题很快就得到了证实。而且正像陈嘉映所指出的，即使人类一直没有发明出飞行器，这个命题也仍旧是有意义的，因为，在原则上我们可以想象它的可证实性。在这个意义上，"宇宙中存在着外星人"也是一个有意义的命题，因为虽然我们目前还无法证实它，但在原则上它是可以被证实或者证伪的。

现在我想问你们一个问题：哪些命题既不是分析命题也不是综合命题，既无法在实际中证实也无法在原则上证实？没错，就是传统形而上学的命题，比如上一讲中提到的黑格尔的那个句子。正是基于这个考虑，逻辑实证主义者喊出了"反对形而上学"的口号，因为形而上学的命题在他们看来都是一些毫无意义的胡言乱语。

逻辑实证主义者与维特根斯坦的分歧

说到这里，我想做一个回顾，你们有没有觉得逻辑实证主义的基本想法并不陌生，好像在哪里看到过？没错，我们在休谟那一讲中曾经指出，通过彻底地贯彻经验论的原则，休谟对一切形而上学和神学的呓语展开了最凶猛的攻击。休谟说："当我们巡视图书馆时，我们可以拿起一本书，例如神学或经院哲学的书，我们就可以问：其中包含着量或数方面的任何抽象论证么？其中包含着有关事实与存在的任何经验论证么？没有，那我们就可以将它投到烈火中去，因为它所包含的，没有别的东西，只有诡辩和幻想。"

逻辑实证主义者与维特根斯坦也非常相似。比方说，双方都认同语言分析和逻辑分析的重要性，都强调哲学的功能是澄清命题的意义，都主张传统的哲学命题是毫无意义的胡言乱语，更重要的是，逻辑实证主义者完全接受维特根斯坦提出的"可证实性原则"。

但是，这只是表面上的相似而已，事实上，二者的哲学观非常不同。逻辑实证主义者是典型的科学主义者，他们把科学方法作为模板试图重新改造哲学，而维特根斯坦则认为哲学不同于科学，哲学的位置居于科学之上或者科学之下。到了 1930 年代，维特根斯坦更是直言不讳地指出科学方法对于哲学的误导性，他说："哲学家们总是觉得科学的方法就在眼前，禁不住要以科学的方法提出问题，回答问题。这种倾向实际成了形而上学的根源，并引领哲学家们进入完全的黑暗。"这个批评非常严厉，可以说一网打尽了从笛卡尔以降的近代哲学家，直到逻辑实证主义者。

与此相关的另外一个分歧在于，逻辑实证主义者认为宗教是原始的迷信，价值、伦理不过是主观情绪的表达，而维特根斯坦虽然认为宗教、伦理、美、生活的意义等问题是不可说的，但对于这些不可说的东西却抱有最深的敬意。维特根斯坦认为，"当一切可能的科学问题都已得到解答，人生问题也还完全未被触及"。如果让逻辑实证主义者改写这个句子，他们一定会说，当一切可能的科学问题都已得到解答，那么一切问题也就得到了解决。

毫不夸张地说，逻辑实证主义者与维特根斯坦之间有点落花有意流水无情的意思。他们组织《逻辑哲学论》的读书小组，热情地邀请维特根斯坦加入，但是后者却始终兴趣不大，与他们保持若即若离的接触，只是与石里克和魏斯曼走得比较近，因为在维特根斯坦眼中这两个人为人正派、品味高雅。逻辑实证主义者渐渐发现，维特根斯坦无论在性情还是方法上都与科学相距甚远，而且充满了神秘主义的色彩。据说在研读《逻辑哲学论》时，其中一个成员经常愤怒地大喊："形而上学！形而上学！"也许你会感到奇怪，为什么维特根斯坦和逻辑实证主义者互相指责对方"形而上学"？其实，这只是分析哲学家们在互相对喷"脑残"，"形而上学"这四个字在他们这里就是骂人的脏话。

维特根斯坦的回归

多年以后，在回忆维特根斯坦时，逻辑实证主义的中坚人物鲁道夫·卡尔纳普这样说道：

> 他对人和问题——甚至对理论问题——的观点和态度，更

像是一个创造性的艺术家，而不是科学家，几乎可以说，像一个宗教先知或预言家。当他开始阐述对某些哲学问题的看法时，我们常常感觉到那一刻他身上的内在挣扎；他挣扎着，要在强烈和痛苦的紧张之下穿透黑暗到达光亮，甚至在他最富表情的脸上就看得见那种紧张。当他的答案终于出来——有时是在冗长费劲的努力之后——他的陈述摆在我们面前，就像一件新创造出的艺术品，一句神圣的启示。

话虽如此，逻辑实证主义者还是非常认可维特根斯坦的重要意义，1929 年他们发表哲学宣言《科学的世界观：维也纳学派》，把休谟列为先贤榜的第一人，把爱因斯坦、罗素和维特根斯坦封为"科学世界观的领衔代表"。然而，维特根斯坦并不领情，他在私人信件中批评维也纳学派浮夸自大，认为他们应该实打实地用著作来说话，而不是满足于提出"反对形而上学"这种口号，更何况这个想法一点儿也不新鲜。

你也许会感到好奇，难道维也纳学派对维特根斯坦就没有一点影响吗？公允地说，影响还是有的，通过与维也纳学派的交往，维特根斯坦再一次与学术圈建立了联系，并逐渐重燃哲学思考的热情。要知道，在写完《逻辑哲学论》之后的很长一段时间，维特根斯坦自认为哲学问题已经得到彻底解决，丧失了学术研究的动力和兴趣。

1924 年 7 月 4 日，在写给著名经济学家凯恩斯的信中，维特根斯坦说："你在信中问是否有可能帮我回到科学研究上来有所作为。我的回答是，不，在这一方面我已没有什么可做的了，因为，对此我自己不再有任何强烈的内在动力。我真正要说的已经说了，而且我已才思枯竭。这听起来有些奇怪，但是，事情就是如此！"

1926 年，维特根斯坦辞去乡村教师的职务，回到维也纳，这期间他跟建筑师保罗·恩格尔曼一起设计建造了一座房子，这栋楼现在是保加利亚大使馆文化处的所在地。建造这栋楼的过程充分体

维特根斯坦参与设计的房子

现出维特根斯坦的性格特征和思维风格，他对细节一丝不苟，每一扇窗、每一扇门、每一个暖气片，都设计得非常精确，而且在施工过程中同样一丝不苟。维特根斯坦的姐姐回忆说，锁匠曾经不耐烦地问他："告诉我，工程师先生，毫米的误差对你来说真的那么重要吗？"话音刚落，就听见维特根斯坦高声回答道："是的！"

　　这是一座风格简单、细节严谨、高度形式化的建筑，从哲学家（G. H. 冯·赖特）的角度出发，它有着同《逻辑哲学论》一样的"静态美"，但是从普通人的角度出发，比方说维特根斯坦的姐姐，就认为这所房子的问题在于："它完美，但不适合人居住。"

　　我认为维特根斯坦姐姐的评语更加高明，可以说是一语中的。事实上，《逻辑哲学论》的问题也在于此。A. C. 格雷林指出，它有一种"匀称、简洁和外观上的严格性，正如数学中一个优美的证明那样让理智感到愉悦，然而《逻辑哲学论》是付出了过高的代价才取得这种特征的，因为它的匀称和表面上的严格性导致极大地过分简化了它所探讨的问题"。

　　1929 年 1 月 18 日，维特根斯坦重返剑桥。此时距离他出版第一部著作《逻辑哲学论》已经过去八年之久，维特根斯坦一度认为自己彻底解决了哲学问题，但他终于认识到自己可能错了，哲学工作尚没有完结。这一天对于整个欧洲知识界来说都是意义重大的，以至于凯恩斯在一封家书中这样宣布维特根斯坦的回归："唔，上帝到了。我在 5 点 15 分的火车上接到了他。"

关于维特根斯坦究竟是怎么反对维特根斯坦的，他的后期思想到底是什么，我们下一讲接着说。

092
我将教会你们差异：
奥古斯丁图画到底错在哪里？

《哲学研究》：为哲学家诊治"哲学病"

1929 年，维特根斯坦重返剑桥，起初他的正式身份是攻读博士学位的学生，但很快他就用七年前付印的《逻辑哲学论》来申请博士学位。根据瑞·蒙克的记录，博士论文的答辩现场气氛有些滑稽，主考人是罗素和摩尔，整个考试以老朋友的聊天开场，为了强调严肃性，罗素对摩尔说："你要问他点问题——你是教授。"当罗素发表自己的观点时，维特根斯坦表示不认同，结束的时候，维特根斯坦拍拍他的主考人肩膀，安慰说："别在意，我知道你们永远不会懂的。"

话虽如此，其实维特根斯坦此时已经开始怀疑《逻辑哲学论》中的基本论断，三年后，他写信给石里克，明确表示："在那本书（《逻辑哲学论》）中有很多说法我已不再同意。"

在西方哲学史上，以今日之是否定昨日之非，以今日之我反对昨日之我，维特根斯坦当属第一人。这些反思集中体现在 1953 年出版的《哲学研究》中，某种意义上，我们可以说这本书是维特根斯坦反对维特根斯坦的产物。

我个人认为《哲学研究》是 20 世纪最伟大的哲学著作，它在很多方面都极具颠覆性，可以说是反哲学的哲学著作，同时又是最具哲学味道的哲学著作。你也许会感到纳闷，反哲学和最具哲学味道，这分明是相互矛盾的两个判断呀！好吧，我承认，为了调动你的胃口，我在这里耍了一点语言上的小诡计。

所谓反哲学，首先是指在形式上它和常见的哲学著作非常不同，全书由上千条长短不一的评论组成，既没有章节目录，也没有脚注索引，看起来缺乏基本的体系和章法，更像是一本哲学札记。其次，也是更重要的，这本书的主旨就是反哲学的。维特根斯坦声称哲学是一种病，而他的工作目标就是为哲学家诊治"哲学病"，治疗的方式不是发明一种新的药物，而是通过改变思考方式和生活方式，就好像"给苍蝇指出飞出捕蝇瓶的出路"。

那么在什么意义上，它是最具哲学意味的呢？借用陈嘉映的说法："维特根斯坦像希腊哲人一样，直接面对问题。他在我们这个议论纷纭不知真理为何物的时代，坚持走在真理的道路上。他并不那样反复申说真理是道路，他以走在真理之路上显示这一点。"

在 1945 年写就的序言里，维特根斯坦指出："自从我十六年前重新开始从事哲学以来，我不得不认识到我写在第一本书里的思想包含有严重的错误。"他甚至认为，应该把他的旧思想和新思想合在一起发表，因为"只有与我旧时的思想方式相对照并以它作为背景，我的新思想才能得到正当的理解"。

词语与对象："意义的指称论"的以偏概全

那么（后期）维特根斯坦到底是怎么反对（前期）维特根斯坦的？

让我们来看一看他在《哲学研究》第一节中的一段话，此书一开篇就引用了奥古斯丁的一段话，然后总结说：

> 在我看来，我们在上面这段话里得到的是人类语言本质的一幅特定的图画，即：语言中的语词是对象的名称——句子是这样一些名称的联系。——在语言的这幅图画里，我们发现了以下观念的根源：每个词都有一个含义；含义与语词一一对应；含义即语词所代表的对象。

对于缺乏语言哲学训练的读者来说，这段话有些难以理解，什么叫作"人类语言的本质"？"语词的含义即语词所代表的对象"是什么意思？请允许我稍作解释。

先问一个问题，根据你们的经验观察，牙牙学语的宝宝最初学会的是什么词？没错，一般而言是妈妈，然后才是爸爸、猫猫、狗狗、桌子、椅子、窗户这些名词，再往后是红色、绿色、开心、不开心这样的形容词或者副词，稍大一点，比如说布谷吧，大约是在三四岁的时候，开始使用幸福、公平、世界这样的超级概念。

爸爸、妈妈、桌子、窗户，都是一些最简单的名词，而且它们都对应着外部世界的某个对象，这让我们很轻易地得出一个结论：学习语言就是学习把名称赋予对象的过程。命名，尤其是给孩子命名，对于很多父母来说是一件大事，我们深信名称能够预示或者影响一个人的命运。名称似乎跟某种隐藏的本质相联系，一旦我们喊出某人或者某物的名称，我们就拥有了把握它的特殊能力。比方说，在宫崎骏的著名动画片《千与千寻》里，当汤婆婆告诉千寻：从今往后，你就叫"千"。千寻的人生就彻底发生了变化，这个叫作"千"的女孩逐渐遗忘了过去的生活，完全进入另一个世界。只有当她再次回忆起"千寻"这个名字时，她才能重返旧日的世界。所以，千与千寻，一字之差，就有了迥然不同的两种命运，两个世界。

　　话说到这里，都是一些我们习以为常的日常经验。现在我们要把这些日常经验转换成语言哲学的问题意识。首先，用手指着某个东西并且赋予它名字的举动，在语言哲学中叫作"直指定义"。其次，当我们认为语词的意义就是它指称的对象时，我们就是在主张"意义的指称论"，这是最原始也是最经典的一种意义理论，对于初学语言时发生的现象尤其具有很强的解释力。

　　你也许会感到困惑，话说了这么多，跟维特根斯坦反对维特根斯坦到底有什么关系呢？道理很简单，早期维特根斯坦正是"意义的指称论"的信奉者。在《逻辑哲学论》中他认为语言若要表象世界，就必须在名称与简单对象之间存在严格的对应关系，与此相应的，复合命题和复合事态、原子命题和原子事实之间也存在严格的对应关系。而奥古斯丁图画正是"意义的指称论"的典型案例。这就是维特根斯坦在《哲学研究》中拿它开刀的原因所在。他针对奥古斯丁图画开刀，其实是在针对《逻辑哲学论》开刀。

　　那么，奥古斯丁图画到底错在哪里？简单说，维特根斯坦认为这幅图画本身并没有错，可是一旦我们以偏概全，把这幅图画看成是对人类语言本质的理解，那我们就大错特错了。《逻辑哲学论》犯的就是这个错误！

哲学思考必须与生命体验发生关联

　　也许有的读者会问：语词除了指称对象，还能做些什么呢？把奥古斯丁图画当成是人类语言本质的理解，究竟会导致什么样的问题呢？

　　我们先来回答第一个问题。维特根斯坦指出，我们除了给事物命名，用名称来谈论事物之外，还用语言干很多别的事情。举个例子，当一个人高声大喊"水"的时候，他是在给那个无色无味的液体命名吗？你仔细想一想，什么情况下一个人会高声大喊"水"？他也许是刚刚苏醒过来的病人，因为口干舌燥，所以大喊"水"，意思是说"我渴了，快给我一杯水"！也有可能是因为他不小心把没有熄灭的烟头扔进了垃圾筐，所以大喊"水"，意思是"着火了，赶紧拿水来救火"！总之，他不一定是在给水命名。

再比如说：走开！哎哟！救命！好极了！不！很显然，这些语词都不是在"为事物命名"，而是在进行某种"语言游戏"或者"语言活动"。命名以及和它相联系的直指定义只是一种语言游戏，除此之外，还有各种各样的语言游戏，维特根斯坦举了很多例子：下达命令及服从命令，报道一个事件，编故事、读故事，演戏，唱歌，猜谜，解一道应用算术题，请求、感谢、谩骂、问候、祈祷。

通过以上例子，你会发现，在现实生活中我们用语言做很多的事情，它绝对不像前期维特根斯坦认为的那样，只是像镜子一样在反映（reflect）这个世界。语言和我们的生活交织在一起，我们使用语言，就像使用工具一样对这个世界做出反应（react）。

说到工具，很自然地就带出后期维特根斯坦的一个核心思想——"意义即用法"。千万要注意，当维特根斯坦说"意义即用法"的时候，他绝对不是在给意义下定义，他是在告诉我们：

> 当哲学家使用一个语词——"知"、"在"、"对象"、"我"、"句子"、"名称"——并试图抓住事情的本质时，我们必须不断问自己：这个语词在语言里——语言是语词的家——实际上是这么用的吗？我们把语词从形而上学的用法重新带回到日常用法。

我第一次读到上述字句时，还是大一的哲学新生，正被西方哲学史折磨得心力交瘁，读到这些说法，有一种"天亮了"的豁然开朗感。我意识到，"存在"、"真理"、"实体"、"经验"这些看上去张牙舞爪的超级概念，其实都有着最平凡和最日常的用法，我们无须过度地神话它们，正确的做法是，把它们放回到各自的历史语境和问题脉络里，还它们一个最亲切和最本真的面目。只要你还不知道如何使用这些超级概念，你就还不真的了解这些超级概念的意义，而为了能够使用这些超级概念，就必须把它们拉回到属于你的"粗糙地表"上，哲学思考必须要和活生生的生命体验发生关联。

维特根斯坦告诉我们，语词的功能各不相同，就像工具箱里的工具——锤子、钳子、锯子、螺丝刀、尺子、胶水瓶、胶、钉子、螺丝——这些东西的功能也是各不相同的。

看不到差异性将步入"完全黑暗"

然而，总有一些人不满足于"各不相同"，总是想穿过现象看本质，在差异性中把握同一性。在《哲学研究》的第 14 节中，维特根斯坦针对这种情况做了进一步的探讨。他说：

> 设想有人说："所有的工具都是用来改变某种东西的，例如，锤子改变钉子的位置，锯子改变板子的形状，等等。"——尺子改变的是什么？胶水瓶和钉子改变的是什么？"改变我们对某样东西的了解，改变胶的温度和箱子的稳固程度。"——表达式是弄得一致了，但我们得到了什么呢？

我之所以原封不动地照搬这段话，是想让你们体验一下维特根斯坦的思考风格。首先，他经常会自我设问，然后自问自答、自我辩驳，从各个角度尝试不同的理解。其次，在这段话中，他特别点出了传统哲学和理论思维的一个固有毛病：总是企图在差异性中找到同一性。比方说不同的工具有不同的功能，但是那些有着哲学冲动的人就试图用"改变"这个概念来定义工具的本质，可是这只是一种幻觉，它的确把表达式弄得一致了，因为所有的工具好像在改变什么，但是维特根斯坦反问，这真的有助于加深我们对工具的理解吗？

维特根斯坦说，我们要放弃一种幻觉，以为我们可以抓住语言的无可与之相比的本质，"其实，只要'语言'、'经验'、'世界'这些词有用处，它们的用处一定像'桌子'、'灯'、'门'这些词一样卑微"。

说到这里，我们可以来回答第二个问题：把"意义的指称论"当成语言本质的理解，到底会导致什么样的问题？

让我们再次重温"意义的指称论"，它的基本含义是"语词的意义就是它指称的对象"，按照这个思路，"金星"这个词的意义就是它所指称的那颗行星，"北京"这个词的意义就是它所指称的那座城市，"时间"这个词就是它所指称的那个……且慢，我们好像找不到一个像金星、北京一样的时间实体，是不是这样？

奥古斯丁有句名言："那么，什么是时间呢？如果没有谁问我，我倒还知道它是什么；可是，当我被问及它是什么，并试着解释时，我却糊涂了。"对此，维特根斯坦评论说："没有谁问我们的时候我们还知道，可是要给它们一个解释时又不知道的东西，正是我们需要提醒自己注意的东西。"因为这些东西诱使我们以科学的方式提出问题并回答问题，"什么是时间"这个问题与"什么是金星"，或者"氢的比重是多少"只具有表面的相似性，如果我们看不到它们的差异性，我们就会被带入"完全的黑暗"之中。

回到日常语言的粗糙地面上

后期维特根斯坦主张"不要想，而要看"。这句话的意思是说，一旦我们开始想，开始琢磨，开始试图穿过表层语法去寻找深层语法，试图透过现象寻找隐藏着的本质，我们就走上了错误的理论化道路。我们真正要做的是看，看什么？看这些语词的日常用法。

　　理论化的冲动让我们去寻找水晶般纯粹的逻辑形式，维特根斯坦早期的《逻辑哲学论》就是这么做的，为此付出的代价是"我们踏上了光滑的冰面"，因为"没有摩擦"，所以我们也无法前行。后期维特根斯坦说："我们要前行；所以我们需要摩擦。"所以，我们需要回到日常语言的"粗糙地面上来"。

　　说到这里，请你们回想一下上一讲的标题："完美但不适合人居住的概念大厦"。《逻辑哲学论》的确是这样一座大厦，而《哲学研究》告诉我们，要放弃这种完美的冲动，放弃对水晶般纯粹的逻辑体系的追求，让我们回到日常语言的粗糙地表上来，让我们寻找一座不那么完美但适合人居住的语言和概念的大厦。

　　维特根斯坦说："哲学病的一个主要原因——偏食：只用一类例子来滋养思想。"当我们以偏概全，把奥古斯丁图画当作语言本质的理论时，我们就患上了哲学的偏食症。那么究竟怎样才能避免哲学病呢？当然就是做一个杂食动物，学会用各种不同的例子来滋养思想。

　　在黑格尔的最后一讲中，我曾经介绍过维特根斯坦对黑格尔的批评："黑格尔似乎一直想说，那些看上去不同的事物其实是相同的。而我的兴趣在于指出那些看上去相同的东西其实是不同的。"经过这一讲之后，你是不是对这句话有了更深的体会？

　　其实啊，在斟酌《哲学研究》题词的时候，维特根斯坦曾经考虑过使用莎士比亚名剧《李尔王》里的一句台词："我将教会你们差异！"我特别钟爱这个句子，在我看来，把思考尽力维持在充满复杂和变动的差异性之中，这才是哲学思考的魅力所在。

　　在结束这一讲之前我想给你们留一道思考题，根据目前所学的内容，你觉得对维特根斯坦来说，怎样才能做到对语言的本质的全面理解呢？

093
睁开眼睛看家族相似性：
维特根斯坦与反本质主义

不自觉的哲学病病毒携带者

我猜想读完前几讲后，不少读者会有"找不着北"的感觉，我要安慰你们的是，这种感觉很正常，因为维特根斯坦说了，哲学问题具有的形式就是"我找不着北"。但是从另一个角度出发，这种感觉又是不正常的，因为维特根斯坦的任务是给哲学家看病，给那些找不着北的苍蝇们指出一条明路，把他们从捕蝇瓶里拯救出来。

既然如此，对于没有受过专业训练因此也没有患上哲学病的读者来说，为什么在读维特根斯坦的时候也有找不着北的感觉呢？一种可能是，正因为你没有哲学病，所以体会不出维特根斯坦思考的妙处所在，这就好比在牙不疼的时候，你不会觉得牙医有多重要。但是，我认为还有一种可能是，你是一位不自觉的哲学病的病毒携带者，因为病症没有全面爆发，所以你还没有认识到问题的严重性，这个时候带你去看牙医，你会觉得莫名其妙——我的牙好好的，为什么要来诊所？

　　所以我在这一讲的一开始，就是要引爆你的病灶，把你的潜在病毒给激发出来，这样才能慢慢体会到维特根斯坦的重要性。

　　让我们回想一下上一讲的例子，当有人问我们"什么是金星"的时候，我们会非常自信地把手指向天际，告诉他们："喏，就是那颗最亮的星星。"可是当有人问"什么是时间"的时候，我们试图去寻找像金星一样的时间实体，却发现自己茫然失措，找不着北。

　　为什么会出现这样的困惑？因为我们被这两个表达式表面上的一致性给迷惑了，以为"什么是金星"和"什么是时间"问的是同一类型的问题，所以我们也就很自然地像寻找金星那样去寻找作为实体的时间。其实，表面上一致的问题并不一定是同一类型的问题。

　　类似的诱惑无处不在，不管是哲学家还是普通人都难以幸免。仍旧举上一讲的例子，当说到工具二字的时候，我们会情不自禁地想在各种工具之间寻找"共同之处"，与此类似的是，当我们把语言看成是各种不同类型的语言游戏时，又会忍不住去想：什么是游戏之为游戏的"共同之处"？我们似乎总是倾向于要去总结一些什么，仿佛这么做才显得很哲学。

　　我之所以说你可能是不自觉的哲学病的病毒携带者，道理就在于此，因为只要使用语言，我们就会被诱惑着去做某种哲学化的思考，被诱惑着去做某种总结性的陈词，在多中去寻找一。这种诱惑是如此的难以抗拒，以至于维特根斯坦说，我们需要做的是意志上的抵抗，而不是克服理解上的困难，因为弃而不用某种表达式，就像忍住眼泪或者压制愤怒一样困难。

家族相似性

　　在《哲学研究》第 66 节中，维特根斯坦问道："棋类游戏，牌类游戏，球类游戏，角力游戏，它们的共同之处是什么？"然后，他立刻自我反驳道："——不要说：'它们一定有某种共同之处，否则它们不会都叫做游戏。'"

维特根斯坦给出的建议是"不要想，而要看"，一旦我们睁开眼睛看，而不是像哲学家那样闭着眼睛去解释自然（请你回想毕达哥拉斯那一讲的标题），就能看到它们之间的"相似之处"和"亲缘关系"，而不是想象中的"共同之处"。比方说，当你想说"休闲"是所有游戏的共同之处时，就会发现中日韩三国的围棋擂台赛，这跟休闲一点关系都没有；当你想说所有游戏总有输家和赢家的时候，你就会看到一个人在搭乐高的游戏场景，这与输赢一点关系都没有。总之，当你放弃想、专注看的时候，就会看到游戏的复杂多变性，它们之间没有"共同之处"，但有"相似之处"，这些"相似之处"就像是一张"盘根错节的复杂网络"。

那么，究竟该怎么描述这张网络呢？维特根斯坦说："我想不出比'家族相似'更好的说法来表达这些相似性的特征；因为家族成员之间的各式各样的相似性就是这样盘根错节的：身材、面相、眼睛的颜色、步态、脾性，等等，等等。"

讨论到这里，我们可以说，各种"游戏"构成了一个家族，各种"工具"构成了另一个家族，我们之所以把这类活动称为游戏，把那类对象称为工具，不是因为在它们的背后存在着所谓的本质（想想亚里士多德），也不是因为我们可以对它们进行普遍定义（想想苏格拉底），而是因为它们之间存在着"家族相似性"。

语言游戏和家族相似性是理解维特根斯坦后期哲学的关键概念，突出地反映出后期维特根斯坦的反本质主义特点。维特根斯坦像古希腊哲人那样直面问题本身，但是他的思维方式却迥异于古希腊哲人。巴门尼德关心"一切是一"的那个"一"，维特根斯坦却想要教会我们差异；赫拉克利特说"隐蔽的关联比明显的关联更为牢固"，维特根斯坦则说："我们对隐藏起来的东西不感兴趣"。

"家族相似性"是一个极富启发性的概念，它让我们回到粗糙的地面，让我们紧绷的哲学神经得到舒缓，维特根斯坦说："真正的发现是这一发现——它使我们能够做到只要我愿意我就可以打断哲学研究——这种发现给哲学以安宁，从而它不再为那些使哲学自身的存在成为疑问的问题所折磨。"

边缘模糊与隐蔽关联

可是，我们仍有疑问，关于"家族相似性"，我们至少可以从两个角度提出反驳：

第一，按照家族相似性的思路，游戏和工具就是边缘模糊的概念，这样一来，它们还是有意义的概念吗？

第二，共相理论、本质主义真的彻底错了吗？难道我们不可以借助科学的方法去寻找"共相"和"本质"吗？

针对第一个反驳，维特根斯坦在《哲学研究》第71节中做过很精彩的回答。他说，假定有人质疑说：边缘模糊的概念还是一个概念吗？初看起来这个质疑很有道理。当我们拍了一张模糊的照片后，不是应该删除它，再拍一张清晰的照片吗？紧接着维特根斯坦就以弗雷格为例，指出："弗雷格把概念比作一个区域，说界线不清楚的区域根本不能称为区域。这大概是说我们拿它没法干啥。"

说到这里，维特根斯坦立刻开始反驳："然而，说'你就差不多停在这儿'毫无意义吗？设想一下我和另一个人站在一个广场上说这句话。我这时不会划出任何界线，只是用手作了个指点的动作——仿佛是指给他某个确定的点。而人们恰恰就是这样来解释什么是游戏的。"

维特根斯坦的意思是说，在日常生活中，我们常常使用边缘模糊的概念，这些概念不仅是可用的，有时候甚至是最合适的。我们不妨再多看几个例子。

请问怎样才能让一桶水变成一桶冰？答案显然是在一个正常的

大气压下把温度降到零度或更低。在这里，从水到冰的转化过程存在着一个清晰的边界。但是如果我们问，多少粒麦子就变成了一个麦堆，是一千粒还是一万粒？又或者，什么时候我们不再称张三是一个头发稀疏的人，而直接就说张三是一个秃子？是一万根头发还是一千根头发？这个时候你就会开始有些犯难了。

很显然，从麦粒到麦堆，从头发稀疏到秃子，没有一个确定的标准，也找不到一个清晰的分界线，但这并不意味着麦堆和秃子这类模糊的概念就不是概念。在给定的日常语境下面，这些看似模糊的概念都能得到有意义的使用，并且能够得到很好的理解。相反，如果我们将秃子严格定义为头发只剩下一万根，或者头发覆盖面积少于原有面积的三分之一，我们反而不会使用秃子这个语词了，难道不是这样吗？

回到维特根斯坦的那个例子，如果有人远远地跟你比画手势，大声说道："你就停在距离马路牙子90厘米远的地方，不能多一厘米也不能少一厘米。"这么说的时候，精确是精确了，可是你反而会变得糊涂起来，不晓得他到底为什么这么说话。

因此，并不是概念越清晰，逻辑越严格，句子的意义就越明确。一个有洞的围墙还是围墙，一个有点含混的规则也还是规则。你可以批评说，因为规则的含混，所以这个游戏是不够完善的，可是有的时候，恰恰因为规则的含混性，游戏才变得更好玩，我们如果把一切都弄得清清楚楚、明明白白，理想是理想了，严格是严格了，但却失去了游戏原本的味道。想一想视频裁判助理系统（VAR）在俄罗斯世界杯上引发的各种争论，也许可以帮助你进一步去思考这个问题。

现在我们来看第二个质疑。我们可以借助科学的方法去寻找事物的共相或者本质吗？毫无疑问，对于一些特定事物来说是可以的。比如说水，在日常语言中我们说水是无色无味的液体，但是关于水的内在结构或者本质属性，我们已经有了更为精确的科学表述——

H_2O。类似的，原子序数 79 是金子的本质属性，C_6H_6 是苯的本质属性。在这些例子里面，本质和共相的概念不但依旧成立，而且正如赫拉克利特所说，它们属于隐蔽的关联而不是明显的关联，因为你的眼睛是看不到 H_2O，也看不到原子序数 79 的，只有借助科学研究和科学概念才能加以揭示这个"隐蔽的关联"。

事实上就以"家族相似性"这个词为例，隔壁老王的女儿眼睛像姥姥，鼻子像妈妈，脸型像老王，初看起来，这里的确存在着家族相似性，但是老王如果对于这些"明显的关联"仍旧不放心，那他大可以通过 DNA 亲子鉴定来确定那个"隐蔽的关联"。

让一切如其所是

现在的问题是，以上这些反例对维特根斯坦构成真正的挑战吗？我觉得没有。让我们回想他在《逻辑哲学论》中的那个观点："我们觉得，即使一切可能的科学问题都已得到解答，人生问题也还完全未被触及。"

难道不是这样吗？绝大多数人都不知道金子的原子序数是 79，这对他们的生活有什么影响吗？ DNA 亲子鉴定的确可以帮助老王搞清闺女的身份，但是这跟老王真理解闺女的内心又有什么关系呢？

在 1930 年写下的笔记里，维特根斯坦说："旧观点——大致上是西方（伟大的）哲学家的——认为从科学的意义上存在两类问题：本质的、重大的、普遍的问题和非本质的、偶然的问题。另一方面，按照我们的观点，在科学上是不能讲巨大的、本质的问题的。"

什么问题是巨大的、本质的？就是生与死、罪与罚、伦理和美、生活的意义这些问题。在维特根斯坦看来，这些问题都是无法借助科学方法得到解决的问题，就像存在、真理、正义、勇敢、美德这些概念，他们是无法通过科学方法发现其本质属性的。我们无法给正义下一个"普遍定义"，也不能为勇敢找到本质特征，它们的边界模糊，在不同的语境下面呈现出不同的内涵和特性，但是这不意味着我们因此可以宣布它们是非法的、不合格的概念，甚至取消这些概念。

说到这里，你可能已经发现了，虽然晚期维特根斯坦严厉批评早期维特根斯坦，但是在哲学与科学的关系上，他可以说是吾道一以贯之的。在《逻辑哲学论》"4.111"节中，维特根斯坦指出"哲学不是自然科学"，在《哲学研究》第 109 节中，他再次强调哲学的考察不可能是科学的考察。晚期维特根斯坦和早期一样反对建构哲学理论，指出："我们不能提出任何一种理论。在我们的思考中必定不能有任何假设的东西。我们必须要丢开一切解释而只用描述取代之。……这些（哲学）问题当然不是经验问题；解决它们的办法在于洞察我们语言是怎样工作的，而这种认识又是针对某种误解的冲动进行的。这些问题的解决不是靠增添新经验而是靠集合整理我们已经知道的东西。哲学是针对借助我们的语言来蛊惑我们的智性所做的斗争。"

在上面这段话里，有很多关键的表述，其中最重要的就是"这些问题的解决不是靠增添新经验而是靠集合整理我们已经知道的东西"，到底应该如何理解这句话，我们会在下一讲中做出解释。

你也许会问，既然哲学是针对借助我们的语言来蛊惑我们的智性所做的斗争，那么这个斗争的结果又是什么呢？维特根斯坦告诉我们，斗争的结果就是，哲学"不用任何方式干涉语言的实际用法"，"它让一切如其所是"。

蒙克说："人们常常引用维特根斯坦谈哲学的话——哲学'让一切如其所是'。但人们常常看不到，在力求什么也不改变，只改变我们看事物的方式时，维特根斯坦试图改变一切。"

维特根斯坦究竟有何魔力，能够做到什么也没有改变，可一切又都改变了？关于这个问题，我们下一讲接着说。

094
站在思想的高墙上：
维特根斯坦与面相的转换

　　下午我们在争论中度过——他是个十分讨厌的人，每次你说什么，他都说："不不，那不是要点。"那可能不是他的要点，但那是我们的要点。听他话太累人。

　　这是一个14岁男孩的日记，里面的那个"他"正是维特根斯坦。

　　生活中我们总会遇到一些讨厌的人，你跟他讲人道的时候他跟你讲法律，你跟他讲法律的时候他跟你讲政策，你跟他讲政策的时候他跟你讲人性，你跟他讲人性的时候他跟你讲奇迹。总之每次你说什么话，他都能把要点转到另一处，这样的人我们称之为"诡辩家"。

　　作为一个对话者，维特根斯坦相当让人讨厌，然而他不是诡辩家，而是哲学家。哲学家与诡辩家的最大差异在于，诡辩家通过转换要点来拒绝理解，而哲学家则试图通过统领要点来达成理解。

面相的转换

在《哲学研究》中，维特根斯坦举过一个"兔鸭头"的例子：

> 设想我给一个孩子看这张图。他说："这是一只鸭子"，然后突然说"哦，它是一只兔子"。于是他认出它是一只兔子——这是一种辨认的经验。

这里的秘诀在于——面相（aspect）的转换，或者说视角的转换。你第一眼看见了兔子，当你转换面相的时候，又看见了鸭子。究竟什么时候把它看成兔子，什么时候把它看成鸭子，依赖于你从哪个面相或者视角去看图画。

我在网上看到过另一张图，同样需要进行面相的转换，才能看到少女或者老妪，比起兔鸭图，这张图的细节更复杂，实现面相转换的难度也更高。当我们把目光投向语言游戏以及现实生活时，细节的复杂程度和难度只会越来越高。对维特根斯坦来说，能够改变看特定事物时的面相，是拥有理解能力并且最终达成理解的关键所在。

说到这里，我们可以回过头来解释上一讲中提到的那句话："这些（哲学）问题的解决不是靠增添新经验而是靠集合整理我们已经

兔鸭图

转换面相，则能看到两种不同的结果：
老妪和少女

知道的东西。"这句话到底是什么意思呢？

　　首先我要请你们想一想哪些问题是需要依靠"增添新经验"才能得到解决的？当然是科学问题，比如黑洞的发现证实了黑洞理论。反之，哲学问题的解决在维特根斯坦看来则与增添新经验毫无关系。

　　那么，什么叫作"集合整理我们已经知道的东西"？还是以兔鸭图为例，无论你把那张图看成兔子还是看成鸭子，图本身并没有发生改变，它如其所是地放在那里，你没有在图上添加一笔一画，你只是通过面相的转换，也就是集合和整理我们已经知道的东西，然后你就看见了不同的对象。

解释的尽头——生活形式

　　也许有人会反驳说：这样一来，岂不是只剩下个人的主观经验和感受了吗？难道维特根斯坦是在主张相对主义吗？初看起来是这样的，但其实不然。仍旧以兔鸭图为例，请问除了兔子和鸭子，你还能把它看成什么？狮子和老虎吗？所以，我们可以对兔鸭图进行不同的解释，但无法对兔鸭图进行无穷的解释，就好像我们可以对语言游戏进行不同的解释，但无法进行无穷的解释，因为解释到最后总有一个尽头。打个比方，就像你一个猛子扎进水里，不断地下潜，最终会遭遇河床，同理，在解释的过程中我们也会遭遇"思想的河床"，或者用维特根斯坦最常用的概念——生活形式。

河床也好，生活形式也罢，都是"被给定的东西"。"被给定"（the given）的意思就是你不加反思地接受的东西，而且是必须接受的东西。举个例子，布谷前不久去上乐理课，老师让孩子们死记硬背各种音程、音符和音阶，小孩子们背得不亦乐乎，但是作为有反思能力的成年人以及乐盲，布谷妈妈就总是在问："为什么音符要这么画？为什么不能换一个更有逻辑的画法？"这时候我就告诉她：这就是给定的生活形式和语法规则，在你最初学习一种游戏的时候，你必须无条件地接受规则，理解了要接受，不理解也要接受。如果你一直在反复追问和质疑游戏规则的合理性，你就无法开始玩这个游戏。维特根斯坦有句名言——"我遵从规则时从不选择，我盲目地遵守规则"，说的就是这个道理。

有的人不仅喜欢破坏规则，而且非常善于为自己的破坏行为提供合理化的解释。很多年前，当陈水扁还是台湾地区领导人的时候，他到海滩捡垃圾作秀，并且用"罄竹难书"来赞扬环保团体做出的贡献，闹出了大笑话。当时的台湾"教育部长"杜正胜出来给陈水扁擦屁股，他是这样解释"罄竹难书"的："罄是用尽，竹就是竹片，是在纸张发明前的书写工具，难是难以，书就是书写，翻成今天现在的话，就是用尽所有的纸也写不完，也就是要做的事实在太多。"

操两可之说，设无穷之词，这是政治人物最擅长的本领。其实，我们普通人在做出荒腔走板的越轨行为之后，也会寻找各种理由来为自己解释和开脱，这么做的一个潜在信念是："无论我怎么做，经过某种解说都会和规则一致。"

然而正如前面所指出的，"任何解释总有到头的时候"，维特根斯坦说："任何解释都像它所解释的东西一样悬在空中，不能为它提供支撑。"那么到底什么才能提供支撑呢？当然就是规则本身，就是生活形式本身。在维特根斯坦看来，"遵守规则是一种实践，以为［自己］在遵守规则并不是遵守规则"。这句话有点绕，我们可以换个说法——人们不可能"私自"地遵守规则，否则的话，"以为自己在遵守规则就同遵守规则成为一回事了"。

杜正胜对"罄竹难书"所做的奇葩解释生动地说明了这个道理。说到这里，我们可以重新来看一下诡辩家和哲学家的区别：诡辩家通过订立私人的标准，来为所有越轨行为提供合理化的解释，而哲学家则是在承认公共的标准的前提下，尽可能地在差异性中看到联系。所以诡辩家是通过转换要点来拒绝理解，而哲学家则试图通过统领要点来达成理解。

什么是我们业已知道的东西？

回到"这些（哲学）问题的解决不是靠增添新经验而是靠集合整理我们已经知道的东西"，关于这句话，我还想接着谈谈什么叫作"我们已经知道的东西"。

先来看"我们"是谁。我认为，这里的"我们"指的不是科学家也不是哲学家，而就是每一个普普通通的人。那么"我们已经知道的东西"到底是什么东西呢？我认为就是我们熟练掌握、了然于胸的语词用法，就是在特定传统中习得的惯例和规则，以及让对话和理解得以可能的生活形式。这些东西是我们已经知道的东西，是百姓日用而不知的东西。

在《哲学研究》中，维特根斯坦指出，为了达成意见一致就必须首先在生活形式上达成一致："人们所说的内容有真有假；他们达成一致的是所使用的语言。这不是意见的一致而是生活形式的一致。"

写到这里，我想起一个网络笑话：中国有两种球在国际赛场上是没有悬念的，乒乓球——谁都赢不了，足球——谁都赢不了。请问到底是中国乒乓球厉害还是中国足球厉害？我相信你们此刻都会会心一笑，但是如果换成老外，他可能就彻底懵圈了，这不仅因为他很难理解"谁都赢不了"的确切含义，更在于他跟我们没有共享同样的生活形式。

站在思想的高墙上

真正的哲学家都在以不同的方式教会我们差异，不过仅仅认识到差异仍然不足以实现理解。按照维特根斯坦的想法，"我们对某些事情不理解的一个主要根源是我们不能综观语词用法的全貌"，为什么综观语词用法的全貌如此重要？因为综观可以"居间促成理解，而理解恰恰在于，我们'看到联系'"。因此，在看到"差异"的同时又看到"联系"，尤其是能够发现或发明中间环节，这样才能真正实现理解。

"综观"的德文是"Übersehen"，英语译作"overview"，我认为译作"鸟瞰"更形象也更准确。圆明园里有座"黄花阵"，这是一座乾隆年间修建的迷宫，我曾先后去走过三五回，每一次我都比别人更快地走出迷宫，不是因为我更加聪明，而是因为我的个子比较高，所以我可以探出迷宫的围墙，看清楚哪一条是死路哪一条是活路。你们也许会说我作弊，但我认为，为了让我们走出语言的迷宫和思想的迷宫，就必须进行"思想的作弊"。

我们正身处在一个前所未有的复杂和丰富的时代，面对这个时代，我们需要养成同样复杂和丰富的思考习惯，只有站在思想的高墙上，我们才可能鸟瞰全貌，看清差异和联系，实现面相的转换，明白哪里是沼泽哪里是沟壑，哪里是死路哪里是活路。

"告诉他们我度过了极好的一生"

维特根斯坦曾经这样描述自己的哲学工作："我破坏、我破坏、我破坏。"仿佛一头闯进瓷器店的公牛。但是维特根斯坦砸碎的不是精致美妙的瓷器，而是对智性生活不必要的困扰，是那些力图在寻常事物中"看出古怪问题"的哲学诱惑。

在《哲学研究》的序里，他这样写道："尽管这本书相当简陋，而这个时代又黑暗不祥，但这本书竟有幸为二三子的心智投下一道光亮，也不是不可能的，当然，这种可能性委实不大。"这里所说的"二三子"到底指的是哪些人呢？其实早在1930年，维特根斯坦就有过解释，他说他的书只是为了一小圈子的人而写，这些人不是精英，他们既不比普通人高明，也不比普通人差劲，这些人只是不同而已。这些人的不同之处在于，他们属于维特根斯坦的文化圈子，就好像是他的老家人或者乡里人，他们熟悉他的思考方式和生活方式，而所有其他人都是陌生人。

维特根斯坦曾经坦率地承认："在某种意义上我是在宣传一种思想风格，反对另一种思想风格，对那另一种我真是讨厌得很。"但是，他也深知自己的思考类型并不为这个时代所需要，所以他说："我如此奋勇地游泳以抗击浪头。也许在一百年之后人们将会真的需要我正在写的这些东西。"

我不想花费特别的篇幅去评价维特根斯坦的影响力，有人说，虽然后期维特根斯坦推动了日常语言分析学派的发展，但是总体看来，20世纪后半叶特别是21世纪的哲学发展方向与后期维特根斯坦是背道而驰的，也正因如此，这些人认为维特根斯坦的哲学地位是大可怀疑的。对于这样的评价，我甚至都不愿意多费口舌。维特根斯坦显然不是典型意义上的哲学家，他从事反哲学的工作，既不打算建立自己的学派，也不热衷于获得学术界的承认与理解。当下的哲学发展方向与他背道而驰，这并不足以证明维特根斯坦错了，反而可能恰恰证明这个时代已经病入膏肓了。

对维特根斯坦来说，解决哲学问题意味着改变旧有的思想方式和生活方式。这种改变的发生，是通过把语词从形而上学的用法重新带回到日常用法。回到语词的日常用法，也就是让一切如其所是。所以蒙克说，维特根斯坦的哲学宗旨在于，一方面力求什么也不改变，另一方面，通过改变我们看事物的方式，他试图改变一切。

其实，维特根斯坦的生活态度也是如此，他对生活做彻底的清算，目的不是要把自己从生活之流中连根拔起，而恰恰是要把自己重新放回特定的生活之流中。维特根斯坦说："一种表述只有在具体的生活之流中才有意义。"同样，蒙克认为，如果能把他自己的生活放进某种特定的模式，那对维特根斯坦来说将是一种莫大的安慰。

维特根斯坦怀念 19 世纪末的维也纳文化氛围，向往托尔斯泰式的生活方式，他也数次尝试放弃智性生活，从事纯体力的劳作，比如他做过乡村教师、建筑设计师、园丁，以及医院的护工。所有这些努力都是为了让自己嵌入一种生活模式之中，找到一种笃定、踏实和安宁。但是事与愿违，维特根斯坦身上最鲜明的几个身份特征，让他永远无法把自己放回到某种特定的生活模式中，比如，作为奥匈帝国遗民，作为犹太人，作为同性恋者，以及作为哲学家，所有这些身份都让他天然地不属于任何一个共同体。曾经有朋友这样回忆说，维特根斯坦使他想起《卡拉马佐夫兄弟》里的阿廖沙和《白痴》里的梅什金——"第一眼瞥去，那模样是令人心悸的孤独"。

在他生命最后的阶段，维特根斯坦和房东太太贝文夫人成了亲密的朋友，他们每天晚上 6 点散步到小酒馆。贝文夫人回忆说："我们总是要两杯波特葡萄酒，一杯我喝，另一杯他饶有兴味地泼到蜘蛛抱蛋盆栽里——这是我知道的他的唯一不老实行为。"两人之间的谈话异常轻松，维特根斯坦从不跟贝文夫人讨论她不理解的话题，贝文夫人说："所以在我们的关系中我从未觉得自己次等或无知。"

　　看起来，维特根斯坦终于和生活达成了和解。1951 年 4 月 28 日，维特根斯坦去世，留给这个世界的最后一句话是："告诉他们我度过了极好的一生。"

《烦躁》（Anxiety 或 Angst），挪威画家爱德华·蒙克绘于 1894 年。
"畏（angst）之所畏就是世界本身。"——海德格尔，《存在与时间》

095
运伟大之思者，行伟大之迷途？
——海德格尔与纳粹主义

纳粹分子海德格尔

海德格尔（Martin Heidegger，1889—1976）曾经这样概括亚里士多德的一生："亚里士多德出生，工作，去世。"——我想这应该就是哲人最理想的人生了吧：思想与生命完全同一，绝对精纯，毫无杂质。

如果没有卷入 1933—1934 年的纳粹运动，海德格尔原本也可以这样纤尘不染地度过一生，然后顺理成章地跻身 20 世纪最伟大的哲学家行列。可是因为有了这段难以洗白的纳粹过往，海德格尔的形象变得暧昧不明、争议不断，时至今日，即使他已经去世 42 年之久，依旧处于舆论的风暴眼中。

那么海德格尔到底都做了些什么呢？让我们先来梳理一下事情的来龙去脉。

1933 年 1 月，希特勒被任命为总理。4 月，时年 44 岁的海德格尔接任弗莱堡大学校长一职，发表题为《德国大学的自我主张》的就职演说。次年 4 月，他辞去校长职位。海德格尔的大学校长生涯只维持了短短一年的时间，在这期间，他主要做了以下几件事情：

首先，为了担任校长一职，海德格尔加入了纳粹党，并且将纳粹党员的证书一直保留到 1945 年。

其次，在任职期间，海德格尔发表了不少吹捧希特勒的言论，并于 1933 年 5 月 20 日给希特勒专门发去电报，大意是请求按照党的意志来改造大学。

第三，海德格尔表现出一定的排犹倾向。比如，他与具有犹太血统的恩师胡塞尔中断了关系，在后者重病期间以及葬礼上均未露面，非常不近人情；此外，他通过打小报告暗示一位学者与犹太人有牵连，阻止该学者谋得教职。

平心而论，这些举动都算不上光彩，但是对于久经政治运动的中国人来说，也不会觉得特别难以接受。海德格尔的所作所为充其量表明他是一个城府颇深的政治投机分子，还算不上大奸大恶之辈。时过境迁，只要他表个态，认个错，就可以洗心革面重新做人。

可是让人大惑不解的是，"二战"结束之后，海德格尔对这段往事却始终讳莫如深，从未在公开场合道歉，对纳粹暴行和奥斯维辛集中营也不置一词。1966 年他接受德国《明镜》杂志采访——这是他生前唯一一次公开谈论与纳粹的过往——条件是必须在他死后才能发表。十年后海德格尔去世，这篇题为《只有一个上帝才能拯救我们》的采访也公之于众，然而人们没有读到一句真心悔过的话，有的只是各种闪烁其词的辩解和托词。

在解释投身纳粹运动的动机时，海德格尔说："我当时的判断是：就我所能判断的事物的范围来看，只还有一种可能性，就是和确实有生气的、有建设能力的人物一起来掌握未来的发展过程。"这句话的意思是，当时我别无选择，纳粹和希特勒是拯救德国的唯一力量，所以，我虽然看走了眼，但是责任并不在我。

此外，海德格尔还在访谈中再次强调技术对于人类未来的威胁，他说："关键的问题是，如何能够为技术时代安排出一个政治的制度来，我为这个问题提不出一个答案。但我不认为答案就是民主制度。"虽说批评民主制度不等于拥护极权制度，但是在这样一个访谈里，选择继续批评民主制度和技术时代，足以看出海德格尔的顽固和傲慢。

很显然，《明镜》杂志的访谈不但没有平息风波，反而让这场公案变得更加扑朔迷离。同情者称，海德格尔投身纳粹运动只是哲学家的一时糊涂，白璧微瑕，无损于他作为当代最伟大的哲学家的声誉；反对者则认为海德格尔是终生的纳粹分子，在他的哲学和纳粹主义之间存在着内在的逻辑一致性。

从最近披露的私人笔记和私人信件来看，我们可以确定，至少在 1930 年代，海德格尔的确是一个彻头彻尾的纳粹分子和反犹分子。比如，在 1931 年的圣诞期间，海德格尔把希特勒的《我的奋斗》作为礼物送给弟弟，并在信中盛赞希特勒具有"卓越的政治才能"，"当所有人都一头雾水的时候，他也能辨别清楚"。海德格尔认为国家社会主义运动，也就是纳粹运动会呈现"一种崭新的局面，它不仅仅是政党政治，更事关欧洲和西方文明的赎罪或者衰落"。在信中海德格尔豪情万丈地预言："看来，德国终于觉醒了，开始理解并掌握自己的命运。"

1933 年 4 月 13 日，也就是希特勒上台三个月后，海德格尔继续在信中赞美希特勒："每一天，我们都在见证着希特勒成为一个政治家。我们的民族和国家将会发生改变，每双眼睛都能看见，每只耳朵都能听见，每一位在鼓舞自己行动的人都会感受到真正而又深刻的兴奋，我们见证了伟大的历史，见证了压力之下将帝国精神和民族使命照进现实的时刻。"

在私人笔记中海德格尔也对犹太人进行了种族主义意义上的批评，他说："犹太人凭借他们杰出的计算天赋，已经按照种族原则生活了最长的时间，因此他们拼命为自己辩护，反对种族原则不受限制地运用。"

怀着乡愁寻找家园

现在的问题是，我们应该如何评价海德格尔的以上言行？一朝是纳粹分子，终生都是纳粹分子吗？如果海德格尔哲学与纳粹运动之间存在着本质性的关联，那么我们为什么还要阅读海德格尔？难道我们不怕在阅读的过程中，潜移默化地中了毒，成为一个反犹主义者甚至纳粹主义者吗？

为了回答上述问题，让我们先来了解一下海德格尔的个人生活，以及他所处的时代氛围。美国学者朱利安·扬指出，海德格尔的祖父是鞋匠，父亲是业余的铜匠，母亲是农妇，这对我们理解海德格尔意义重大。终其一生，海德格尔都对乡村生活抱有深厚的情感，对城市生活则充满厌恶之情。乡村生活是典型的共同体(community)生活，在这个通过血缘、感情和伦理团结为纽带生长起来的生活世界里，人与人亲密无间，人与自然和谐共存。更重要的是，乡村生活使人拥有直接的生活经验，而非间接的生活经验，人们对于生活的其来有自了然于胸，有着非常清晰的脉络感，因此他们的生活也就更加简单扎实。用海德格尔最喜欢的话说，这是一种"有根的"生活方式。与此形成鲜明对比，城市生活是一种"无根的"生活方式，它立足于契约关系，是机械的和人为的聚合体，人们表面上生活在一起，其实却彼此疏离，漂泊无依。

18世纪的德国诗人诺瓦利斯曾说："哲学就是一种怀着乡愁寻找家园的冲动。"对德国哲人来说，这种冲动不仅指向真实的大地，同时指向遥远的古希腊，黑格尔曾经动情地说道："一提到希腊这个名字，在有教养的欧洲人心中，尤其在我们德国人心中，自然会引起一种家园之感。"德国人在哲学、音乐、诗歌方面所取得的成就，让他们深信自己的民族不仅是特殊的，而且是优异的，这种优异性突出体现在内在性和精神性的成就上。相比之下，英国人代表了自我中心、唯利是图的商业主义，而法国人只拥有肤浅的感性，他们是西方文明没落的象征，在这个虚无主义的黑暗时代，只有德国人才能担负起作为世界精神领袖的重担。

这当然是一种非常虚妄的感觉，就像一位德国历史学者所说的那样："每一个经历了多年政治虚弱后突然在世界上获得了权力和声望的民族，都免不了这样几种毛病，其中最大的毛病就是民族自大狂，倾向于迷恋本土的一切而贬低外来的一切。……我们开始在学术工作上自吹自擂，炫耀民族自豪感，以党派的门户之见影响学术研究。"

在1930年代的德国，我们看到了所有这些毛病的总爆发。把技术和民主政治理解为现代性的核心，把德意志的独特性夸大成德意志的优越性，进而认为德国应该承担起复兴西方文明的伟大使命，在这些基本判断上，海德格尔与纳粹一拍即合。也正因如此，他才会在1935年发表的演讲《形而上学导论》中盛赞"纳粹的真理与伟大"。

到了1953年，正式出版《形而上学导论》的讲稿时，海德格尔把"纳粹"二字改成"这个运动"，并且加括号说明这个运动指的是"星球式特定的技术与新时代的人的相遇"。这个改动充分说明，海德格尔与纳粹的遭遇首先是一个"哲学问题"，其次是一个现实的政治判断问题。事实上，从1966年的《明镜》杂志访谈中也可以看出，直到晚年，海德格尔依然认定，自己只是在具体的判断上犯了识人不明、所托非人的错误，但在根本的判断上并没有错。

危险的迷途

美国学者马克·里拉说："如果哲学家试图当国王，那么其结果是，要么哲学被败坏，要么政治被败坏，还有一种可能是，两者都被败坏。"我完全认同马克·里拉的这个判断，事实证明，一旦思想者突破思想的边界，加入权力的游戏，就必定会对权力屈服，最终成为独裁者的工具和附庸。海德格尔与纳粹的纠葛再一次证明了这个道理。

海德格尔不仅在现实判断上出现了难以饶恕的错误，在哲学判断上也存在根本性的问题。在《形而上学导论》中，他把俄国和美国相提并论，认为它们根本就是一丘之貉："同样都是脱了缰的技术狂热，同样都是放肆的平民政制。"在我看来，这种思维方式就是黑格尔所说的"抽象思维"的典型表现。当我们用一种高度抽象的标准去衡量一切事物时，或许能产生别开生面的洞见，但也会让我们丧失最基本的常识感。说到这里，我忍不住想复述维特根斯坦的那句忠告："研究哲学如果给你带来的只不过是使你能够似是而非地谈论一些深奥的逻辑之类的问题，如果它不能改善你关于日常生活中重要问题的思考，如果它不能使你在使用危险的语句时比任何一个记者都更为谨慎，那么它有什么用呢？"

当然，海德格尔毕竟还是说对了不少东西，他对于连根拔起的现代生活方式的批判，对于技术时代人的处境的反思，都足以让我们警醒。海德格尔曾说："无家可归成为一种世界命运。"当看到从月球传回的照片时，海德格尔惊呼道："人现在已被连根拔起。我们只还有纯粹的技术活动和联系。人今天生活在其上的，已不再是土地了。"站在现代人的角度看海德格尔的反应，包括他对乡村生活的沉迷以及对现代技术的排斥，会觉得他目光短浅、少见多怪。可是从另一个角度看，现代人的见怪不怪难道不是隐藏着更大的危机吗？当我们在影院欣赏诺兰的《星际穿越》，当我们习惯于随时随地去网上冲浪，有没有严肃认真地反问过自己，这种连根拔起的无根生活真的是我们向往的生活吗？

德国诗人荷尔德林说："哪里有危险，哪里就有拯救者生长。"在海德格尔的有生之年，亲眼目睹过危险，也亲身参与过拯救，但是他发现，人对自身命运的掌握和拯救，无不以惨痛的失败告终。或许也正因如此，他才会把 1966 年的《明镜》访谈命名为"只有一个上帝才能拯救我们"。

我不认为海德格尔一辈子都是纳粹分子，但是海德格尔一辈子都是现代性特别是民主政治和技术时代的反对者，这是他的根本立场。出于思想者的傲慢，同时也担心读者将放弃阅读他的著作，他在战后的漫长岁月中对自己的纳粹经历保持沉默，这个选择本身再一次体现出他的顽固和狡黠。

最后我想用海德格尔本人的一句话来结束这一讲的内容："运伟大之思者，行伟大之迷途。"我想接着海德格尔往下说，迷途再伟大，依旧是迷途，迷途越伟大，危险越深重。

人生就是一次"被抛"的过程：
海德格尔的《存在与时间》（上）

存在与存在者

在本书的开篇处我就说过，哲学始于惊奇，有惊奇就意味着有不解，有不解就要求理解。哲学所惊奇的不是一些具体的问题，比如股市为什么又跌了，离岸人民币的汇率为什么又升了；哲学所惊奇的问题要更加抽象或者说更加根本，比如外部世界是否存在，他人是否具有心灵，语词的意义，对与错的标准，死亡问题，以及生活的意义，等等。但是在所有的哲学惊奇中，有一类惊奇最特殊也最根本，那就是对"是"或者"存在"（Being）本身的惊奇。

莱布尼茨当年曾经感慨道："为什么存在者存在而无却不存在！"维特根斯坦也有类似的惊叹："令人惊讶的不是世界怎样存在，而是世界竟然存在。"我猜想大多数读者看到这两句话后肯定会摸不着头脑，莱布尼茨和维特根斯坦到底在惊讶些什么呢？

对于深陷于日常琐事、一地鸡毛的人们来说，我们所关心和烦恼的都是每一个具体的存在者（beings）——叛逆期的孩子、迅猛上涨的房价、深夜厨房里的那块蛋糕，这些存在者攫取了我们全部的注意力，我们深深沉溺在铺天盖地的生活之流中，无法将自己的眼光从中超拔出来，对存在本身感到惊奇。

如果你仍旧对于存在者和存在的区别不明所以，我愿意冒险举一个例子。当一件大事情降临在我们身上的时候，我们常常会产生疑惑："为什么偏偏是我？"类似的体验相信每一个人多少都曾有过，此时，我们虽然把关注的焦点从外部事物移到了我身上，但仍然属于对存在者的惊奇，因为让我们感到不理解的是这件大事究竟为何与我相关。但是某些时候，我们会产生更进一步的困惑："为什么有我？"或者："我为什么存在？"此时，你已经开始接近对存在本身的惊奇了。

这样的时刻可遇不可求，对绝大多数人来说，只有在极其特定的机缘下，才会意识到存在的问题，用海德格尔的话说，存在的问题"是一种极度绝望的时刻赫然耸现的，在这个时刻，全部事物日益丧失了它们的重量，而所有的意义也变得蔽而不明了"。然而，这样的时刻实在是太过稀少，海德格尔因此感叹说，在多数情况下，这个问题将"只会鸣响一次，它宛如一口铜钟，其沉闷的声音警醒了我们的生活，随后便渐渐消失，杳然无迹"。

如何对存在发问

1927 年，海德格尔出版《存在与时间》，这本书的核心主题就是：为世人鸣响这口沉默了太久的铜钟，重提"什么是存在"这个根本性的问题。在导论中海德格尔指出："希腊哲学因为对存在的惊异而生，柏拉图和亚里士多德曾为存在问题殚精竭虑。从那以后，人们却不曾再为这个问题做过专门的探讨。"在以最快速的方式简述完两千年的西方哲学史后，海德格尔认为，时至今日，不仅"存在问题尚无答案，甚至连怎么提出这个问题也还茫无头绪"。

　　那么应该怎么对存在发问呢？海德格尔认为，存在总是存在者的存在，所以，要寻问存在，就必须从存在者入手。但是哪一种存在者才是最好的发问者呢？海德格尔选择人作为突破口，这个道理不难理解，放眼大千世界，花草树木，昆虫鸟兽，所有这些存在者都无法像人这样去追问存在，思考存在，并且用语言去表达存在。

　　话说到这里，你也许会稍感失望，海德格尔给我们画了一张大饼，说是要追问存在这个早已被遗忘的根本问题，吊足了读者的胃口，结果兜兜转转还是落在了人这里。人的问题当然很重要，可是古往今来又有哪个哲学家不是在探讨人的问题呢？康德的三大批判不就是在追问人是什么的问题吗？那么海德格尔的独到之处又体现在哪里呢？

　　海德格尔的与众不同在于，他总是拒绝常见的哲学术语，使用他自己的独创概念，用一种"陌生化"的方式来发问和思考。比如说，他用德语 Dasein 这个词来指称人，Da 就是"那里"，Dasein 就是"在那里的存在者"，中文通译成"此在"。虽说在日常的德语中，此在也用来指称人，而且康德和黑格尔也用过这个概念，但是把它单独拎出来，并且在哲学讨论中赋予其如此重要的地位，这还是有史以来头一遭。与此相关，海德格尔还创造出"在世界之中存在"、"共在"等一系列既陌生又熟悉的术语，说它们陌生是因为这就是海德格尔独创的新词，说它们熟悉是因为它们能够唤醒普通人的日常生活经验。

　　对比一下海德格尔的"此在"和笛卡尔的"我思"，你就会发现这里不仅存在着术语的差别，更重要的是发问方式和思考路径的区别。"我思"是哲学家在一个非常极端的思想实验中逼问得出的结果，它把自己封锁在我思的边界里，最终导致主体与客体之间的二元对立。但是"此在"这个词却引导我们去思考再熟悉不过的一种日常生活经验——我们从来就是在世界之中的存在者，难道不是这样吗？举个例子，当我们在使用锤子敲打钉子的时候，从来不会把锤子作为一个客体或者对象加以研究，我们抡起锤子就好像它是我们延长的胳膊，海德格尔把这种状态称为"当下上手状态"。只有在我们使用锤子的过程中出现了某些岔子，比如锤子头发生了松动，或者使得很不称手的时候，我们才会把注意力放在锤子上面，盯着锤子这个客体——用海德格尔的术语说，此时我们就从"当下上手状态"脱落成为"现成在手状态"。

海德格尔认为，除了遗忘存在，传统哲学的另外一个错误就在于总是以"现成在手状态"去研究事物，这是以一种理论化的方式在观看和沉思对象——请回想一下笛卡尔的《第一哲学沉思集》这个标题。可是现实的情况却不是这样的，我们与这个世界以各种各样的方式在打交道，用"此在"取代主体，意味着海德格尔不是从认识论的角度去研究人，而是从存在论的角度去理解人。此在不是一个置身事外的沉思者，而是在世界之中的实践者。

理论化的思考方式主宰了西方哲学两千多年的历史。我们曾经提到过，"理论"一词的古希腊词根包含有观看和戏院的意思。坐在戏院里的时候，我们不是演员而是观众，同样的，做理论的人也是以置身事外的态度在观看存在，围观但不参与，看戏但不演戏。

维特根斯坦在《哲学研究》中曾经非常形象地嘲弄过这种思维方式："'它就是这样的——'我一遍一遍对自己说。我觉得只要能够目不转睛地盯准这个事实，把它集中在焦点上，我就一定会抓住事情的本质。"这个场景让我想起很久以前看过的一部港片，在一辆高速行驶的货车上，司机双手离开方向盘，目不转睛地盯着它说"向左转、向左转"，千钧一发的时刻，副驾驶一把抢过了方向盘。对了，在那部电影里，司机的人设是脑子有点毛病的人。

我们曾经反复提过"外部世界是否存在"这个经典的怀疑论命题，遗憾的是，无论笛卡尔还是康德，都没有给出令人满意的回答，海德格尔说这个疑难至今没有得到解决，简直就是哲学的丑闻。于是他一把抢过方向盘，告诉沉思者们：不要静观，而要行动，我们不是作为认识论的主体在凝视客体，而是在世界之中的此在。现在我想问你们一个问题：海德格尔解决了这个经典的怀疑论难题吗？我的判断是并没有，他只是转换了追问的方式和思考的路径，然后消解了这个问题。

"被抛"到世界上的此在

当我们静观某物的时候，我们希望抓住事物的本质，但是此在不是现成物，它的存在方式与众不同，海德格尔称之为生存（existenz）。海德格尔说："它（此在）是些什么向来有待于它自己去是。"这句稍显拗口的话后来被法国哲学家萨特（Jean-Paul Sartre，1905—1980）进一步阐发为"存在先于本质"，意思是此在不具备已经完成的本质，它通过行动去不断地创造和实现自己的本质。

遇到挫折的时候，我们常常会沮丧地说："我就是这样的，啥事都做不好的。"如果萨特听到这句话，一定会告诉你：你是什么，不是什么，是由你自己的选择和行动决定的，不要太早给自己下定义和做总结，因为可能性总是大于现实性。

这样的说法很容易让我们想起哈姆雷特的那句经典台词：To be, or not to be, that is the question. 但是就像英国学者迈克尔·英伍德所指出的，人并不可能拥有决定是否存在的无限能力，"他可以选择死亡，但不能选择出生，也不能选择在某一情形下出生"。正是在这个意义上，海德格尔说，此在是"被抛"到这个世界上的。我们来到这个世界，就像一块石头被抛入河中，这个事实我们无法掌控也不能改变。好在我们虽然无法决定"存在与否"，但却可以决定"怎样存在"，决定什么是适合做的或值得做的。

要注意的是，对海德格尔来说，此在始终是在世界之中的存在，就像一个人不可能拔着自己的头发离开地面，此在也是这样，他沉浸在一个特定的传统中，这意味着自我创造的可能性不是无限的，而是有着非常严格的规定性。这话说得太抽象了，打个比方，请问你可以在一个没有教堂的世界里成为牧师，在一个没有篮球的世界里成为 NBA 巨星吗？这当然是不可能的事情。此在被抛入特定的生活世界里，虽然我们可以决定怎样存在，但依然受到特定的价值传统的塑造和规定。在这个意义上，海德格尔并不像萨特那样主张人有绝对的自由，也不主张人有绝对的责任，海德格尔并不是纯粹意义的存在主义者。

海德格尔有一个著名的学生名叫伽达默尔（Hans-Georg Gadamer，1900—2002），他曾经这样总结哲学的工作方式：哲学思考必须以原始的世界经验作为基础，这种经验是通过概念及我们生活于其中的语言的直觉力量来获取的。20 世纪初的德国人经历了大国崛起的短暂辉煌和旋即而来的迎头痛击，正失魂落魄地被笼罩在"末日与灾难"的氛围之中，当他们突然听到有人以别开生面的方式开始谈论起"此在"、"在世界之中"、"被抛"，还有与此相关的"焦虑"、"烦"、"畏"、"本真的生活"以及"向死而生"时，立刻就辨认出自己的生活经验和直觉，产生出心心相印的感觉。

海德格尔个子不高，其貌不扬，甚至有些土气，但是站在大学讲台上的他却有着无与伦比的魅力，汉娜·阿伦特把他称作思想王国的秘密国王。虽然《存在与时间》直到 1927 年才正式出版，但是在此之前的十年里，海德格尔已经在知识圈中赢得了极高的口碑。他给人们带来全新的哲学体验，他用独特而新颖的术语讲述人们早有领会的日常经验，在一击而中的同时，又让人觉得还有一些更为重要的东西尚未领会，这种似有所得、若有所思的体验让人欲罢不能。

阿伦特说，海德格尔教会了他们思考，而思考就意味着挖掘，海德格尔用这套方法深入事物的根基，但不是把它们挖出来，而是仍旧留在里面，仅仅在它们周围开辟探索之路——就像海德格尔最爱的那些小径在森林里蜿蜒一样。

097
人生在世，无非一烦：
海德格尔的《存在与时间》（中）

烦与操心

很多年前，我曾经写过一篇影评，题目叫作《状态里的人》，评的是香港导演杜琪峰的《暗花》。什么是状态？状态就是你拿捏自己身体和目光的分寸与姿态。梁朝伟扮演的腐败警察，他的状态只有一个字——"烦"。澳门回归前一天，黑帮火拼，"几十年没回澳门"的幕后老大洪先生决定回归清场，梁朝伟的任务是在午夜 12 点之前找出杀手。午夜 12 点，这是一个死线(deadline)，找到杀手就有生路，然而事实证明，找到杀手他也没有生路，因为这个腐败警察根本就是一枚弃子。让我印象最深的镜头是梁朝伟每抓到一个嫌犯，就拿酒瓶砸疑犯的手，一下，两下，三下，但是在观看的时候，分明感到他砸的不是疑犯的手，而是他自己的状态和情绪。情绪并不指向特定的外在对象，而是指向作为整体的世界，并且折射回自身，最终会实质性地影响我们与世界打交道的方式。

回头看这篇影评，我发现自己不自觉地动用了很多海德格尔的元素。在《存在与时间》中，海德格尔对于此在的生存论分析就是从"情绪"展开的。海德格尔用两个德语词来表达"情绪"，一是Befindlichkeit，大致的意思是"怎样找到自我"，"怎样被找到"或者"近况怎么样"，另一个词是Stimmung，有给乐器"调音"或"校音"的意思。

我们在日常生活中经常会说"调整情绪"、"调整状态"，可是"调音"的过程并不容易。情绪绵延不断，笼罩生活的整体，你可以通过严肃的反省、积极的行动短暂地提振情绪、调整情绪，但却很难一下子就雨过天晴。

海德格尔把此在的一般存在规定为Sorge，陈嘉映把它译成"操心"，与此相关的活动包括"操劳"和"操持"。其实最初的译法不是这样的，操心原本被陈嘉映译成"烦"，与此相应的是"烦忙"和"烦神"。我觉得还是最初的译法更传神。当梁朝伟在澳门街头毫无头绪地寻找杀手时，当他用酒瓶一下、两下、三下地砸嫌犯的手的时候，他的基本情绪不是操心，而就是烦。相比之下，"操心"的译法太正能量了。比方说，我妈妈喜欢操心家里大大小小所有的事情，可是她最常挂在嘴边的一句话却是——"做人就是很烦啊"。我觉得我妈是天生的海德格尔主义者，她说得非常对，烦比操心更面向事实本身。

同济大学的孙周兴教授在评论这个改译的时候，说过一句非常逗的话，他说："'人生在世，无非一烦'。这个意思就很好。现在如果改说成'人生在世，无非一操（心）'，就没有什么味儿了。"要我说，岂止没什么味儿了，简直就是变了味儿了。我读大学的时候，流行一款T恤，上面写着"烦着呢，别理我"，看到这六个字你会会心一笑，可是如果改成"操心着呢，别理我"，是不是觉得全都变了味儿？

常人、沉沦、闲谈、好奇

我们要牢记于心的是，此在不是笛卡尔式的反思主体，它没有被局限于唯我论的界线之内。此在不去追问外部世界是否存在的问题，因为它已然在世界之中；此在也不去探讨他人心灵是否可知的问题，因为它在日常的烦忙和烦神中，已经消融在与他人的共在里。

元代书画大家赵孟頫想纳小妾，结发妻子管道升得知后写下一曲《我侬词》，其中几句是这样写的：“把一块泥，捻一个你，塑一个我。将咱两个，一齐打破，用水调和。再捻一个你，再塑一个我。我泥中有你，你泥中有我。”此在与他人的共在状态虽然没有这么腻乎，但的确也是你中有我，我中有你，打成一片的。

海德格尔用“常人”（das Man）来指称日常生活中的此在，他说：“常人怎样享乐，我们就怎样享乐；常人对文学艺术怎样阅读怎样判断，我们就怎样阅读怎样判断；竟至常人怎样从‘大众’中抽身，我们也就怎样抽身；常人对什么东西愤怒，我们也就对什么东西愤怒。”

不仅如此，海德格尔还用“沉沦”一词概括常人的生存状态，其基本形态包括闲谈、好奇和两可。海德格尔说，在闲谈中，“人们对所谈及的存在者不甚了了……人们的意思总是同样的，那是因为人们共同地在同样的平均状态中领会所说的事情。……关键的只是：言谈了一番。只要是说过了，只要是名言警句，现在都可以为言谈的真实性和合乎事理担保。……谁都可以振振闲谈。……对这种无差别的理解力来说，再没有任何东西是深深锁闭的”。

再来看海德格尔对“好奇”的描述：“好奇不是为了领会所见的东西，就是说，不是为了进入一种向着所见之事的存在，而仅只为了看。它贪新骛奇……好奇同叹为观止地考察存在者不是一回事……好奇到处都在而无一处在。”

常人、沉沦、闲谈，这些词一看就不是什么好词，好奇初看起来是个好词，我们不是经常说要保持对知识的好奇心吗？可是读过海德格尔的描述，你是不是觉得他笔下的好奇更像是猎奇和八卦？有意思的是，虽然这些词看起来都是贬义词，但是海德格尔坚持认为自己只是在做中性的描述，没有做任何的价值判断。这话不可真信。如果有人说你沉沦，然后告诉你，他只是在做客观描述，不是在做道德评价，你会作何感想？是不是觉得这比直接骂人还要阴损？

　　启蒙运动之后，面对民主制度不可避免的到来，无论是民主的支持者（比如托克维尔和约翰·密尔）还是反对者都对"多数的暴政"和"庸众的胜利"感到忧心忡忡，海德格尔自然也不例外。他说常人把公众世界保持在"平均状态"中，"平均状态看守着可能冒出头来的异品奇才，不声不响地压住一切特立独行。一切远见卓识都在一夜之间抹平为早已众所周知，一切奋斗赢来的成就都变成唾手可得之事，一切秘密都失去了它的力量"。这样的字句，如果不是告诉你出自海德格尔之手，你一定会以为这是哪个忧伤的年轻人写下的激愤之词。

　　回头再看"沉沦"，这两个字隐含着从高处坠落的意思，我们很自然要问，高处是何处？此在因何会沉沦？答案是此在的沉沦源于"不立足于自己本身而以众人的身份存在"（陈嘉映语），这话说得隐晦，但道理并不难以理解。只要此在混迹于常人之中，人云亦云、亦步亦趋，此在就不是本真的自己，而是非本真的自己。所以理解此在的本真性的关键点在于此在的个体性，我们再一次看到启蒙运动以来的那个核心主题，同时也是尼采的"超人"想要回应的那个问题：一个人应该如何成其所是。

　　说到这里，我要稍微做一个修正，我们不可被"沉沦"的字面意思迷惑，以为此在一开始站在高处，只是后来才不幸沉沦的。此在不是方仲永，他没有经历过从"木秀于林"到"泯然众人"的沉沦过程，作为被抛的存在者，此在从一开始就与常人一起，在"非本真的漩涡"中沉浮，常人就是我们，我们就是常人。因此，对此在而言，成为本真的自我倒是一个特异的状态，它需要极特殊的机缘。

畏与烦

这个机缘就是"畏"（Angst）突如其来之际。畏不是怕，怕针对具体的事物，有人怕狗，有人怕猫，有人怕指甲划过墙的声音，但是畏不同，畏不针对任何具体的存在者，海德格尔说："畏之所畏就是世界本身。"

究竟该如何理解这句话呢？当莱布尼茨惊叹"为什么存在者存在而无却不存在"时，我认为他体会到的就是畏而不是怕。因为，在那个时刻，世间的所有存在者如潮水般退去，此在不再烦神于任何具体的事物，而是与"存在"直接照面，同时也与"无"直接照面。

这么说太玄乎，为了帮助理解，让我举两个大家相对熟悉的例子。贾宝玉梦游太虚幻境，警幻仙子为他演奏十二支曲子，听到最后是那句著名的"好一似食尽鸟投林，落了片白茫茫大地真干净"！繁华落尽终成空，只剩下眼前空无一物的白茫茫大地，此时凸显出来的既是"存在"也是"空无"。说它空无，是因为人世间所有烦心、烦神的存在者全都消失无踪，说它存在，是因为存在者消失之后世界仍旧存在，存在仍然突兀，所以海德格尔说"无在畏中和存在者整体一道照面"。

那么当畏降临之时，此在又会呈现什么样的状态呢？《红楼梦》里还有一句唱词叫作"赤条条来去无牵挂"，这句话原本用来形容鲁智深，其实无论贾宝玉还是鲁智深，最后都是斩断三千烦恼丝，不再与红尘打交道。所谓赤条条来去无牵挂，说的不就是此在不再烦神于任何具体的存在者，从常人的沉沦状态中超拔出来之后的样子吗？海德格尔说畏使此在个别化，而个别化和独立性正是此在赢得本真的存在的根本前提。

当然，所有的例子都是有缺陷的，不可责备求全。贾宝玉和鲁智深因为各自的机缘，最终看破红尘、遁入空门，海德格尔的此在不同，它没有一直停留在对存在和无的惊异中，畏的情绪其来也突兀，其去也杳忽，当畏消散之后，此在重回常人的生存状态。海德格尔说："本真生存并不是任何漂浮在沉沦着的日常生活上空的东西，它在生存论上只是掌握沉沦着的日常生活的某种变式。"这句话的意思是说，虽然我们可以区分常人和本真的存在，但是二者的关系不是割裂的而是连续的。

让我再次冒险举一个例子。宋代禅宗大师青原行思提出参禅的三重境界：参禅之初，看山是山，看水是水；禅有悟时，看山不是山，看水不是水；禅中彻悟，看山仍是山，看水仍是水。按照我的理解，海德格尔如果读到这段禅语，他也许会说，彻悟的境界不是一朝拥有、永久拥有的，相反，它总是处于反复争夺的过程，在看山仍是山、看水仍是水之后，依旧会不断地跌回看山不是山、看水不是水的境界。即使是本真的此在，也仍旧深陷于日常的烦神和烦心之中。

因此，我不认为海德格尔会认同王维的"劈柴担水，无非妙道，行住坐卧，皆在道场"。海德格尔虽然喜读老子和禅宗，但是按照他的基本思路，劈柴担水，行住坐卧，纵有妙道，该烦还是会烦，因为烦是此在在世的基本情绪。

向死存在：海德格尔的《存在与时间》（下）

未知死，焉知生

有人说，死亡是人生在世唯一确定的事情，这话乍看起来很有道理，仔细想想却不尽然，因为我们只是听说过或看见过别人的死亡，却从未真正亲历过自己的死亡。所以这个命题只是一个综合命题，它的必然性是可疑的。难道不是这样吗？除非死亡真正降临到我们头上，否则我们就总是会心存侥幸："没准我是那个永远不死的人呢？"可是另一方面，很少有人想过，一个永远不死的人生将会多么的恐怖和无聊。

"明日复明日，明日何其多。我生待明日，万事成蹉跎。世人若被明日累，春去秋来老将至。"对于有死之人，老之将至才发现蹉跎了岁月，固然是件悲哀的事情，可是对于不死之人，永远等不到老之将至的那一天，可以无限地单曲循环"明日复明日"，所有的事情都在永恒的尺度面前失去了重量，岂不是一件更加恐怖的事情？

人固有一死，但是除非死亡真正降临到我们头上，否则我们就觉得它与我无关。托尔斯泰在小说《伊凡·伊里奇之死》中写道，当伊凡·伊里奇去世的消息传来，同事们首先想到的是，他的死空出了职位，这样我就可以在车马费外每年多挣八百卢布了。更多的人则在暗自庆幸："还好，死的是他，不是我。"

《存在与时间》中的死亡分析很像是《伊凡·伊里奇之死》的哲学版本。常人在日常生活中以各种方式逃避死亡，但是海德格尔强调指出，唯当常人不再在闲谈中八卦"别人的死"，而是真正觉知到"我会死"，并且把"我会死"的理解带入生活之中，此在的本真存在才有可能。

为什么向死存在会有这么大的"魔力"，可以让此在的本真存在成为可能？海德格尔说："死要求此在作为个别的此在生存，死无所关联，从而使此在个别化它本身。"所以，再一次，我们发现，此在的个别化是本真性的本质特征。

好学深思的读者会继续问，为什么死亡会使此在个别化它本身？理由是没有人可以代替我去"死亡"，即使临终前身边簇拥着亲朋好友，但是在死亡真正来临的那一刻，我只能独自一人去死，没人可以代替我去死。换个说法，死总是我的死。

陈嘉映认为"死总是我的死"并不能证明死的根本性，理由是"喜怒哀乐，没有哪一样别人可以代替"。我认为这个反驳并不成立，虽然没人可以"代替"我去喜去怒去哀去乐，但是我们却可以跟别人一起"分享"喜怒哀乐，但是死不能分享，死就是我的死，我死之后，他人可以在葬礼或者闲谈中一起分享我的死，但是我不能参与分享。总之，"死总是我的死"，正因如此，海德格尔才会说："先行到死使此在绝对地个体化。"

对比孔子的"未知生，焉知死"，我们不妨把海德格尔的立场概括为"未知死，焉知生"，唯有先行到死，才能让此在挣脱常人的日常存在，获得独立性和个别化。

常人用日常的方式准备死亡

与此相反，常人在日常生活的掩护之下逃避死亡，或者换个角度说，常人用日常的方式在准备死亡。罗马时期的斯多亚哲人塞涅卡说：

> 我们从不在恶事真正出现之前就已预料……多少葬礼从我们门前经过，但我们从不认真思考死亡。多少夭折发生过，但我们仍为自己的婴儿作长远打算：他们如何穿上托加，如何在军队服役，然后继承父亲的财产。

难道不是这样吗？我们按照惯例和常识承担责任，给自己的孩子打疫苗，报学前班，准备未来的婚房或嫁妆。当然，常人并非完全无视死亡的存在，常人以自己的方式准备死亡。在我童年的记忆里，外婆家是最美好的所在，只是有一件事让我困惑不解：外婆早早就为自己准备了一口实木棺材，而且就摆放在客厅的一角，用一块巨大的黑布盖着，天长日久，上面堆满了杂物，死亡就这样毫不打眼地一直伴随左右，与日常的吃喝拉撒同在。我从一开始的莫名惊诧到后来的熟视无睹，直到二十多年后我替外婆掀起那块黑布。

对于在日常生活中沉沦的常人来说，死亡既不构成一次解放，也没有撕开一道深渊，它被一块黑布伪装，被各种杂物遮蔽，死亡在场又不在场。这是一种"日常的向死存在"，其中包含了某种独特甚至可以说是高明的生活智慧。但是在海德格尔看来，日常的向死存在乃是"非本真的向死存在"，与此相对的，还有本真的向死存在，只有后者才让此在成为个别的存在，真正找到自己。

我们可以用海德格尔的原话来给"本真的向死存在"做个总结：所谓本真的向死存在，就是"先行到死，看清楚了丧失在常人之中的日常存在，不再沉陷于操劳和操持，而是立足于自己的生存筹划种种生存的可能性，面对由畏敞开的威胁而确知它自己，因负重而激起热情，解脱了常人的幻想而更加实际，在向死存在中获得自由"。

确知你自己，选择你自己

什么叫作此在确知它自己，找到它自己，这句话究竟是什么意思？比如，我现在的身份是教师，你呢，也许是大学生、职员、士兵、记者、公益人士、艺术家、政治家，我们在各自的岗位上兢兢业业、勤勤恳恳，不同的身份承担着不同的责任，那么在什么意义上我们不算是确知自己和找到自己呢？按照海德格尔的想法，在以本真的方式向死存在之前，在听到良知的召唤之前，在做出真正的决断之前，这些身份和责任都不是你的"天命"所在。良知把此在从常人的沉沦中唤醒，让此在决心承担起完全属于他自己的天命。

按照这个线索往下说，似乎很自然的结论就是，当此在承担起自己的天命之后，他就会焕然一新，扮演完全不同的身份和角色。但是正如我之前所说的，海德格尔不是纯粹意义的存在主义者。"下决心生存的此在不是要从传统脱身，而是下决心回到被抛境况，把流传下来的可能性承担下来。"海德格尔的意思是说，此在可以选择的身份和责任并不是无限多的，而是被给定的传统所限制的。举个例子，如果现在有人打算听从良知的召唤，成为一个中世纪的武士，那么对不起，这个传统已经失去了，你不可能在一个网络时代扮演一个封建时期的武士。你只能在教师、职员、士兵、记者、公益人士、艺术家、政治家这些给定的角色中做选择。但是此时，当你选择这些身份、角色和责任时，就拥有了马丁·路德式的表达方式，你会说："这是我的立场，我不得不如此！"

我们用很快的速度梳理了烦、常人、沉沦、向死存在、良知及决断。在解释的过程中，我用了太多的比喻，做了很多冒险的尝试，其中一定有很多误读和错漏的地方，我只是希望通过我的讲解，能够激发你们去深入阅读原著的兴趣。

《存在与时间》里的伦理学和政治学元素

有人可能会说，海德格尔花费如此多的笔墨去描述此在的生存状态，可是对于究竟什么才是存在，我们依然看得懵懵懂懂，不明所以。我同意这个说法，但是另一方面，我也认同威廉·巴雷特的观点，他说："任何一个把他的原著读了一遍的人都会从中获得一种对存在的具体感受……对存在这一不可言传者的感受，海德格尔的这样一种表述大概在西方思想家中算是最清楚的了。"

海德格尔反复强调自己在做中性的描述而不是价值的判断，言下之意是，本真和非本真、有决心和没有决心都是此在存在的方式，没有高下优劣之分——一句话，《存在与时间》里没有伦理学和政治学的元素。

但是在 1920 年代的德国，当人们读到向死存在、良知和决断的时候，很难不被其中的伦理暗示和政治隐喻所打动。有学者认为，正是在这些表达中，海德格尔看上去最像一个法西斯。我认为这个说法与事实不远，当海德格尔在 1930 年代欢呼"我们见证了伟大的历史"，盛赞纳粹运动具有的"内在真理和伟大"时，他的确对自己的哲学做了伦理学和政治学的引申。从这个角度出发，《存在与时间》这本书不仅有伦理学和政治学的内涵，还有它的时代针对性和时代局限性。

美国学者乔治·斯坦纳指出，从 1918 年到 1927 年，短短九年之间，德语世界出现了六本角度新异、风格极端的著作：恩斯特·布洛赫的《乌托邦精神》，斯宾格勒的《西方的没落》，卡尔·巴特的《罗马书释义》，罗森茨维格的《救赎之星》，海德格尔的《存在与时间》，以及希特勒的《我的奋斗》。这六本著作都是"充满先知口吻甚至乌托邦气息的文本"，既有"对失落的往日理想的追忆和缅怀"，更体现出某种"末世启示论的色彩"，总之它们的共性是"鸿篇巨制的规模，先知般的口吻，求助于末世想象的文字，这一切聚合成一种特殊的暴力"。

其实，这些作者并不完全认同对方的观点。例如，希特勒就曾经公开批判斯宾格勒的悲观主义，本着"危机的本质就是机遇"的观点，希特勒宣布此时正是"西方复兴"的时机，而这一切全都有赖于德国人能否担负起历史的使命。

今天看来，1933年希特勒上台，无疑是德国历史乃至人类历史的至暗时刻，但这是事后之明，对于身处其间的人来说，他们只知道历史的巨轮在转向，至于未来到底是光明还是黑暗，仍不可知。

从希特勒的言行举止来看，他毫无疑问是一个无知、混乱和可笑的人，很多知识人根本看不上他，有人曾经轻蔑地评价希特勒："这个人根本就不存在；他只是他制造的噪音。"值得深思的是，海德格尔似乎并不在意希特勒的粗鄙无知，在与另一位著名哲学家雅斯贝尔斯的对话中，海德格尔说："教育完全无关紧要，只要看他那双绝妙的手就够了。"这句话初看起来让人摸不着头脑，但是熟悉海德格尔的人都知道，工具和手艺在他的哲学中占据举足轻重的地位，称赞希特勒有一双绝妙的手，言下之意是他能够把德国打造成一件前所未有的艺术品。

假如希特勒在1938年死于一场刺杀，那么海德格尔的判断也许就是对的，因为"从1930年至1941年间，不管是在内政，还是在外交与军事方面，希特勒的所有行动都是成功的"（塞巴斯蒂安·哈夫纳语）。所以，如果希特勒的生命在1938年或者1941年戛然而止，那么结果很有可能是，绝大多数人都会"把他称为德国最伟大的国家巨匠，或者德国历史的完成者"。

海德格尔哲学与纳粹主义

我们可以原谅普通人的目光短浅，但是为什么海德格尔这样的哲学大家同样无法看穿历史的重重迷雾呢？我认为，要想真正回答这个问题，必须回到最初的那个问题：海德格尔的哲学与纳粹主义存在着本质性的关联吗？经过之前几讲的分析，我的回答是——它们之间没有本质关联，但是有高度的亲和性。良知、决断和天命都是高度形式化的表述，可以填充进太多的内容，它可以是自由主义、存在主义，也可以是纳粹主义。一个显而易见的事实是，希特勒的决心绝不比耶稣和拿破仑少半分。在特定的历史时刻，海德格尔的哲学完全有可能滑向纳粹主义的深渊。

当然，正因为良知、决断和天命都是高度形式化的表述，所以就像莎拉·贝克韦尔所说，除了纳粹主义，海德格尔的哲学还存在着完全不同的解释，比如，"他的决断和接受必死性的观念，本来也可能形成一种勇敢抵抗纳粹及其恐吓手段的框架。它本来能成为一种反极权式英雄主义的宣言"。

到底是向左走还是向右走，也许在解释和应用海德格尔哲学的同时，还需要再一次倾听良知的召唤并做出决断。

对于海德格尔的评价，从来都呈现出完全对立的两极："一种观点认为，海德格尔是一个善于摇唇鼓舌的江湖骗子，一个人类良知的毒害者；相反的观点认为，海德格尔是一个能够洞见一切、得天眼通的大师，一位哲学导师，他的著作足以更新人类的内在状态。"（乔治·斯坦纳语）相比之下，我认为还是伽达默尔的评价比较中肯："海德格尔是一个伟大的哲人，却有着渺小的人格。"

最后，我想说的是，无论身处哪个时代，无论你是学者还是常人，在面对大国崛起和文明复兴的天命召唤时，都要始终牢记，常识比理论更重要，坚持底线比追求伟大更重要，健全的现实感比缥缈的情怀更重要。

正义女神

099

没伞的孩子只能拼命跑？
——罗尔斯的《正义论》（上）

不久前读到一篇报道，从 2009 年开始，有位导演用六年的时间跟踪拍摄三个孩子的人生，他们分别是农村孩子、小镇青年和国际化大都市里的少女。三个孩子曾经共有一个身份——学生。

2009 年，农村孩子马百娟 10 岁，第一次背上书包上学。在作文中她曾这样写自己的人生理想："长大后去北京上大学，然后去打工，每个月挣 1000 块，给家里买面，因为面不够吃，还要挖水窖，因为没水吃。"

与此同时，17 岁的北京少女袁晗寒放弃央美附中的学籍，用父母给的两万元钱在南锣鼓巷开了一间酒吧。

还是那个夏天，第三次参加高考的小镇青年徐佳收到湖北工业大学的录取通知书。

多年后，马百娟没有实现她的北京梦，她在 16 岁的时候结婚生子，选择在表哥工作的陶瓷厂劳作，这个表哥同时也是她的丈夫。袁晗寒在酒吧倒闭之后，去德国杜塞尔多夫读艺术学硕士，然后回国开了一家艺术品投资公司。至于小镇青年徐佳，则靠自己的奋斗在二线大城市武汉买房买车，站稳了脚跟，步入城市中产的行列。

三个人中，只有徐佳通过读书改变了命运。郭德纲讲过一个童年时的故事："我小时候家里穷，那时候在学校，一下雨别的孩子就站在教室里等伞，可我知道我家里没伞啊，所以我就顶着雨往家跑，没伞的孩子你就得拼命奔跑！"

正如作者所说："徐佳和马百娟都是'没伞的孩子'，不过与马百娟相比，徐佳是幸运的，因为他还可以奔跑，而马百娟，连跑的权利都没有。"

对了，这部纪录片的名字叫作《出·路》。

之所以花这么长的篇幅介绍这篇文章和这部纪录片，是因为它与本讲的主题直接相关。其实，徐佳在片中已经一语道破了它，他说："我现在接受这种不公平的存在，但我会努力去改变。"这句话初听起来非常励志，可如果像马百娟那样连跑的权利都没有，是不是还应该"接受这种不公平的存在"呢？如果想要改变它，除了个人的努力奋斗，又能做些什么呢？

幸运但不应得的人生

现在，我们终于可以引入本讲的主角——美国政治哲学家罗尔斯（John Rawls，1921—2002）。他最著名的著作是1971年出版的《正义论》，有人把这本书和柏拉图的《理想国》、霍布斯的《利维坦》并列为人类有史以来最伟大的三本政治哲学著作。如果说这个评价还有待时间的检验，那么说《正义论》是20世纪最伟大的政治哲学著作，应该没有太多的异议。著名政治哲学家布莱恩·巴利指出："《正义论》之后，我们是活在'后罗尔斯'（post-Rawlsian）的世界，它成了政治哲学的分水岭。"罗尔斯的主要论敌、哈佛大学同事诺齐克则认为："政治哲学由现时开始，要么在罗尔斯的理论框架内工作，要么便必须解释为何不如此做。"

　　我在人大课堂介绍罗尔斯时,常常把他的一生形容为"一个幸运但不应得的人生"。1921 年,罗尔斯出生在美国南部的上流社会,父亲是一个自学成才的著名律师,罗尔斯的个人偶像是林肯和康德。1928 年,罗尔斯 7 岁的时候患上了白喉病,被隔离在一个小房间里面,他的弟弟鲍比怕他寂寞,跑到他的房间里跟他玩,结果被传染,不幸病逝。一年之后罗尔斯再次患病,他的另外一个弟弟——年仅两岁的汤米又被他传染,后来病逝。而罗尔斯安然无恙地活了下来,这两件事情让他耿耿于怀,成年后的罗尔斯有点口吃,据说跟童年时的心理创伤有关。

　　第二次世界大战期间,罗尔斯在太平洋岛屿服役,有一次他在河边饮水,一颗子弹掠过他的头部,留下一条永久的疤痕,他有惊无险地活了下来。还有一次他和军中最要好的朋友面临一个选择,其中一人陪同指挥官到前线去侦察敌情,另一个人到附近的战地医院献血。他们决定谁的血型符合,谁就去医院。罗尔斯去了医院,他的朋友陪着指挥官到了前线,结果你们应该都想到了,他的朋友被炮弹击中牺牲了。

　　退役之后的罗尔斯先后在康奈尔大学、普林斯顿大学求学,最后成为名满天下的哈佛大学教授。我相信对罗尔斯来说,这个幸运但不应得的人生给他留下了非常深刻的影响,对于那些因为各种偶然性而未能展开人生的个体,他有很强的愧疚感和不安感。

社会制度的首要美德:正义

　　罗尔斯在《正义论》中开门见山地指出:"正义是社会制度的首要美德,正如真理是思想体系的首要价值。"之所以将正义之剑指向社会制度,是因为社会制度会对人的一生产生"深刻、广泛以及自始至终"的影响。这个道理不难理解,如果时光倒流三百年,那么有一半的读者将不得不从小裹足，过上三从四德、相夫教子的人生，如果乔丹生活在两百年前的美国，那么他就不会是光芒万丈的 NBA 巨星，而是南方种植园里的一个黑奴。

罗尔斯指出，在划分社会合作的利益时，如果有些社会结构从起点处就对某些人更为有利，对另一些更为不利，那就需要通过正义二原则去纠正这些不平等。要注意的是，罗尔斯并没有主张"取消"一切不平等，而是主张"减轻"自然偶然性和社会偶然性带来的任意影响。

什么是社会的偶然性？马百娟出生在甘肃省白银市会宁县的农村家庭，父亲是农民，母亲有智障，哥哥 14 岁就外出打工，袁晗寒出生在北京，父亲从事房地产业，从小钢琴、舞蹈、美术班轮着上，这就是所谓"社会的偶然性"。什么是自然的偶然性？姚明身高 2.26 米，我身高 1.81 米，他去 NBA 打球，我在人大教书，我觉得我的球商不比他差，但我挣的钱连他的零头还不到。这种自然的偶然性对人生境遇影响同样非常巨大。

罗尔斯的基本立场是没人有资格从这些偶然性中获益，除非——注意这个除非非常重要——这些利益能够以某种方式回馈给最少受益者。

那么应该如何界定最少受益者呢？对此罗尔斯有一个非常简单明了的判断标准，他说在一个良序社会（well-ordered society）中，当所有公民的权利、自由和公正的机会都得到保证之后，那么最不利者就是指那些拥有最低期望（the least expectation）的收入阶层。什么叫作"最低期望的收入阶层"？这个短语的重点不在于"收入阶层"，而是"最低期望"，我认为这一点最能体现出罗尔斯理论的伦理关怀。每个人在展开自己的人生时，都有不同的人生期许。美国孩子会说我长大了要当总统，但是中国孩子却很少说我长大了要当国家主席，因为制度条件不鼓励这样做。对于很多偏远山区的孩子，比如马百娟，她的人生期许就是到北京上大学，然后去打工，每个月挣 1000 块，给家里买面，因为面不够吃，还要挖水窖，因为没水吃。当你听到这样的人生期许时，你会意识到这是多么的卑微和令人心痛。我们固然可以从收入的硬指标去界定谁是最少受益者，但是从最低期望的收入阶层去做判断，我认为更突出地体现出最少受益者的伦理处境——他们从小无法也不敢拥有一个健康积极的人生愿景，这是对他们作为一个拥有内在价值的道德平等人的最大伤害。

也许有人会说，我能理解减轻社会偶然性的任意影响，可是为什么要减轻自然偶然性的任意影响呢？比方说，爱因斯坦的智商 165，普通人的智商只有 90 或者 100，姚明身高 2.26 米，我的身高 1.81 米，这种自然天赋的差异与正义不正义又有什么关系呢？罗尔斯指出："自然天赋的分配无所谓正义和不正义，人降生在某一特殊的社会地位也无所谓正义和不正义。这些都只是自然事实。关乎正义和不正义的是制度在处理这些事实的方式。"举个例子，贵族制和等级制在我们今天看来为什么是不正义的？就是因为他们把血缘和出身这些偶然事实作为判断封闭和有特权的社会阶层的标准。

借用美国政治哲学家、法学家罗纳德·德沃金的说法，自然天赋的差异属于"原生的运气"而不是"选择的运气"。原生的运气指的是完全不受个人选择左右的东西，而选择的运气则与个人选择有关，比如你决定逆流而上投身中国股市，那么你就得愿赌服输，因为这是你的个人选择。但是你如果出生在一个贫困家庭，这个自然事实与你的个人选择毫无关系，属于海德格尔所说的被抛的事实，这个时候正义不正义就要看制度以何种方式对待这种自然事实。罗尔斯认为主张自然天赋是社会的共同资产（common asset），那些先天有利的人只能在改善不利者状况的前提下，才可以从先天有利的原生运气当中获利。罗尔斯认为，不应该让人们听命于这些偶然性的摆布，"正义二原则是一种对待命运的偶然性的公平方式"。

我要再次强调指出的是，罗尔斯并没有说应该"消除"由自然天赋的不平等所导致的不平等，他只是主张为这种不平等设定一个限制，让自然天赋导致的不平等来为最少受益者谋利。换言之，罗尔斯虽然看重平等价值，但是他绝不是在主张平均主义，我们甚至可以说，罗尔斯承认不平等，只不过他主张一种"合理的和正当的不平等"。你一定会问，什么叫作合理的和正当的不平等，标准到底是什么？罗尔斯的回答是，标准就在于正义二原则，在满足正义二原则的前提下，从自由结社的自愿行动中产生出来的不平等就都是合理的。

人们通常把罗尔斯称为平等主义的理论家，但是我认为，认识到罗尔斯是在主张一种合理的不平等，可以避免很多不必要的误读。为了强化这个认识，我将对平等（equality）与同一（identity）这对概念做个区分。

平等与同一

所谓同一，意思是说两个比较物在所有方面和一切特征上都是一样的。举一个大家都很熟悉的例子，晨星和暮星名称不同，但指称的是同一个行星，也就是金星，在这个意义上，晨星和暮星是同一的，因为它们在所有方面和一切特征上都是一样的。

所谓平等，意思是说两个比较物在某一方面具有相同的性质，但不是在所有方面具有相同的性质。当说到人人平等的时候，经常有人会误以为是在主张人人同一。这是典型的混淆概念。所谓人人平等，指的是人和人之间的相似性（similarity），而不是人们在所有方面都是同一的。举例来说，地球和金星并不同一，但是作为太阳的行星，它们的地位（status）是平等的，尽管它们的外形、质量、运行的轨道都不一样。因此，当我们说两个事物是平等的之时，其实恰恰预设了这两个事物是不同的。

新加坡已故总理李光耀先生做过一个演讲，题目叫作《我对这个世界的看法》，其中有段话是这么说的：

> 人们认为人与人之间是平等的，或者说应该是平等的……
> 但这种想法现实吗？如果不现实，那么追求平等就会导致倒退。
> 一个最基本的事实就是没有任何两个事物是完全平等的，
> 没有同样小的事物，也没有同样大的事物。事物从来都不是平
> 等的。即便对于非常相似的双胞胎而言，出生时也有先后之分，
> 先来者优先于后到者。人类是这样，部落是这样，国家也是如此。

你发现了没有，李光耀的错误恰恰就在于把平等误当成了同一。因为没有完全同一的两个事物，所以不应该追求平等这个价值——这个推论显然是错误的。

人和人之间毫无疑问是不同的，甚至在很多方面是不平等的，我显然不如姚明高大强壮，我也不如爱因斯坦聪明智慧，但是在一个最重要的意义上，我跟他们是平等的：我们在道德人格上是平等的。这是当代政治哲学的共识，也是当代社会的基本共识。主张道德人格的平等不等于主张平均主义，不等于抹除一切差别。恰恰相反，主张平等的另一面是要追求一种"合理的、正当的不平等"。

什么样的平等

不过，在证成这种合理的、正当的不平等之前，平等主义理论家还是要试图平等地分配一些东西，这就涉及"什么样的平等"（equality of what）的问题。罗尔斯的正义理论试图平等分配什么东西呢？让我们来看这句话："所有的社会基本善（social primary goods），自由与机会，收入与财富，自尊的社会基础，都必须平等地被分配。除非对某一种或所有社会基本善的不平等分配，将有利于最少受惠者。"

什么是社会基本善？所谓"善"，它的英文是"goods"，为了便于理解，我建议你直接把它理解成"好"。好的东西是人们想要的

东西，但是好的东西是因人而异的，罗尔斯认为，虽然如此，我们还是可以找到一些所谓的基本善（primary goods），它的基本特征是，无论你拥有什么样的理性人生观，都想拥有的东西。举个例子，不管你想成为一个道士、世界五百强的 CEO、大学老师还是流浪歌手，总有一些所有人都必须拥有的东西，因为它们是如此的基本，所以被称为基本善。罗尔斯认为，这些基本善包括自由与机会、收入与财富，以及自尊的社会基础，它们首先应该被平等地分配，如果不被平等地分配，那也要符合某种特定的标准。

　　马百娟没有得到应有的社会基本善，她的人生还没绽放就凋零了，一个正义的社会制度不应该允许这样的事情发生，这是罗尔斯政治哲学的伦理动机所在，它符合大多数人的道德直觉，但是如何从政治哲学的角度去澄清这个道德直觉，并不是一件容易的事。关于这个问题，我们下一讲接着说。

100
无知者最无私？——罗尔斯的《正义论》（下）

无知之幕

在西方国家的法院门口，经常可以看到正义女神的雕塑，通常来说，她的形象是这样的：左手执剑，象征惩罚的正义，右手拿着天平，象征分配的正义，此外，正义女神的双眼被布蒙着。你一定会感到好奇，为什么蒙上了双眼，反而可以做出正义的裁决呢？我认为这是因为只有不受个人偏好的影响，不受个体差异的影响，才有可能避免做出任意的区分（no arbitrary distinctions），并最终保持恰当的平衡（proper balance）。

这么说太过抽象，让我们来设想这样一个场景：全班同学开会商讨奖学金的分配原则，A 同学提议身高一米八以上的人可以获得一等奖学金，B 同学提议戴眼镜的人可以获得一等奖学金。你是不是觉得这两条原则都过于荒唐了？那好，我们再来假定 C 同学提议在核心期刊上发表过学术论文的人可以获得一等奖学金，D 同学提议长期服务于学生会的人可以获得一等奖学金。说到这里，你是不是觉得这两条原则要合理得多？可是且慢，你突然发现原来 C 同学刚刚发表了一篇核心期刊论文，而 D 同学呢，则是学生会的主席，请问你现在还认为这两条原则是合理的吗？

那么我们应该通过何种方式来推导出分配正义的原则呢？也许我们应该用一块布蒙住大家的双眼，让大家看不见自己与别人的个体差异到底在哪里，这样才能做到大公无私。换言之，正义要求无私，而无私可以通过无知来实现。

为了更好地理解这个观点，让我再举一个例子：假设在不远的将来，出于各种原因，已经找不到公正中立的足球裁判，可是曼联队和利物浦队马上就要进行一场比赛，现场只有曼联队的经理具备裁判执法能力，很显然利物浦队会强烈反对让他来执法比赛。双方陷入僵局，怎么办？幸亏英足总早有准备，他们发明了一种药丸，一旦曼联队经理服下它就会部分地丧失记忆，他将不再记得自己的具体身份和地位，也不再记得自己的个人偏好和兴趣，总之他将忘掉关于自己的所有特殊信息，但除此之外他一切如常，他仍旧记得基本的足球知识，熟悉球场规则，能吹善跑，甚至他还知道自己一定是场上某支球队的经理。

请你想象一下，当曼联队的经理服下药后，他该怎么吹罚这场比赛呢？显然最合理的做法就是不偏不倚地吹比赛。尽管他知道自己就是其中一支球队的经理，但由于缺乏更具体的信息，他无法袒护任何一支队伍，唯一理性的选择就是尽可能公正地执法。正是在这个意义上，我们说正义要求无私，而无私源自无知。

罗尔斯正是把这一思路运用到了正义原则的制定上。从政治哲学史的角度看，罗尔斯属于社会契约论的传统，我们知道，任何社会契约理论都会设立所谓的"自然状态"，罗尔斯版本的自然状态被称为"原初状态"（original position）。我们要牢记于心的是，原初状态不是历史上存在过的任何状态，它只是一个思想实验，目的是对我们业已拥有的正义直觉进行公众澄清和自我澄清。罗尔斯在原初状态中为立约者的双眼蒙上了一块布，用来屏蔽各种偶然因素的任意影响，这也就是著名的"无知之幕"（veil of ignorance）。

不难想象，如果每一个立约者都充分了解自己的个人信息，一定会在签订契约时努力谋求个体利益的最大化，比方说富人为富人说话，穷人为穷人说话，男人为男人说话，女人为女人说话，甚至于高个子为高个子说话，总之就是没有人会为"所有人"说话。无知之幕的功能恰如蒙住正义女神双眼的那块布，在无知之幕后面，立约者将被屏蔽掉关于自己的所有具体信息，不知道自己的社会地位、阶级出身、天生资质和自然能力，包括智力和体力等情况，也不知道自己到底喜欢哪种生活，具有什么样的心理特征，最后，立约者也不知道社会的经济或政治状况，或者它能达到的文明和文化水平。

罗尔斯认为，无知之幕的妙处在于，虽然立约者彼此之间相互冷漠，互不关心对方的利益，但是因为个体的具体信息被屏蔽，所以当每个人在为自己选择正义原则的时候，在效果上却奇异地达到了为所有人选择的无私结果。

也许有人会质疑说，一个人必须知道自己要什么，才有动机去签订契约，可是现在的问题在于，"无知之幕"让立约者完全不知道我是谁，怎么会知道自己要什么？签订契约的基本动机到底从何而来？说到这里，就需要重温一下"基本善"的定义，它是"每一个理性人都被推定想要的东西。无论一个人的理性生活计划是什么，这些善通常都是有用的"。所以说，立约者之所以会签订契约，制定正义二原则，就是为了分配包括自由与机会、收入与财富，以及自尊的社会基础在内的社会基本善。

罗尔斯正义二原则

接下来我们将简单介绍一下罗尔斯正义二原则的基本内容。正义第一原则又被称作"平等的基本自由权"原则，意思是每一个人都平等地拥有包括政治自由、言论自由、集会自由、良心自由、思想自由、人身自由等基本自由权。在我看来，这条原则确保了罗尔斯的自由主义底色。

正义第二原则包含两条小原则，分别是"公平的机会平等原则"和"差别原则"。我要再次指出的是，在表述正义第二原则之前，罗尔斯有一个限定性的说法："社会和经济的不平等要满足两个条件……"也就是说，罗尔斯允许存在社会和经济的不平等，但前提是要满足正义第二原则。

也许有人会说，高考面前人人平等，所以马百娟和袁晗寒、徐佳拥有同等的机会考入大学。但是稍有常识的人都会认识到这个说法有失偏颇，因为马百娟只拥有形式意义上的机会平等，相比之下，"公平的机会平等"试图让每个人——不管他人生的起点在哪里——都拥有同样的机会去发展他的自然天赋，以到达他所能到达的位置，只有这样，当机会降临的时候，他才能真正去竞争职位，不会因为背景的障碍而被剥夺机会。

如果说正义第一原则分配的是"自由"，公平的机会平等原则分配的是"机会"，那么差别原则分配的就是"收入和财富"，它的基本内容是社会和经济的不平等要"最有利于那些最不利的社会成员"。

也许你会有疑问，社会基本善中还有一条"自尊的社会基础"，它到底由哪条原则来分配呢？我的理解是，"自尊的社会基础"是社会基本善中最重要的内容，它由正义二原则共同来分配。也正因如此，我们可以说，罗尔斯所构想的正义社会是一个确保每一个公民都拥有自尊的社会基础的社会。

但是，仅有自尊的社会基础仍不足够，因为这不等于在现实的生活中每个个体就真正赢得了自尊。罗尔斯的正义理论将这部分内容交给个体选择去完成，当一个社会已经真正落实了正义二原则，那么一个人将如何成其所是，就是每个个体必须承担起的个体责任。当代自由主义认为，社会分配的结构应该满足"钝于禀赋、敏于志向"的原则。换言之，每个人都应该为自己的选择承担代价，而不应该为不平等的境况承担代价。

我把罗尔斯视为站在启蒙运动延长线上的政治哲学家。众所周知，启蒙运动的三大价值分别是自由、平等和博爱，正义二原则正是在进一步落实这三大价值。罗尔斯曾经非常明确地指出："自由对应于第一原则，平等对应于第一原则加上公平的机会平等原则所传达出来的平等观念，而博爱则对应于差别原则。"

正如罗尔斯所说："与自由和平等相比，博爱的观念在民主理论中占据较少的地位。"从这个角度说，差别原则是罗尔斯正义理论最具特色的内容，因为通常认为，除非求助于宗教伦理的帮助，否则很难在大型的陌生人社会中落实博爱价值。但是罗尔斯恰恰认为，仅仅依靠伦理学，已经越来越不能处理现代社会存在的重大道德问题，必须诉诸社会正义，而不是仅仅依靠民间或者个人的慈善行为，才能更好地解决这些问题。在理解差别原则时，一定不能把它夸大成为罗尔斯正义理论的第一原则，由此认为罗尔斯是在主张某种平均主义。罗尔斯明确指出，正义二原则之间存在着严格的词典式排序，也就是说，自由优先于平等，只有满足了正义第一原则，才可以谈论"公平的机会平等原则"；同理，平等优先于互爱，只有满足了"公平的机会平等原则"，才可以谈论"差别原则"。因此，罗尔斯首先是一个自由主义者，其次才是一个平等主义者，而且他的目的是为某种"合理的不平等"做辩护。

罗尔斯理论的方法论启示

　　我始终认为罗尔斯正义理论的最大价值不在于正义二原则的具体内容，而在于他的方法论启示。正如前面介绍的那样，在无知之幕的背后，人和人之间相互冷淡，彼此之间漠不关心对方的利益，很多评论者因此认为罗尔斯在主张利己主义。但是正如罗尔斯所指出的那样，互相漠不关心与无知之幕结合在一起，可以迫使原初状态中的每一个人去考虑别人的善，最后达到的是仁慈的目的。那些把罗尔斯正义理论错当成利己主义的批评者，仅仅看到了"互相漠不关心"这个条件，却看不到它与其他条件相互结合的作用，所谓攻其一点，不及其余。

　　罗尔斯的方法论是一种融贯论的思路，他不是从一个不言自明的前提出发，通过逻辑演绎的方式来证明正义原则。在罗尔斯的理论体系中，你找不到一个基础命题，他在证明正义二原则的时候，是把各种命题进行相互支持和印证，最终契合成融贯一致的观念。罗尔斯曾经说过，像社会基本结构、无知之幕、词典式排序、最少受益者的立场和纯粹程序正义这些观念，如果把它们单个挑出来看，都不能提供太强的解释力，但是用恰当的方式把它们组合在一起，却能发挥出很好的论证功能。在这个意义上，我们甚至可以说唯当你具备维特根斯坦所说的"综观"能力，才能真正把握罗尔斯正义理论的论证思路和效力。

　　让我们回到"无知之幕加相互冷淡"这个组合，罗尔斯认为，它比"仁慈加知识"更具吸引力。什么是"仁慈加知识"？请回想一下，这不正是柏拉图的《理想国》中对哲学王的构想吗？柏拉图认为哲学王可以把握"什么是正义"，但是罗尔斯认为，"仁慈加知识"的假设虽然看起来在道德上更吸引人，但是它预设了太多的东西，要求太高，不可能建立任何确定的理论。相比之下，相互冷淡加无知之幕的组合更加简洁和清楚，同时还能产生一样的效果，因此在方法论上是更优的。

罗尔斯给我们的方法论启示在于，在政治哲学的论证过程中，应该尽可能地"从广泛接受但相对薄弱的前提出发，推论得出更加具体的结论"，无知之幕加相互冷淡就是这样的起点，它比仁慈加知识更广泛地被接受，同时又相对薄弱，但最终得出的结论却与仁慈加知识一般无二。

说到罗尔斯的方法论，还需要简单提一下"反思的均衡"这个概念。有心的读者或许早已意识到了，本讲与上一讲的内容存在着非常明显的差别，上一讲我们主要在讲故事，是所谓的"诉诸直觉的论证"，而这一讲主要在说理论，是所谓的"依据契约论的论证"。"反思的均衡"就是要在直觉和理论原则之间进行相互校准，求得平衡，这就好比是在摆天平，有的时候修订一下左边的理论原则，有的时候更正一下右边的道德直觉，虽然可以通过反思达成均衡，但是这种均衡不是绝对的，而是"暂时性的"。或许有的读者会说：好烦啊，难道不能给一个一锤定音、一劳永逸的结论吗？对不起，还真没有。我认为"反思的均衡"的方法论折射出罗尔斯两个最为根本的道德哲学立场：第一，对道德实在论与道德真理的悬隔；第二，主张一种历史主义、整体主义的融贯论，反对各种假设—演绎的基础主义进路。

我总是认为，真正伟大的哲学家都是在以各自的方式教会我们差异，罗尔斯与维特根斯坦看似风马牛不相及，但是在这一点上，我认为他们具有非常类似的思想方法。引人遐想的是，维特根斯坦的学生兼密友马尔康姆正是罗尔斯本科毕业论文的指导老师，我在哈佛大学访学的时候，也曾经在档案馆里找到罗尔斯阅读维特根斯坦时写下的大量笔记手稿。这也再次证明了两人之间的隐秘关联。

现实主义的乌托邦

最后，我想比较一下罗尔斯的正义观和柏拉图的正义观。在《理想国》中，柏拉图指出："正义就是只做自己的事而不兼做别人的事。"为此柏拉图在护卫者、武士和生意人之间划下"永恒固定的界限"，让每一类人"各归其位"、"各司其职"，在城邦中只做符合天性的事情。可问题在于，《理想国》的正义观并不确保每个人真正能够实现他的天性，更与个体选择无关，而是受到各种偶然性因素的影响，比如血缘、出身、受教育的程度，并且最终诉诸那个荒诞的"金银铜铁"的传说。罗尔斯的正义观不诉诸高贵的谎言，试图尽可能地减轻道德任意性的影响，确保每个人拥有实现其潜能的社会基础，就此而言，罗尔斯的正义理论相比柏拉图，更能实现正义的理想——因为他为每个人各归其位、各司其职提供了真正的可能。

也许有人会说，罗尔斯的理论是一种乌托邦。罗尔斯对此并不否认，但是他认为这是一种"现实主义的乌托邦"，它并不虚无缥缈，而是具有现实性和可行性。罗尔斯说：当我们在构想一种政治哲学的时候，我们需要去建构这么一种现实主义的乌托邦，他可以让我们身处在现实社会当中的人意识到，我们的社会完全可以是另外一副样子，从而对生活在不同时间不同地点的现实中的人，让他们抱有一种生活的希望。

我想用罗尔斯的一句话来结束这一讲，同时也是结束我们这趟哲学之旅的最后一讲："如果一种使权力服从其目的的合乎理性的正义社会不能实现，而人民又往往不遵从道德，如果犬儒主义和自我中心已变得不可救药，我们便会和康德一样发问：人类在这地球上的生存，还有什么价值？"

参考文献

A. C. 格雷林著，张金言译，《维特根斯坦与哲学》，译林出版社，2013 年。

A. J. P. 肯尼著，韩东晖译，《牛津西方哲学史》，中国人民大学出版社，2006 年。

A. J. 艾耶尔著，吴宁宁、张卜天译，《休谟》，译林出版社，2016 年。

A. P. 马蒂尼奇著，陈玉明译，《霍布斯传》，上海人民出版社，2007 年。

A. P. 马尔蒂尼著，王军伟译，《霍布斯》，华夏出版社，2015 年。

G. H. R. 帕金森、S. G. 杉克尔总主编，中文翻译总主编冯俊，《劳特利奇哲学史》（十卷本），中国人民大学出版社，2017 年。

G. 哈特费尔德著，尚新建译，《笛卡尔与〈第一哲学沉思集〉》，广西师范大学出版社，2007 年。

H. D. F. 基托著，徐卫翔、黄韬译，《希腊人》，上海人民出版社，1998 年。

N. 帕帕斯著，朱清华译，《柏拉图与〈理想国〉》，广西师范大学出版社，2007 年。

S. 马尔霍尔著，亓校盛译，《海德格尔与〈存在与时间〉》，广西师范大学出版社，2007 年。

W. D. 罗斯著，王路译，《亚里士多德》，商务印书馆，1997 年。

W. D. 罗斯著，徐开来译，《亚里士多德的〈形而上学〉导论》，商务印书馆，2017 年。

阿尔森·古留加著，卞伊始、桑植译，《黑格尔小传》，商务印书馆，1978 年。

阿兰·布鲁姆著，刘晨光译，《人应该如何生活：柏拉图〈王制〉释义》，华夏出版社，2009 年。

阿龙著，陈恢钦译，《约翰·洛克》，辽宁教育出版社，2003 年。

阿伦斯多夫著，袁莉、欧阳霞等译，《希腊肃剧与政治哲学：索福克勒斯忒拜剧作中的理性主义与宗教》，华夏出版社，2013 年。

埃里克·沃格林著，刘曙辉译，《柏拉图与亚里士多德》，译林出版社，2014 年。

爱比克泰德著，王文华译，《爱比克泰德论说集》，商务印书馆，2009 年。

爱德华·策勒尔著，翁绍军译，《古希腊哲学史纲》，上海人民出版社，2007 年。

爱德华·乔纳森·洛著，管月飞译，《洛克》，华夏出版社，2013 年。

柏拉图著，郭斌和、张竹明译，《理想国》，商务印书馆，1995 年。

柏拉图著，水建馥译，《柏拉图对话录》，商务印书馆，2013 年。

柏拉图著，王太庆译，《柏拉图对话集》，商务印书馆，2008 年。

鲍斯玛著，刘云卿译，《维特根斯坦谈话录：1949—1951》，漓江出版社，2012 年。

北京大学哲学系外国哲学史教研室编译，《西方哲学原著选读》，商务印书馆，1983年。

彼得·盖伊著，刘北成译，《启蒙时代》（上）、（下），上海人民出版社，2015、2016年。

彼得·甘西著，陈高华译，《反思财产：从古代到革命时代》，北京大学出版社，2011年。

彼得·特拉夫尼著，张振华、杨小刚译，《海德格尔导论》，同济大学出版社，2012年。

彼得·特拉夫尼著，张振华译，《苏格拉底或政治哲学的诞生》，华东师范大学出版社，2014年。

彼德·辛格著，张卜天译，《黑格尔》，译林出版社，2015年。

查尔斯·拉莫尔著，刘擎、应奇译，《现代性的教训》，东方出版社，2010年。

陈鼓应，《尼采新论》，上海人民出版社，2006年。

陈嘉映，《海德格尔哲学概论》，生活·读书·新知三联书店，1995年。

陈嘉映，《语言哲学》，北京大学出版社，2003年。

陈嘉映，《哲学·科学·常识》，东方出版社，2007年。

大卫·休谟著，关文运译，《人类理解研究》，商务印书馆，1995年。

大卫·休谟著，关文运译，《人性论》，商务印书馆，1996年。

大卫·休谟著，张若衡译，《休谟政治论文选》，商务印书馆，2010年。

邓晓芒，《〈纯粹理性批判〉讲演录》，商务印书馆，2013年。

邓晓芒，《邓晓芒讲黑格尔》，北京大学出版社，2006年。

邓晓芒，《康德〈道德形而上学〉句读》，人民出版社，2012年。

邓晓芒，《康德哲学讲演录》，广西师范大学出版社，2005年。

迪特·亨利希著，乐小军译，《在康德与黑格尔之间：德国观念论讲座》，商务印书馆，2013年。

笛卡尔著，庞景仁译，《第一哲学沉思集》，商务印书馆，1986年。

笛卡尔著，王太庆译，《谈谈方法》，商务印书馆，2010年。

第欧根尼·拉尔修著，徐开来、溥林译，《名哲言行录》，广西师范大学出版社，2010年。

段德智，《莱布尼茨哲学研究》，人民出版社，2011年。

恩斯特·卡西勒著，王春华译，《卢梭问题》，译林出版社，2009年。

费希特著，沈真、梁志学译，《现时代的根本特点》，商务印书馆，2017年。

弗兰克·M.特纳著，王玲译，《从卢梭到尼采：耶鲁大学公选课》，北京大学出版社，2017年。

弗朗西斯·麦克唐纳·康福德著，孙艳萍、石冬梅译，《苏格拉底前后》，上海人民出版社，2009年。

格奥尔格·毕希纳著，李士勋、傅惟慈译，《毕希纳全集》，人民文学出版社，2008年。

汉斯·斯鲁格著，张学广译，《维特根斯坦》，北京出版社，2015年。

贺伯特·博德著，戴晖译，《黑格尔〈精神现象学〉讲座》，商务印书馆，2016年。

赫拉克利特著，T. M.罗宾森英译、评注，楚荷中译，《赫拉克利特著作残篇》，广西师范大学出版社，2007年。

赫西俄德著，张竹明、蒋平译，《工作与时日·神谱》，商务印书馆，1996年。

黑格尔著，贺麟、王玖兴译，《精神现象学》，上海人民出版社，2013 年。

霍布斯著，黎思复、黎廷弼译，《利维坦》，商务印书馆，1997 年。

吉尔松著，沈清松译，《中世纪哲学精神》，上海人民出版社，2008 年。

加勒特·汤姆森著，李素霞、杨富斌译，《莱布尼茨》，中华书局，2002 年。

卡尔·洛维特著，彭超译，《海德格尔——贫困时代的思想家》，西北大学出版社，
　　2015 年。

康德著，邓晓芒译，杨祖陶校注，《康德三大批判合集》，人民出版社，2009 年。

康德著，杨云飞译，邓晓芒校，《道德形而上学奠基》，人民出版社，2013 年。

克里斯托弗·希尔兹著，余友辉译，《亚里士多德》，华夏出版社，2014 年。

奎纳尔·希尔贝克、尼尔斯·吉列尔著，童世骏、郁振华、刘进译，《西方哲学史：
　　从古希腊到当下》（修订版），上海译文出版社，2016 年。

莱昂内尔·特里林著，刘佳林译，《诚与真》，江苏教育出版社，2006 年。

莱布尼茨著，陈修斋译，《人类理智新论》，商务印书馆，1996 年。

李·斯平克斯著，丁岩译，《导读尼采》，重庆大学出版社，2014 年。

理查德·克劳特著，王小娥、谢昉译，《不经考察的生活不值得过：柏拉图导读》，
　　中信出版社，2015 年。

列奥·施特劳斯、约瑟夫·克罗波西等主编，李洪润等译，《政治哲学史》，法律出
　　版社，2009 年。

列奥·施特劳斯著，李小均译，《苏格拉底与阿里斯托芬》，华夏出版社，2011 年。

刘小枫、陈少明主编，《苏格拉底问题》，华夏出版社，2005 年。

刘小枫、陈少明主编，《索福克勒斯与雅典启蒙》，华夏出版社，2007 年。

卢梭著，何兆武译，《社会契约论》，商务印书馆，2003 年。

卢梭著，黎星、范希衡译，《忏悔录》，人民文学出版社，2003 年。

卢梭著，李常山译，《论人类不平等的起源》，商务印书馆，1997 年。

罗伯特·C. 所罗门著，陈高华译，《哲学导论：综合原典阅读教程》，世界图书出版
　　公司，2012 年。

罗伯特·C. 所罗门著，郝苑译，《与尼采一起生活》，生活·读书·新知三联书店，
　　2018 年。

罗伯特·C. 所罗门著，张卜天译，《大问题：简明哲学导论》，广西师范大学出版社，
　　2011 年。

罗伯特·保罗·沃尔夫著，郭实渝译，《哲学概论》，广西师范大学出版社，2005 年。

罗伯特·皮平著，陈虎平译，《黑格尔的观念论：自意识的满足》，华夏出版社，
　　2006 年。

罗尔斯著，何怀宏、何包钢、廖申白译，《正义论》，中国社会科学出版社，2009 年。

罗尔斯著，姚大志译，《作为公平的正义》，中国社会科学出版社，2011 年。

罗杰·斯克鲁顿著，刘华文译，《康德》，译林出版社，2011 年。

罗念生，《罗念生全集》（1—4 卷），上海人民出版社，2016 年。

罗素著，段德智、张传有、陈家琪译，陈修斋、段德智校，《罗素文集第 1 卷：对莱

布尼茨哲学的批评性解释》，商务印书馆，2012 年。

罗素著，何兆武、李约瑟译，《西方哲学史》（上卷），商务印书馆，1998 年。

洛克著，关文运译，《人类理解论》，商务印书馆，1997 年。

洛克著，瞿菊农、叶启芳译，《政府论》，商务印书馆，1996 年。

吕翔，《希腊哲学的悲剧》，中信出版社，2016 年。

马丁·海德格尔著，陈嘉映、王庆节译，《存在与时间》（修订译本），生活·读书·新知三联书店，2014 年。

迈克尔·桑德尔著，朱慧玲译，《公正：该如何做是好？》，中信出版社，2011 年。

迈克尔·英伍德著，刘华文译，《海德格尔》，译林出版社，2013 年

麦克里兰著，彭怀栋译，《西方政治思想史》，海南出版社，2003 年。

曼弗雷德·库恩著，黄添盛译，《康德传》，上海人民出版社，2014 年。

米歇尔·艾伦·吉莱斯皮著，张卜天译，《现代性的神学起源》，湖南科学技术出版社，2012 年。

尼采著，黄明嘉译，《快乐的科学》，华东师范大学出版社，2007 年。

尼采著，李超杰译，《偶像的黄昏》，商务印书馆，2013 年。

尼采著，梁锡江译，《道德的谱系》，华东师范大学出版社，2015 年。

尼采著，钱春绮译，《查拉图斯特拉如是说》，生活·读书·新知三联书店，2007 年。

尼采著，孙周兴译，《瞧，这个人——人如何成其所是》，商务印书馆，2016 年。

尼采著，魏育青等译，《善恶的彼岸》，华东师范大学出版社，2016 年。

尼采著，杨恒达译，《人性的，太人性的：一本献给自由精灵的书》，中国人民大学出版社，2005 年。

尼采著，余明锋译，孙周兴校，《敌基督者》，商务印书馆，2016 年。

尼采著，周国平译，《悲剧的诞生》，生活·读书·新知三联书店，1986 年。

尼尔·波兹曼著，章艳译，《娱乐至死》，中信出版社，2015 年。

尼古拉斯·乔里著，杜娟译，《莱布尼茨》，华夏出版社，2013 年。

聂敏里，《西方思想的起源——古希腊哲学史论》，中国人民大学出版社，2017 年。

诺尔曼·马尔康姆著，李步楼、贺绍甲译，《回忆维特根斯坦》，商务印书馆，2012 年。

诺曼·马内阿著，章艳译，《论小丑：独裁者和艺术家》，吉林出版集团有限责任公司，2008 年。

欧内斯特·C.莫斯纳著，周保巍译，《大卫·休谟传》，浙江大学出版社，2017 年。

乔纳森·巴恩斯著，史正永、韩守利译，《亚里士多德的世界》，译林出版社，2013 年。

乔纳森·海特著，李静瑶译，《象与骑象人》，中国人民大学出版社，2008 年。

乔纳森·海特著，舒明月、胡晓旭译，《正义之心：为什么人们总是坚持"我对你错"》，浙江人民出版社，2014 年。

乔纳森·华夫著，龚人译，《政治哲学绪论》，香港牛津大学出版社，2002 年。

乔治·勃兰兑斯著，安延明译，《尼采》，中国社会科学出版社，1992 年。

乔治·萨拜因著，托马斯·索尔森修订，邓正来译，《政治学说史》，上海人民出版社，2008 年。

乔治·斯坦纳著，李河、刘季译，《海德格尔》，浙江大学出版社，2013 年

瑞·蒙克著，王宇光译，《维特根斯坦传：天才之为责任》，浙江大学出版社，2011 年。

撒穆尔·伊诺克·斯通普夫、詹姆斯·菲泽著，匡宏、邓晓芒等译，《西方哲学史：从苏格拉底到萨特及其后》，世界图书出版公司，2012 年。

塞缪尔·芬纳著，王震、马百亮译，《统治史》，华东师范大学出版社，2014 年。

塞涅卡著，袁瑜玎译，《道德和政治论文集》，北京大学出版社，2010 年。

色诺芬著，吴永泉译，《回忆苏格拉底》，商务印书馆，2007 年。

莎拉·贝克韦尔著，沈敏一译，《存在主义咖啡馆：自由、存在和杏子鸡尾酒》，北京联合出版公司，2017 年。

史蒂芬·B. 斯密什著，贺晴川译，《政治哲学》，北京联合出版公司，2015 年。

斯蒂芬·茨威格著，姜瑞璋译，《一个古老的梦——伊拉斯谟传》，辽宁教育出版社，1998 年。

斯蒂芬·霍尔盖特著，丁三东译，《黑格尔导论：自由、真理与历史》，商务印书馆，2013 年。

斯东著，董乐山译，《苏格拉底的审判》，生活·读书·新知三联书店，1998 年。

汤姆·索雷尔著，李永毅译，《笛卡尔》，译林出版社，2014 年。

涛慕思·博格著，顾肃、刘雪梅译，《罗尔斯：生平与正义理论》，中国人民大学出版社，2010 年。

梯利著，葛力译，《西方哲学史》，商务印书馆，1995 年。

托马斯·内格尔著，宝树译，《你的第一本哲学书》，中信出版社，2005 年。

汪子嵩等著，《希腊哲学史》（1—4 卷），人民出版社，2010 年。

威尔·金里卡著，刘莘译，《当代政治哲学》，上海译文出版社，2011 年。

威廉·巴雷特著，段德智译，《非理性的人》，上海译文出版社，2012 年。

维布莱希特·里斯著，王彤译，《尼采》，中国人民大学出版社，2010 年。

维特根斯坦著，陈嘉映编译，《维特根斯坦读本》，上海人民出版社，2015 年。

维特根斯坦著，陈嘉映译，《哲学研究》，上海人民出版社，2005 年。

维特根斯坦著，陈嘉映主编、主译，《维特根斯坦读本》，新世界出版社，2010 年。

维特根斯坦著，贺绍甲译，《逻辑哲学论》，商务印书馆，1996 年。

维特根斯坦著，徐为民译，孙善春校，《维特根斯坦与维也纳学派》，同济大学出版社，2004 年。

维特根斯坦著，张金言译，《论确实性》，广西师范大学出版社，2002 年。

修昔底德著，徐松岩、黄贤全译，《伯罗奔尼撒战争史》，广西师范大学出版社，2004 年。

薛定谔著，严锋译，《自然与古希腊》，上海科学技术出版社，2002 年。

雅克·董特著，李成季、邓刚译，《黑格尔传》，上海人民出版社，2015 年。

亚里士多德著，廖申白译注，《尼各马可伦理学》，商务印书馆，2006 年。

亚里士多德著，苗力田主编，《亚里士多德全集》（十卷），中国人民大学出版社，2016 年。

亚里士多德著，吴寿彭译，《政治学》，商务印书馆，2008 年。

叶秀山，《启蒙与自由》，江苏人民出版社，2013 年。

叶秀山，《苏格拉底及其哲学思想》，人民出版社，1986 年。

伊迪丝·汉密尔顿著，葛海滨译，《希腊精神》，华夏出版社，2008 年。

伊丽莎白·S. 拉德克利夫著，胡自信译，《休谟》，中华书局，2016 年。

以赛亚·伯林编著，孙尚扬、杨深译，《启蒙的时代：十八世纪哲学家》，译林出版社，
2012 年。

以赛亚·伯林著，胡传胜译，《自由论》，译林出版社，2003 年。

余纪元，《理想国讲演录》，中国人民大学出版社，2009 年。

余纪元著，林航译，《德性之镜：孔子与亚里士多德的伦理学》，中国人民大学出版社，
2009 年。

约翰·赫伊津哈著，何道宽译，《伊拉斯谟传》，广西师范大学出版社，2008 年。

约翰·马仁邦著，吴天岳译，《中世纪哲学：历史与哲学导论》，北京大学出版社，
2016 年。

詹姆斯·施密特著，徐向东、卢华萍译，《启蒙运动与现代性》，上海人民出版社，
2005 年。

詹姆斯·塔利著，王涛译，《论财产权：约翰·洛克和他的对手》，商务印书馆，
2014 年。

张志伟，《西方哲学十五讲》，北京大学出版社，2004 年。

张志伟主编，《西方哲学史》，中国人民大学出版社，2010 年。

赵敦华，《基督教哲学 1500 年》，人民出版社，2005 年。

赵敦华，《西方哲学简史》，北京大学出版社，2001 年。

赵林，《西方哲学史讲演录》，高等教育出版社，2009 年。

周濂，《你永远都无法叫醒一个装睡的人》，中国人民大学出版社，2012 年。

周濂，《正义的可能》，中国文史出版社，2015 年。

朱利安·扬著，陆丁、周濂译，《海德格尔、哲学、纳粹主义》，辽宁教育出版社，
2002 年。

跋

从 2006 年春天开始，我给中国人民大学的全校本科生开设通识课程"西方哲学智慧"，经过十年的历练，慢慢摸索出一些个人的教学心得。2017 年夏天，"喜马拉雅 FM"的编辑约我开设音频课程，于是便不自量力地答应下来。音频课在 11 月份正式上线，事实证明，我大大低估了它的难度。我在课堂上习惯与学生互动，在问答之间激发讲课的灵感，也正因此，我并没有完整的讲稿，只是在教学过程中不断地更新和完善 PPT。可是音频课的逻辑完全不同，它没有现场感，缺乏互动性，不允许教师有任何思考的留白处，偶尔的大喘气或者小磕巴都会显得异常突兀。解决这个问题的唯一办法就是逐字逐句地写下每一篇讲稿，喜马拉雅 FM 的更新节奏是一周三期，每期 15~20 分钟，这意味着每周要写 12000 字左右的讲稿，一写就是 10 个月。这个过程远比想象中的要艰难，借用科比·布莱恩特的说法，在这 10 个月里，我见过每天凌晨 4 点的北京。

关于"西方哲学史"的著述可谓汗牛充栋，其中不乏经典之作，尽管如此，我仍然希望能够讲出一些自己的独特体会，不人云亦云，而是有自己的思考与个性。这是一本写给哲学零基础读者的普及读物。我把自己看成思想的导游，尝试告诉读者哪片风景值得驻足观赏，哪座森林暗藏杀机，何处有浅滩，何处是激流。我试图向读者展示思考的痕迹和脉络，但绝不代替读者做出最终的判断，因为归根结底，哲学是一个动词，真正的哲学不是让人免于思考，而是激发人们思考。

需要特别说明的是，为了保证音频播出的流畅性，我无法频繁提及引文的出处，在文稿中也没有添加注脚，我能做到的就是凡直接引文必加双引号或以引文格式标示，并在书后列举所有的参考书目。必须承认，这不符合严格意义上的学术规范，好在本书并非学术研究专著，相信读者朋友对此能有所谅解。如果本书存在任何硬伤或者理解上的不当之处，一切责任在我。

我要感谢所有选修过和旁听过本课程的人大同学，以及喜马拉雅 FM 的听友，感谢喜马拉雅的编辑王丹宁、向星以及"理想国"的编辑陈凌云和王家胜等人，没有你们的支持、鼓励和鞭策，这本书不可能问世。

我还要感谢我的家人，特别是我的女儿布谷。2013 年 5 月，在《南方人物周刊》举办的一场活动中，记者卫毅曾经问我："如果让布谷读第一本哲学书，你会推荐谁的书？"当时我的回答是："我希望能为她专门写一本哲学书。"如今五年过去了，那本书依然没有写出来。相反，倒是布谷帮助我写出了这本书，她的成长历程给我的哲学思考提供了很多刺激和灵感，在这本书里布谷的出场频率堪比柏拉图、亚里士多德和康德。我愿意把这本书送给她，希望有一天她会打开这本书，体会到来自于理解的快乐，因为我始终认为，这是哲学能够带给我们的最大馈赠。

周濂

2018 年 12 月 25 日